中国近现代针灸文献研究集成

教材卷

王富春
杨克卫／主编

针灸临床分卷

（下）

北京科学技术出版社

针灸治疗讲义（承淡安）

提 要

一、作者小传

承淡安（1899—1957），字启桐，初名澹盦，一名澹庵、淡庵，江苏江阴（古称澄江）人。我国近现代著名的针灸学家、针灸教育家，澄江针灸学派创始人、中国近现代针灸学科奠基人、近现代中国针灸事业的宗师。承淡安出身于中医世家，其祖父承凤岗精于中医儿科，父亲承乃盈擅长针灸、儿科、外科。他自幼受父辈熏陶，立志学医，以解患者病痛，他曾说："既抱定鞠躬尽瘁于中医学术，死亦无恨矣。"承淡安青少年时期即随父学医，尽得真传；又师从同邑名医瞿简庄学习内科。

1925年，承淡安开始独立行医。1929年，"废止中医案"使中医的发展面临困境。承淡安不受环境影响，毅然坚持带徒授业，以实际行动继承和发扬中医针灸学。1931年，承淡安创办了我国近代中医教育史上第一个针灸研究、函授教育机构——中国针灸学研究社，并担任社长。

为了更好地推动针灸的函授教育，承淡安于1933年10月10日创办了中国医学史上最早的针灸专业刊物——《针灸杂志》。1934—1935年，承淡安游学日本，收获颇丰。归国后，他创立了中国针灸学讲习所（1937年2月扩建为中国针灸医学专门学校）以传授针灸技术，同时又创设中国针灸医学图书馆。1937年7月，承淡安因战乱被迫离开自己创办的学校，前往四川地区。1938年，他在成都创建中国针灸讲习所、成都国医学校和针灸函授学校，在德阳创办德阳国医讲习所。1941年，他编著了《伤寒针方浅解》一书；1942年，承淡安任四川医学院针灸科教授，并在四川广安县开办国医内科训练班；1948年，他于苏州创办怀安诊疗院；1951年初，他在苏州司前街复建了中国针灸学研究社，并复刊《针灸杂志》。1954年，他出版《中国针灸学讲义（新编本）》，并于同年10月30日被江苏省人民政府任命为江苏省中医进修学校（今南京中医药大学）的首任校长。

承淡安长期从事针灸理论和临床研究，著作甚丰。著有《中国针灸治疗学》《中国针灸学讲义》《子午流注针法》《伤寒论新注（附针灸治疗法）》等15部著作，编修针灸经络图多册。承淡安一生致力于针灸医术的复兴与普及，为促进针灸学发展和培养针灸人才付出了艰辛努力，在他的努力之下，承门弟子程莘农（中国工程院院士）、邓铁涛（国医大师）、邱茂良、杨甲三、陈应龙等人在海内外孜孜以求，引领针灸学科发展前沿，逐步形成了以融通中西医学为特色的现代针灸学术研究群体——澄江针灸学派。

二、版本说明

《针灸治疗讲义》是近代承淡安编著的一部针灸类中医著作，成书于1938年，系《中国中医古籍总目》所载《针灸学讲义三种》之一。现存民国铅印本等。

三、内容与特色

该书分病论述，从疾病症状、病因、取穴、治疗机制、穴义等方面予以介绍。该书以《中国针灸治疗学》为蓝本，共计31门，包括时令病、脏腑病等。

（一）分门取穴，便于采纳

卷首讲述分门取穴及气病分门取穴，此处将罗兆琚《实用针灸指要》关于“穴性穴义”之分门取穴收入其中，分气门、血门、虚门、实门、寒门、热门、风门、湿门等8门，将常用之穴按门分类，言其主要切用，便于学习者临证取穴。

（二）分类描述，症机详参

疾病部分按门分类讲述，分伤寒门、温热门、暑病门、霍乱门、中风门、惊风门、痉厥门、癫狂门、疟疾门、泻痢门、咳嗽门、痰饮门、哮喘门、虚劳门、吐衄门、呕吐门、噎膈门、臌胀门、癥瘕门、五积门、三消门、黄疸门、汗病门、癃痹门、疝气门、遗精门、淋浊门、癃闭门、便血门、脚气门、痿痹门31门，并阐述相关疾病的症状、病因、治疗、治理等。全书条理清晰，取穴及治疗简便易懂，治理内容详细，可帮助初学者解决取穴、认穴困难的问题，实为民国时期“简、便、效”之针灸佳作。

鍼灸治療
海

鍼灸治療講義刊誤表

頁	行	字	誤	正
五	八	四	潮字下少一「熱」字	
	二一	二一	少「照海」二字	
八	二六	二六	熱	熱
九	五	十三	苔白	白苔
十一	三	十七	大	外
十二	十四	二四	失	有
十三	二三	二	寒	風
	二三	十三	痛	重
十四	九	六	以	外
二三	二	三	通	統
二三	十一	十	赤	青
二七	五	二七	齒	虫
五	十一	七	血	邪
六	二四	二六	抗字下少一「則成機能亢進之現象是爲陽症・即熱化也・年老質衰者・正氣之力不足與病邪相抵抗」…三十四字	
九	十一	十一	氿下少一數字	
十二	十四	二一	慓	慄
	二三	十九	濕	溫
十三	二三	六	重	痛
十四	七	十五	熱	逆
十五	二九	九	大	太
二三	十七	二六	幹	斜
二四	二七	二	所	戀
二八	七	十二	熱	熱

二八	十四	八	菌	菌
三三	一	十二	疾	痰
三三	四	二	謂	胃
三三	七	二七	胃	腸
三四	十	十八	之	所
三七	十一	十五	聲	聲
三八	七	十三	失	火
	二八	三	督	醫
四一	六	九	胄	胃
四三	十六	三十	於	如
四四	十五	三二	申	中
四六	三	十	二	三
四八	一	二十	熱	熱
五三	一	二九	自	日
五五	四	六	各	谷
五六	二四	二九	若	枯
五八	十二	十七	所	其

三二	二三	十三	色	白
三三	三	二一	多一「也」字	
三三	五	三十	可	則
三三	二二	三二	精字下少一「多」字	
	二三	二八	之字下多一「多」字	
三五	七	十一	賜	腸
三七	十三	七	促	短
三八	二十	十四	而	則
四十	二十	九	佚	俠
四一	十四	二十	申	中
四四	八	四	太	大
	十八	二四	息	胸
四六	十五	三二	强	弦
五二	十	十九	容	客
五四	八	二	命	損
五五	十九	一	胅上少一「腸」字	
五八	十一	五	多一「者」字	

鍼灸治療講義 目錄

鍼灸治療講義目錄

鍼灸治療講義 目錄

鍼灸治療講義

分門取穴

疾病之生。不離氣血。故湯液治病。有入血分之藥。有入氣分之藥。病之變化多端。則又不離寒熱虛實四則。寒則溫之。熱則淸之。虛則補之。實則瀉之。此爲治病之不二法門。故藥物治病。有寒熱補瀉之別。鍼灸亦然也。故鍼灸之取穴。無異湯液之擬藥。爰將普通常用之穴。分別氣血寒熱虛實六門。言其主要切用。俾臨症時易於採取焉。

氣門

少商　宣泄肺氣，左大指內側，去爪甲如韭叶，中府　理肺利氣，在乳頭直上三寸，旁開一寸，雲門　開胸降氣，在中府上一寸六分，經渠　降肺氣，治氣逆，在腕後五分，商陽　泄大腸之邪，兼泄肺氣，在食指內側，去爪角如韭葉，合谷　宣泄肺氣之鬱結，在虎口歧骨間，曲池　行氣，在肘外輔骨之陷中，內庭　疏通腸胃之氣，在次趾中趾之間，豐隆　泄瀉肺氣，治哮喘在外踝上八寸，足三里　升氣降氣調中氣，在膝眼下三寸，隱白　升陽氣，治嘔逆，大趾內側去爪甲如韭葉，公孫　治脾胃之氣上逆，而止嘔吐，在大趾本節後一寸，風門　驅風，治嘔逆上氣，喘臥不安，在第二椎下，旁開一寸五分，肺俞　專治肺病，宣泄肺氣，治咳嗽喘嘔，在第三椎下，旁開一寸五分，厥陰俞　治胸中膈氣，嘔吐，在第四椎下，旁開一寸五分，肝俞　專治肝病，能泄肝氣，治肝氣之橫逆，在第九椎下，旁開一寸五分，膽俞　泄肝膽之氣上逆，治翻胃食不下，在第十椎下，旁開一寸五分，大腸俞　能疏通腸中氣化，在第十六椎下，旁開一寸五分，膀胱俞　能疏通膀胱之氣化，而通調小便，在第十九椎下，旁開一寸五分，照海　能引氣下行，在內踝下五分，俞府　開肺氣治欬逆上氣，嘔吐不食，在璇璣旁二寸，內關　能調肺胃之氣，治嘔逆上氣，在大陵上二寸，陽陵泉　行氣導濁，在膝下一寸，外尖骨前之陷凹

針灸治療講義

處，**足臨泣** 泄肝氣，治胸滿氣喘，在足小趾次趾本節後，**氣海** 通治一切氣病，振陽氣，利氣，在臍下一寸五分，**建里** 理中焦之氣，治心痛上氣嘔逆不食，在中脘下一寸，**中脘** 專理腸胃之氣而助消化，在臍上四寸，**下脘** 功用同上，在建里下一寸，**上脘** 功用同上，在臍上五寸，**巨闕** 治咳逆上氣，胸滿氣痛，在臍上六寸，**膻中** 治一切氣病氣喘，短氣，喘哮，咳逆，噎氣，翻胃，膈食，在兩乳之中間，**天突** 治氣上熱咳嗽哮喘在結喉下一寸，**大椎** 調和衛氣，在第一椎下，

血門

尺澤 止血，治吐血，在肘中約紋之中心，**魚際** 治吐血，咳血，在大指本節後，赤白肉際，**太淵** 治咳嗽，咳血，在寸口前橫紋上，**少商** 刺出血，能使氣血流通，**商陽** 刺出血，功用同上，**二間** 能治鼻衄在食指第三節之前內側，**合谷** 治牙衄，在虎口岐骨間，**曲池** 行血，治婦人經水不行，在屈肘橫紋頭，**迎香** 治鼻衄血，在鼻孔旁五分，**天樞** 治嘔血，衝氣上逆，女子月水不調，漏下，或血結成塊，在臍旁二寸，**足三里** 破瘀血，治吐血，咳嗽血在膝眼下三寸，**內庭** 治齒衄，鼻衄，在次趾中趾之間，**三陰交** 通經行瘀，清血，生血，涼血，固血，在內踝三寸，**地機** 治月事不調，在膝五寸內側，**血海** 功用同上在膝臏上二寸，**腹哀** 治大便濃血，在中脘旁四寸，**少冲** 刺出血，能通行氣血，在小指內廉之端，在爪甲如韮叶，**少澤** 刺出血，功用同上，在小指外側爪甲旁，**風門** 治鼻衄不止，在第二椎下旁一寸五分，**肺俞** 治咳嗽，吐血，在第三椎下旁開一寸五分，**心俞** 治嘔血，咳血，在第五椎下，旁開一寸五分，**肝俞** 治嘔血，咳血，在第九椎下，旁開一寸五分，**膈俞** 通治一切血病，凡屬血症，均宜取之，在第七椎下，旁開一寸五分，**委中** 清血，解血中之毒，在膝膕窩之正中，**合陽** 治女子漏血不止，在委中下二寸，**照海** 腎氣虛寒，灸之治月事不行，在內踝骨下四分，**交信** 功用與合陽同，在內踝上二寸，**大陵** 治喘咳嘔血在手腕橫紋之陷中，**中衝** 刺出血，能通行氣血，在中指之端，去爪甲如韮葉，**關冲** 功用同上，在無名指外側，去爪甲如韮叶，**大敦** 治血崩，漏下不止，在大趾爪甲後叢毛中，**行間** 行瘀，破血結，在大趾次趾合縫後五分，**太冲** 通經行瘀，養血涼血，在行間後寸半，**曲泉** 清血，涼血，養血，在屈膝橫紋陷中，**中極** 治婦人血崩不止，或月事不還，或產後惡露不行，血結成塊，在臍下四寸，**關元** 功用同上，在中極上一寸，**氣海** 功用同上，在臍下寸半，**陰交** 功用同上，在臍下一寸，

虛門 虛則補之

大淵 生津液潤肺， 天樞 灸之，治虛損勞瘵， 足三里 補脾胃，益氣血， 上巨虛，益胃 隱白 補脾益氣， 公孫 補中運脾陽， 三陰交 補三陰之虛損，益精生氣血，灸之，則補陽氣， 漏谷 益精治失精，在三陰交上三寸， 地機 補脾，益陰精，在膝下五寸內側， 少冲 益精液， 肺俞 補肺，治虛勞， 心俞 補氣血之不足， 膈俞 養血，生血， 肝俞 益肝，補氣血， 魄戶 治虛勞肺痿，在第三椎下，旁開寸半， 膏肓俞 補虛損，益精氣，治虛羸瘦損，夢遺，在第四椎下，旁下三寸， 脾俞 補脾胃，助消化，在第十一椎下，旁開寸半， 胃俞 功用同上，在第十二椎下，旁開寸半， 腎俞 益精，補腎陰，灸之，壯腎陽，在十四椎下，旁開寸半， 湧泉 補腎，益精，滋陰，退虛熱，在足掌心中； 關元俞 補虛，腸胃虛寒泄瀉，在十七椎下旁開寸半， 中膂俞 補腎陰，治腎虛消渴，在二十椎下旁開寸半， 太谿 益腎滋陰，在內踝後五分， 交信 補腎滋陰，在內踝上二寸， 復溜 功用同上，在內踝上二寸， 間使 治陰虛，盜汗， 支溝 生津液，潤大便，在陽池後三寸， 行間 益肝滋陰，在大趾次趾合縫後五分， 太冲 養肝陰，在行間後寸半， 曲泉 養肝補血，在膝內側，屈膝橫紋兩頭陷中， 中極 治下元虛冷，在臍下四寸， 曲骨 補元氣益精，在中極下一寸， 關元 固下元，益精氣，治諸虛百損，在中極上一寸， 氣海 固下元，益陽氣，補腎陰，在臍下寸半， 神闕 灸之，益陽氣，治陽氣之欲脫，在臍中， 中脘 補胃助消化，在臍上四寸， 上脘 功用同上，在中脘上一寸， 下脘 功用同上，在中脘下二寸， 命門 補腎，益精，治虛損，退骨蒸，勞熱，在十四椎下，

實門 實則瀉之

神門 在腕後，豌豆骨之下陷中， 少冲 小指內側， 通里 俱瀉心在腕側後一寸， 湧泉 在足掌心， 然谷 在公孫後一寸， 太谿 俱瀉腎，在內踝後五分， 公孫 大趾本節後下一寸， 商邱 在內踝骨下微前陷凹中， 陰陵泉 俱瀉脾，在膝下內輔骨下陷中， 大陵 在手腕橫紋之陷中， 勞宮 在掌心， 內關 在大陵上二寸， 曲澤 在肘內廉下之陷凹中， 中衝 俱瀉心包，中指之端， 中府 在乳上三寸，外開一寸， 少商 魚際 尺澤 列缺 俱瀉肺 行間

鍼灸治療講義

太衝 在大趾節半寸， 曲泉 俱瀉肝，在曲膝之橫紋端， 商陽 二間 合谷 曲池 瀉大腸， 內庭 足三里 俱瀉胃， 少澤 小海 俱瀉小腸，在尺骨之端，去肘尖五分陷中， 委中 瀉膀胱， 關沖 外關 腕後二寸， 支溝 俱瀉三焦，腕後三寸， 竅陰 在第四趾外側爪甲角， 足臨泣 在足小趾次趾本節後，去俠谿一寸五分， 陽陵泉 俱瀉膽，在膝下一寸，外尖骨前之陷凹處， 膻中 氣海 俱瀉氣， 血海 膈俞 俱瀉血， 關元 瀉膀胱， 天樞 泄胃腸，通腸逐穢， 中脘 瀉府導濁， 豐隆 瀉痰濁，通大便， 上脘 瀉胸膈， 期門 瀉肝，

寒門 寒則溫之

中脘 溫中暖府，治腸胃有寒，及腹一切寒冷， 氣海 治腹中一切寒冷，溫則下三焦， 關元 溫下焦暖子宮，振陽氣， 章門 治臟寒積，在臍旁季肋端， 心俞 振陽氣，溫氣血， 神闕 溫暖腸胃而回陽， 足三里 治胃寒腹中寒冷， 三陰交 溫中下焦，治血寒一切寒冷， 公孫 理心腹寒， 陰陵泉 理脾寒溫中焦， 隱白 溫脾壯陽理中下焦寒， 曲泉 理血寒腹中寒冷， 然谷 溫下元助腎火， 命門 腎俞 功用同上 大椎 解表寒， 後谿 同上 陶道 同上 大敦 溫肝治寒症，

熱門 熱則清之

少商 尺澤 魚際 肺俞 俱清肺熱， 列缺 經渠 退表熱， 商陽 二間 清陽明經熱，退身熱， 合谷 清氣分及頭面諸竅之熱， 曲池 退身熱，清氣血，退諸熱， 天樞 清腸胃之熱， 足三里 清胃腑熱， 豐隆 降胃熱，化熱痰， 解谿 清胃熱，在足腕上繫鞋處， 內庭 功用同上， 衝陽 毫鍼刺出血，能退熱，在足跗上五寸，足背最高之部， 厲兌 清胃熱， 大都 清脾熱， 三陰交 清血熱，平肝熱， 陰陵泉 清脾熱及胸中血熱等，

血海 清血熱， 神門 通里 少府 俱清心熱， 少冲 刺出血，清血熱， 少澤 功用同上， 後谿 清表熱， 大杼 疏表熱，

風門 清胸背之熱， 心俞 清心熱，瀉五臟之熱， 膈俞 清血熱， 肝俞 清肝熱，主瀉五臟之熱， 脾俞 功用同上， 腎俞 功用同上， 小腸俞 清腸中之熱，

中膂俞 清腎熱， 委中 刺出血，清血中之熱毒，主瀉四肢之熱， 湧泉 清腎熱治病後餘熱不解，及熱厥， 大谿 清熱養陰， 曲澤 清心包之熱，治身熱煩渴， 間使 清心包解胸中熱， 內關 功用同上， 勞宮 清心包，退身熱， 中衝 刺出血，清血熱， 關冲 功用同上， 外關 治一切外感身熱， 支溝 清三焦之熱，

絲竹空 清頭目熱在眉毛梢外端陷中， 陽陵泉 瀉肝膽熱， 懸鍾 清三陽及腦熱在外踝上三寸， 足臨泣 清肝膽熱， 竅陰 功用同上， 行間 清肝腎之熱，

上脘 清心胃熱， 中脘 清胃熱， 命門 清虛熱， 陶道 解表熱，退身熱， 大椎 功用同上， 百會 清頭部熱及腦熱， 金津 玉液 出血清心胃熱而生津液，舌下紫絡，

氣病分門取穴

六氣者。風。寒。暑。濕。燥。火。是也。以其能病人。故曰六淫。又曰外邪。六氣之中。寒氣則於寒門中酌量取穴治療之。熱氣則於熱門中求之。燥與火可於熱門與虛門之清熱生津之穴治療之。惟風與濕則不能概括於四門中。茲再彙集治風治濕諸穴。分別二門。

風門

魚際 解外感風寒之邪， 列缺 解外感風邪，治頭風， 合谷 解表疏風寒， 頭維 疏風治頭痛， 大杼 解表疏風， 風門 能治一切風症， 肺俞 疏風

邪治風寒咳嗽，風池治頭風外感風邪，環跳搜經絡之風治冷風濕痺，在髀樞之宛陷中，肩髃搜周身四肢經絡之風，曲池搜周身風邪，風市治腰腿之風，在膝下外廉兩筋中，陽陵泉舒經絡搜四肢之風，風府專治風病，凡感風邪，及驚風中風等均能治之，百會治頭風及暴中風，水溝治暴中風，及頭面風邪，在鼻下溝之正中，委中治腰腿風，足三里搜四肢風，

濕門

足三里燥濕祛濕，上巨虛祛濕在三里下三寸，下巨虛功用同上，在三里下五寸，三陰交化濕行濕，陰陵泉滲濕利小便，脾俞化寒濕，醒脾快胃，胃俞功用同上，委中利濕，承山化脾胃之濕，而助消化，在委中下八寸腨肉之間．陽陵泉行濕，崑崙功用同上，太谿利濕，然谷功用同上，復溜化濕，內關利濕，治濕痰滯於肺胃，懸鍾祛濕，水分利小便滲濕，而治水腫，中脘化脾胃之濕，天樞功用同上，至陽化腸胃之濕，

傷寒門

難經曰。傷寒有五。曰中風。曰傷寒。曰濕温。曰熱病。曰温病。故傷寒者。概括外感諸症而言也。凡疾病之由外受者。謂之外感。外感之邪。由皮毛而腠理。而後傳入經絡臟腑。引起人身之內臟。血液神經等起變化。此傷寒之所由作也。漢時張仲景。將傷寒之症狀。分屬於太陽。陽明。少陽。太陰。少陰。厥陰。六經論治。三陽症中。則有表症腑症。三陰正中。則有寒化熱化。六經之中。復有合病。併病。傳變。等等。分條縷析。於所著傷寒論

中。言之極詳。爲後世醫家治療傷寒之正宗。惟全書洋洋數萬言。非短期間所能研究。茲挈六經之提綱。舍其湯藥之方劑。參入鍼灸之治法。分别言之。欲得其詳者。非讀傷寒論全書不可。

太陽

症狀。頭項强痛。惡寒。脈浮。如兼體痛嘔逆。無汗脈緊者。爲傷寒。如兼發熱。汗出惡風脈緩者。爲中風。

病因。傷寒有廣義狹義二種。廣義之傷寒。概括外感諸病而言。狹義之傷寒。即本條太陽病之傷寒症也。外感之邪。侵入人身之表部。名太陽病。爲風寒襲入化病之第一期也。人身感受外界之寒邪。血管收縮。故脈浮緊。血液凝固。故頭項强痛。寒邪外束。周身之毛孔閉塞。故無汗。肺氣不宣。故嘔逆。毛孔閉塞。體温不能外達。故惡寒。如感受風邪。則風屬温化。能使神經興奮。促進汗腺之排泄機能。故汗出。汗腺弛張。毛孔不閉。故惡風。體温因汗出而外達。故發熱。

治療 風府 針灸 合谷 同上 頭維 同上 風門 針灸

治理 風寒之邪。侵襲肌表。治宜解表。故針風府驅逐風寒。合谷疏表發汗。風門頭維。治頭項之强痛。以其能直達病灶。而疏通該部之凝固也。諸穴合針。則有疏解表邪。和榮諸衛之功。

太陽腑病

症狀　太陽病發汗後。脈浮。發熱。渴欲飲水。水入則吐。少腹硬痛。小便不利。此爲蓄水症。若少腹硬痛。脈微而沉。小便自利。其人如狂。此爲蓄血症。

病因　太陽之腑爲膀胱。俗稱尿脬。爲貯尿之囊。其底旁左右各有輸尿管一條。通於腎臟。人身飲食之水。由腎臟分泌後。再由輸尿管而入膀胱。貯蓄既滿。則由膀胱之排尿口從尿道泄出。若病邪入膀胱。則排尿口因病邪之刺激。而括約閉鎖。是以小便不利。愈積愈多。因而痕滿。故少腹發硬而痛。同時腎臟因膀胱不能排泄。其分泌機能。亦受障礙。既不能分泌。自不能吸收。故雖渴欲飲水。而水入即吐也。若蓄血症。則因病邪。入於血管。腎臟分泌不能得力。則熱邪幷入血中。自膀胱而出。若一時盡下。則病自解。無容醫治。故傷寒論有太陽病不解。熱結膀胱。其人如狂。血自下。下之則癒之明文。若結於膀胱而不下。或下而不盡。故雖小便通利。而少腹仍硬痛也。

治療　蓄水——大椎 針　曲池 同上　陰陵泉　足三里　小腸俞　中極　膀胱俞 以上均針

治理 蓄血——中極　三里　神門　內關　膀胱俞　以上均針

蓄水蓄血。原屬二症。症雖各異。然蓄於膀胱則一也。故宜鍼中極膀胱俞二穴。以行膀胱中所結之血與水也。足三里宣洩膀胱之氣化。而使之下行也。蓄水者。則佐陰陵與小腸俞通利小便。大椎。曲池。退熱止渴。蓄血者。則加鍼神門。內關。以二穴能安神定志。清熱以治其狂也。

陽明

症狀 壯熱。煩躁。不惡寒。大渴引飲。大汗出。脈洪大而數。唇口乾燥。此爲陽明經病。如日哺潮譫語。口臭氣粗。腹痛拒按。矢氣頻轉。大便祕結。小便短少。脈沉實有力。甚則沉伏。此爲陽明府症。

病因 (經病)有由於太陽病。失於調治。轉屬陽明。或由體氣衰弱。風寒之邪。長驅直入而成。蓋風寒之血。襲入人身。體溫不能外達。故發熱。久而不解。則體溫亢盛。故壯熱。表寒已罷。故不惡寒。臟腑受高熱薰灼。故煩躁。因其熱度過高。津液受其蒸迫。故大汗大熱。津液被奪。臟腑肌肉。失其滋潤。故唇舌乾燥。而口發渴。欲飲水以自救也。熱盛則心房張縮强而速。故脈亦洪大而數。

(府病)陽明之腑爲胃。良由熱邪深伏於腸胃。故肌膚反不覺大熱。而爲發作有時之潮熱。胃中之迷走神經。受高熱之刺激。影響於腦。腦神經失其正常之知覺。故譫言妄語。神識糢糊。熱則灼津。腸胃枯燥。失其蠕動之能力。不能滋潤糟粕以排泄之。結於腸中。而成燥屎。故大便不行。穢臭之氣。則由肛門泄出。故矢氣頻轉。因燥屎停滯腸中。故腹痛而拒按。津液爲大熱所刼。腎臟無從吸收水分。分泌量減少。故小便短少。

治療 二間　三間　合谷　曲池　內庭　解谿　中脘　足三里　支溝

均針瀉，

治理 陽明經病。爲熱邪蘊於腸胃。其主要症爲熱。故取大腸經之二間。三間。曲池。及胃經之內庭。解谿等穴。以瀉其熱。此治經病之法也。腑病不但腸胃熱。且腸中有燥屎。則其主要症爲燥屎。仲師有急下存津之法。故取支溝照海。以通大便。佐中脘足三里。以疏通腸胃之氣。兼鍼經病各穴以清熱。此治府症之法也。

少陽

症狀 寒熱往來。胸脅苦滿。默默不欲飲食。心煩喜嘔。口苦咽乾。頭痛在側。目眩耳聾。脈弦細　或弦數。

病因 或由太陽轉變而來．或由風寒直入而成。太陽之邪在表。故曰表症。陽明之邪在裏。故曰裏症。少陽之邪。既不在表。又不在裏。而在於胸膜肋膜。及橫膈膜等處軀殼之內。臟腑之外。介乎表裏之間。故曰半表半裏症。邪在表則惡寒。在裏則發熱。少陽之邪。在半表半裏。故有表症之惡寒。復有裏症之發熱。而成寒熱往來之現象。因其邪在胸膜肋膜橫膈膜等處。附近之肝脾膵三臟。亦因之而腫大。氣血亦不能暢行。故胸脅部自覺滿悶。同時胃之消化機能。亦受病邪之影響。故默默不欲食。橫膈膜痙攣。故欲嘔。少陽之腑爲胆。胆得熱則分泌力亢進。胆汁上溢。故口苦。胸脅部發熱。故心煩而咽乾。病邪上激。頭部血管鬱血。故頭痛。耳部之聽神經。與目部之視神經。因受邪之影響。而發生變化。故目眩耳聾。

治療

治理

足臨泣　足竅陰　期門　中渚　間使

臨泣爲少陽之兪。能治胸滿目眩。竅陰爲少陽之井。能治耳聾口乾心煩。中渚泄少陽之氣。間使除寒熱。期門宜泄胸脅中之邪。以其位居乳下。故能直達病灶。而清胆中之熱。

按傷寒三陽經中。太陽陽明各有經病腑病。前人區別甚詳。惟少陽腑症獨缺。謝利恆先生謂目眩口苦。係胆火上炎。胸脅苦滿。係胆火擾胃。寒熱往來。係三焦不和。是少陽見症之目眩耳聾脅痛爲經絡病。經病腑病。往往齊見而混合。故小柴胡湯一方。亦經腑台治而不分。并非少陽無腑病也。

鍼灸治療講義

又按俞根初先生通俗傷寒論。則謂寒熱往來。耳聾脅痛爲經病。目眩咽乾。口苦善嘔。膈中氣塞爲腑病。二說雖略有不同。而經腑每多合病。不必爲之強分也。本篇少陽條。亦經腑合而言之。而治療條中。所取各穴。亦已概括經病腑病之治法矣。

太陰

症狀 腹滿而吐。食不下。時腹自痛。自利不渴。脈遲或微。舌苔白。是爲寒化。兼壯熱煩渴。舌焦黃。脈洪數者爲熱化。

病因 凡病邪侵入人身。正氣出而抵抗。正邪相搏而發生種種現象。是謂病症。然人之體質有強弱。年齡有盛衰。年富質强者。正氣之力有餘。與病邪相抵抗。則顯機能衰減之現象。是爲陰症。即寒化也。故受病之原因雖同。而爲寒化熱化。則每因病者體質之强弱爲各異也。夫太陰者脾臟也。古人以上列諸症爲脾病。實則即腸胃病也。寒化症。乃由體質孱弱。冷氣內侵。或飲食生冷。以致腸胃受寒。飲食留滯於中。不能消化。故腹痮滿而痛。而飲食不進也。因其爲寒化。故口不渴。血液得寒則凝泣。血行慢緩。故脈遲或細。若夫熱化。則體溫增高。故壯熱。水分因熱而消奪。故口渴舌焦。此寒化熱化之別也。致於吐利。爲寒化熱化皆有之症。蓋腸胃得寒。則血管收縮。失其吸收作用。故上逆而爲吐。下注而爲利。得熱則蠕動亢進。血管不及吸收。故亦爲吐利也。

治療　寒化　隱白　公孫　足三里　中脘　章門　熱化　少商　三陰交

隱白　大都　中脘　天樞

治理　隱白爲太陰之井。故能治腹滿。公孫與足三里。能引氣下行。以止嘔吐。佐章門直達病灶。則止嘔吐之功益偉。中脘促進腸胃之消化與分泌機能。而治自利。灸之則增加溫度以驅寒。熱化則取少商以泄熱。三陰交清熱而養津液。隱白大都。止嘔而泄太陰之熱。中脘天樞。直泄腸胃之熱邪。而制止其蠕動之亢進。則無吐利之患矣。

少陰

症狀　目瞑踡臥。聲低息微。不欲食。身重惡寒。四肢厥逆。腹痛泄瀉。自利清谷。口不渴。脈細緩。舌白。此爲挾水而動之寒化症。若心煩不寐。肌膚灼燥。小便短數。脈虛數。舌光紅。少津液。此爲挾火而動之熱化症。

病因　腎虛之體。外邪侵襲腎經。腎陽虛者。則挾水而動。腎陰虛者。則挾火而動。挾水而動者。是爲寒化。爲全體機能衰減之病也。下焦虛寒。體溫減低。不能達於四肢。故惡寒而四肢厥逆。寒邪過盛。血流緩滯。心臟衰弱。故聲低息微。不欲言語。

而脈細緩。四肢之神經與血管。得寒而收縮。故身痛而踡臥。腸胃不能消化。腎臟失於吸收。故泄瀉而自利清谷。挾火而動者。是爲熱化。則因體溫亢進。津液大傷。故肌膚灼爍。神經因熱而興奮。故心煩而不能安寐。津液少則血管空虛。體溫高則血行迅速。故脈虛數。

治療 寒化 腎俞 肓俞 關元 太谿 復溜 各穴俱針均灸 熱化 湧泉 照海 復溜 至陰 通谷 神門 太谿

治理 寒化屬腎陽虛。故灸腎俞以溫腎。關元驅腸胃之寒。佐肓俞所以治腹痛也。太谿爲少陰之俞。復溜爲少陰之經。灸之能治身重惡寒。熱化刺湧泉照海復溜太谿以泄少陰之熱。而生津液。至陰爲膀胱之井。通谷爲膀胱之滎。鍼之以泄膀胱之熱。少陰病而取膀胱之穴者。腎與膀胱相表裏故也。

厥陰

症狀 張目直視。煩躁不眠。熱甚不惡寒。口臭氣粗。四肢厥冷。心胸灼熱。熱甚厥深。或下利濃血。或喉爛舌腐。脈弦數而洪。舌紅或紫或絳。此爲純陽症。若四肢厥冷。爪甲青黑。腹中拘急。下利清谷。嘔吐酸苦。脈細遲或沉。此爲純陰症。若腹中痛攣。四肢厥冷。吐利交作。心中煩熱。渴喜飲冷。飲下即吐。煩渴躁擾。脈象細弦。或細數不靜。舌或黃或白。舌質紅似潤而齒乾。此爲陰陽錯雜症。

厥陰爲六經之極裡。陰之盡。陽之生。故有純陽症。有純陰症。又有陰陽錯雜症。

病因　純陽症。由熱邪傳變而來。純陰症爲寒邪直中而得。陰陽錯雜症。爲直中之寒邪。與傳變之熱邪。互相錯亂而成。玆分別言之。

（純陽症）熱邪傳入厥陰。體温極高。故熱甚而不惡寒。厥陰屬肝。肝熱上衝。故目開而直視。熱盛則氣血沸騰。故煩躁不眠。心胸灼熱。因其內有急劇之熱。氣血內趨以事救濟。不能充達於四肢。故四肢反覺清冷。內熱愈盛則冷亦愈甚。故曰熱深者厥亦深。喉舌爲熱邪所薰灼。而喉爛舌腐。熱邪入腸中。腸壁發炎。腸膜潰爛。故下利膿血。

（純陰症）寒邪直中厥陰。體温之生成因之減少。不能達於四末。故四肢厥冷。與純陽症之因熱而厥者。適得其反。其辨別之法。先熱而後厥者。爲熱厥。不熱而厥者爲寒厥。寒邪盛則血行瘀滯。故爪甲青黑。腸胃得寒而不運化。故下利清谷。嘔吐酸水。陰陽錯雜症。陰陽錯雜。寒熱互見。故有陰症之吐利。厥冷。腹中痛攣等症。復有有陽症之心中煩熱。渴欲引冷等症。然非純熱。故雖飲下即吐也。純陰症

肝兪　關元　行間　中極　期門　五穴用灸治之

治療　純陽症　大敦　中封　期門　靈道　肝兪

鍼灸治療講義

治理 陰陽錯雜症 — 中封 靈道 關元 間使 肝俞

純陽症爲熱邪。故宜鍼以瀉之。大敦爲厥陰之井。中封爲厥陰之經。鍼之所以清泄厥陰之熱也。期門肝俞泄肝氣。靈道退身熱。純陰症爲寒邪。故宜灸以温之。灸肝俞行間期門者。驅厥陰之寒邪也。灸中脘關元爲直接驅除腸胃之寒邪。而治下利嘔吐腹部拘急等症。陰陽錯雜症爲寒熱互見。故針中封靈道以泄熱。灸關元間使以驅寒。

温熱

傷寒與温熱皆外感病也。惟外邪之侵襲人身。因其所入之部位不同。或所受之氣邪各異。其所病則異焉。夫傷寒爲感受外界之寒邪。由毛竅而入。漸次傳裏。初起必有惡寒見症。入陽明始從熱化。故其發現大熱時。必在數日以後。其發也緩。而温熱則不然。蓋温熱之邪。從口鼻而入。初起少惡寒症狀。即有之亦甚微而易解。旋即大熱口渴。或神昏譫語。相繼而來。其發也暴。此傷寒温熱辨別之大要也。茲復採戴北山廣温熱論中。傷寒與温熱之辨法五種。撮要錄之如下。

一、辨氣。 傷寒由外入內室。有病人無病氣。間有有病氣者。必待數日之後。轉入陽明經腑之時。若温熱之病氣。從中蒸發於外。病初即有病氣觸人。以人身藏府津液。逢蒸而。（下略）此節言傷寒無臭氣。温病則有臭氣也。

二，辨色。風寒主收斂。面色多光潔。温病主蒸散。面色多垢晦。或如油膩。或如烟熏。望之可憎者。皆温熱之色也。

三，辨舌。風寒在表。舌多無苔。即使有苔。亦薄而滑。漸傳入裏。方由白而轉黄。轉燥。轉黑。温熱頭痛發熱。舌上便有苔白。且厚而不滑。或色兼淡黄。或粗如積粉。傳入陽明。則兼二三色。或白苔且燥。又有至黑不燥者。則以兼色之故。（下略）

四，辨神。風寒中人。自知所苦而神清。傳裏入胃。始有神昏譫語之時。温病初起。便令人神情異常。而不知所苦。大概煩躁者居多。且或擾亂驚悸。及問病所苦。則不自知。即間有神清而能自主者。亦多夢寐不安。閉目若有所見。（下略）

五，辨脈。温熱之脈。傳變後與風寒頗同。初起時與風寒迥別。風寒初起脈無不浮。温邪從中道而出。一二日脈多沉。

讀戴氏文。則温熱與傷寒之辨別。已甚明了。然所謂温熱者。乃一切温病熱病之總稱。病之屬於温熱者。則有風温。暑温。温毒。温疫。濕温。秋温。冬温等等。揆其致病之原有二。一曰外感温熱。一曰伏氣温熱。外感温熱者。即感受温熱之邪。隨感隨發者是也。伏氣温熱者。乃感受外邪而不即病。潛伏人身。至相當時期而發。內經所謂冬傷於寒。春必病温。冬不藏精。春必病温等是也。夫病邪既襲人身。安可潛伏不動。相安無事。而經過此長期。始爲病貌。視之殊屬妄談。然借證於西學。則知其爲不謬。我中醫之所謂病邪。即西醫之所謂細菌。細菌侵襲人身。人身之體質强健。抵抗力强。則細菌亦末由施其技。而寄生於血液。或藏府間。因而蕃殖。是謂潛伏期。發育既多。抵抗力不能支持。其病乃作。是謂發作期。伏氣温熱之原。良有以也。

風温

病狀 微惡寒。發熱頭痛。咳嗽胸悶。自汗出。或見鼻衄。舌黃或白。脈浮數。

病因 經云。冬傷於寒。春必病温。良由內有伏邪。至春令時届温暖。因受外邪之引誘而發。此乃伏邪爲病。其原理已述於前。亦有內無伏邪。因春時氣候温暖。人身之陽氣外泄。腠理漸疏。猝遇時感。致成此疾。夫所謂風温者。乃風中夾熱氣。人感觸之。由口鼻而入於肺。肺氣不宣。故胸悶不舒。病邪積蓄肺部。氣管因之不利。故發咳嗽。若熱度較高。鼻部血管。乃充血而破裂。血溢於外。故鼻衄。熱量充實肌膝。故發熱。頭痛者。血中廢物內蘊腦部。毛細管鬱血。故頭部覺痛也。

治療 魚際　經渠　尺澤　二間 針瀉

治理 魚際爲太陰之滎。功能解表熱。經渠爲肺之經。能治咳嗽而除寒熱。尺澤爲肺之合。所以泄肺中風熱之邪。肺與大腸相表裏。故取大腸之滎穴二間以泄熱。且此穴亦有宣泄肺氣之功。針之以爲諸穴之佐使也。

暑溫

症狀 頭痛壯熱。煩渴引飲。瞀悶喘促。甚有神志不清。汗出如瀋。脈象洪數。或虛數。舌光絳。

病因 溫病之發於正夏者。名曰暑溫。蓋炎夏暑熱當令。赤日懸空。酷熱如焚。人在氣交之中。感受暑熱之氣。因而成病者。是謂暑溫。暑熱之邪。侵襲人身。由肺直入。體溫增高。故壯熱。熱邪蒸迫津液外出。故汗出如瀋。煩渴引飲者。大熱傷津也。瞀悶喘促者。熱聚肺。肺氣膨脹而從氣管以排泄也。熱邪激越。腦神經被刺激。故神志不清。熱熾則脈洪數。津傷則脈虛數。舌光而色絳者。亦熱重津傷之故也。

治療 經渠　神門　湧泉　委中　陶道　支溝　神志不清者加鍼人中

治理 針經渠取其能泄肺之熱邪。而治瞀悶喘促也　湧泉能清熱而增津。委中刺血。以清血中暑熱之邪。支溝陶道退身熱。諸穴合針。則有清暑熱。增津液之功。神門一穴。則專治神志不清。鍼而瀉之。亦有退熱之效。如神志不清者。則加鍼人中穴。以醒神昏。以爲神門之佐使。則其功效益佳也。

溫毒

症狀　壯熱面赤。大渴引飲。口氣穢濁。咽痛喉腫。目紅。氣出如火。中心煩燥。神昏譫語。舌黃或紅。脈象洪數。

病因　溫熱之邪。兼夾穢濁之毒。觸之成病。直干心包內臟。而入血分。其熱尤甚於暑溫。故不但壯熱煩渴。神昏譫語。更覺心中煩熱。呼出之氣如火也。咽喉受熱毒之薰灼。因而發炎。熱毒上乘。目部因而充血故目赤。此症爲溫熱病中最危最重之候。正如火之燎原。非大清其熱毒不足濟也。

治療　少商　商陽　中衝　關冲　少冲　少澤　委中　俱刺出血　支溝　合谷　勞宮針瀉

治理　少商爲肺經之井。商陽爲大腸經之井。中衝爲心包絡之井。關冲爲三焦之井。少冲爲心之井。少澤爲小腸之井。刺出血。所以泄各經之熱毒也。委中出血則清血分之熱。合谷泄氣分之熱。勞宮爲心包絡之榮。鍼之以清心包之熱。支溝爲三焦之合。能泄三焦之熱。熱毒退。神志清諸恙自解。

秋燥

病狀　初起惡風寒。發熱無汗。煩躁。痰嗽胸悶。口渴唇燥。舌無苔而燥。甚則喘促咳逆。咯血。脅肋膺乳掣引而痛。不能轉側。

病因 燥氣爲病。多起秋令。蓋金風飄拂。燥烈之氣大行。人感之則成病。或暑熱內伏。復感外邪而發。凡燥氣傷人。首先犯肺。次傳於胃。燥邪傷肺。故痰喘胸悶。甚則喘促咳逆。肺熱過重。肺絡破裂。血從氣管大溢。故咯血。肺藏受病而波及附近之脅肋膺乳等處。故亦掣引作痛也。

治療 少商　魚際　尺澤　內庭　金津　玉液

治理 少商爲肺之井。鍼之則泄肺之燥熱。而兼治脅肋等處之痛。魚際尺澤合谷清泄肺熱。尤能止咯血。內庭清陽明之熱。金津玉液則能生津止燥。各穴相合。大有清燥熱潤肺止血之妙用。

冬溫

症狀 身熱微惡寒自汗。或不惡寒。頭痛咳嗽。煩熱而渴。或咽痛或頰面腫。甚則神昏譫語。舌黑齒燥脈浮數。

病因 立冬以後。立春以前。所發之溫病。即名冬溫。夫冬月嚴寒。理無溫病。良由氣候反常。應寒而反溫。其不正之氣。中於人而發出。或平素嗜食溫熱之品。致內有蓄熱。兼感外邪。而發溫邪。在肺則肺失清肅。溫邪鬱結於肺。故咳嗽咽痛。溫邪上越。則面浮頰腫。溫邪在胃。則口渴引飲。熱盛犯腦。則神昏譫語。津液枯涸。則舌黑齒乾。冬溫見此。則爲危篤之候。頗難調治。亟宜清熱養津。或可挽救。

治療 魚際　合谷　液門　內庭　復溜　神門　間使

治理 魚際合谷清泄肺中溫邪。液門清熱而能治咽腫。復溜清熱而生津液。內庭則泄胃中之熱邪　如神昏譫語者則鍼神門間使以清之。若舌黑齒乾。速宜刺金津玉液。以復津液。不然鮮不憤事也。

濕溫

症狀 初起微惡寒。繼則發熱。飲食少思。午前較輕。午後則劇。身痛頭重。脘腹胸脅痞滿。小溲短赤。面色垢濁。渴不多飲。神志糢糊。甚則言語譫妄。舌苔厚膩垢濁。口糊兩脈濡細或濡數。

病因 濕溫病多患於長夏秋初之時。蓋此時既多暑熱。每多淫雨。暑熱與雨濕交蒸。化生濕熱之邪。人感觸之。輒病濕溫。或飲食厚味。腸胃吸收作用減退。因而生濕。復感外邪而成。夫濕溫之邪。侵襲人身。則汗液停蓄而起鬱血。故初起有微惡寒及身痛頭重等症。惟不若傷寒之惡寒重也。濕熱之邪與體溫相鬱蒸。故繼則蒸蒸發熱。熱度有時而升降。有時而減輕。有時加劇。濕熱留於腸胃。運化失職。故不思飲食。胃中之飲食腐敗發酵故脘腹痞滿。津液停滯而爲痰濁。積貯於肺。故胸脅不舒。

凡腸胃之病。舌苔必厚。以其熱濁之氣上薰也。故濕温之舌苔亦厚膩。若舌質紅絳無苔則爲精液大傷。熱毒亢盛之症。濕溫見此。勢難樂觀。若神志糢糊。言語譫妄者。則爲熱毒犯腦。亦屬重候。然有濕溫初起。即糢糊譫語者。則爲濕痰蒙蔽神經使然。與盛熱犯腦之症，不可一例觀也。

治療 間使　太淵　期門　章門　中脘　大椎　曲池　合谷

治理 大椎曲池退身熱。太淵合谷宣泄肺中之熱。而化痰濁。期門章門治胸脅痞滿，中脘促進腸胃之消化與吸收。使濕邪不致停留。間使不但能清熱。且有治神昏之功用。故神昏譫語者。更不可不針也。

溫瘧

症狀 先熱後寒。熱重寒微。或但熱不寒。口渴引飲。骨節煩疼時嘔。病以時作。起伏似瘧。舌苔黃或絳。脈弦數。

病因 古人謂此症。由於冬月感受風寒之邪。潛伏人身。至夏月因暑熱之引誘而發。實則即感受温熱之邪而成溫熱性之瘧疾也。故其症狀與普通瘧相類。惟其純屬熱邪。故但熱不寒。或發輕微之寒。不若普通瘧疾之惡寒戰慄也。故夫口渴引飲。舌乾或絳等等。皆爲熱邪傷津之徵。時嘔者則爲熱邪犯胃也。

治療　後谿　大椎　間使

治理　大椎爲手足三陽之會。功能泄熱。復能除寒熱。間使後谿亦爲退熱之要穴。三穴合用則能清泄溫熱之邪。且通治一切瘧疾。頗具偉效。但治普通瘧疾。多加艾灸。用於本症。則單針以泄熱。不可灸也。

溫疫

症狀　發熱惡寒。口渴心煩。頭暈咽痛。面色赤。舌上隱起紅點。胸悶身倦。甚則神昏譫語。舌黑唇焦。咽喉壅爛。爲流行性之溫病。且爲濕熱病中危亟之症也。

病因　疫。厲氣也。厲氣之結。或由天地之造成。或由人事之感招。其發也。每多各鄉各鎭。沿門闔戶。相繼而發。病狀相同。如役使然。故稱疫病。溫疫者。乃瘟疫熱性之疫病。其中於人也。由口鼻而入心肺。熱毒鴟張。血液沸騰。故初起即現發熱。口渴心煩咽腫等症。變化迅速。若不亟治。津液枯燥則舌黑唇焦。咽喉腫爛。神昏譫語等症相繼而來。可畏孰甚。

治療　十二井穴或十宣穴　俱刺出血　大椎　合谷　神門　內關　尺澤

治理　十二井穴或十宣穴。刺出血者。所以泄血分中之熱毒。以防其內陷也。大椎曲池合谷。所以退身熱也。神門內關尺澤。取其能清心肺之熱。而療神昏譫語也。

附白痦

白痦一症。每多發於濕温病中。伏暑春温冬温等症。間或有之。然不多見。蓋濕温之邪。侵襲人身。最爲纏綿難愈。故古人有濕爲黏膩之邪。不易速愈之說也。遷延日久。則因微汗頻濡。皮膚鬆浮。若一經大汗。則汗孔之皮膚內含汗液。錠起而爲白痦。色如晶瑩小粒如粟。捫之纍纍。汗多痦密。汗少痦疏。無論其爲多爲少。皆爲病邪欲解之佳象也。毋庸調治。兼有他症未罷者。則治他症。不須顧慮白痦。茲特述其病狀以爲臨症時之參考也。

附瘢

瘢症多見於温毒。温疫。暑温等症中。良由熱盛或誤治而成温熱之邪。温伏血液。血液不潔。得熱而沸騰。藉肌表以爲透發之地。於是乎瘢點出焉。色鮮紅。有跡無形。多發於胸腹肢體。爲熱盛之徵。色紫者熱毒更盛也。若色黑則爲熱極不治之症。古人謂斑黑胃爛者是也。治瘢之法則惟清泄血熱。爲不二法門。取穴宜委中。尺澤。十二井穴等。均刺出血。庶乎血中之熱毒減而瘢亦退也。

暑病

暑爲六氣之一。內經謂之暑。傷寒與金匱則謂之暍。暑爲陽邪。熱病居多。夏至以先天未大熱。故經以先夏至日爲病温。後夏至日爲病暑。誠以赤帝當令。天暑炎炎。地熱蒸蒸。人感觸之。則成暑病。然則富貴之家。避暑於深堂水閣密樹濃陰。似可不生暑病。殊不知大扇風車。任情悅性。過襲陰凉。此所謂靜而得之者爲陰暑。貧賤之軀。則雖盛暑烈日之時。農夫田野。經商長途。奔走勞役。不辭辛苦。暑病固所難免。此所謂動而得之者爲陽暑。他如口腹之不節恣食生冷。或起居失調。夜臥當風。此皆暑病之起因也。考古人之言暑。文有中暑。暑厥。伏暑等稱。茲分解之。

中暑

症狀　身熱或微惡寒。汗出而喘。煩渴多言。倦怠少氣。面垢齒燥。脈孔。兼風。則發熱惡寒。身體疼重。兼濕則身熱疼痛。胸悶頭重。

病因　夏月炎帝司令。暑熱高懸。爍石流金。吾人感之輒成中暑。多由太陽而入。陽明其應。故初起時。或間有太陽表症之惡寒。隨即轉陽明而發熱也。夫暑爲熱邪。最易耗氣傷津。氣耗則倦怠少氣。津傷故口渴齒燥。津氣兩傷。血管空虛。故脈孔。兼風者名暑風。風束肌表。體温不能外達。故惡寒較甚。兼濕者名暑濕。濕邪內阻。氣機呆滯。故胸悶頭重也。

治療　少澤　合谷　曲池　內庭　行間

治理　少澤合谷。泄暑熱而定喘。曲池退身熱。內庭清陽明之熱。行間清熱而養津液。兼風者加入風門以驅風。兼濕者。加鍼中脘以化濕。

暑厥

症狀　四肢厥逆。面垢齒燥。二便不通。神志昏迷。脈滑而數。舌光紅。或一厥而熱便得汗解。或再三厥而熱。但頭汗出。此熱深厥亦深也。

病因　暑穢鬱蒸。人感觸之則成暑厥。蓋暑熱之邪。兼夾穢氣。直入人身內部。則血內趨以事救急。不能達於四肢。故四肢厥熱。腸胃之蠕動力。與腎藏之分泌機能。受病邪之影響。失司其職。故二便不通。暑熱犯腦。則神志昏迷。若得汗出。則病邪由外透發。氣血以達。故四肢亦得不厥。若再三厥而熱者。則內熱深重故也。

治療　人中　關冲　少商　氣海　百會

治理　百會人中。能治卒中惡邪。不省人事。故本症用之以治神志昏迷。關冲瀉三焦之暑熱。少商泄肺中之熱。氣海通調下焦之氣化。氣化行則二便自利也。

伏暑

症狀　發熱頭痛脘悶。漸至唇燥齒乾。內熱煩渴。舌白或黃膩。或如霍亂。吐瀉或腹痛下痢。或寒熱似瘧。亦有暑毒深入。熱結在裏。譫語煩渴。不欲近衣。大便不行。小便赤濇。

病因 先受暑邪。潛伏於裏。繼爲風寒所閉。不能外發。或秋或冬。久而始病。有謂曝書曝衣。暑氣未消。隨即收藏。至秋冬近之而發。則近乎附會矣。伏暑亦爲伏氣。其理已於溫熱門中言之。可不再贅。惟暑爲熱邪。且自內而發。故內熱煩渴。漸則津傷而成唇燥齒乾等症。如暑熱而夾濕者。阻滯腸胃。腸胃失運化之權。故如霍亂吐瀉。或爲下痢。夾風者即暑風相搏。故寒熱如瘧。若暑熱結於腸胃。則大便不行。小便短赤。其症狀病理。與傷寒陽明府實症同。譫語煩渴。不欲近衣等症。皆爲熱甚之徵也。

治療 湧泉　少澤　合谷　曲池　絕骨　行間　大椎

吐瀉如霍亂者。照熱霍亂條鍼治之。寒熱如瘧者。照溫瘧條鍼治之。熱結在裏。大便不行者。依照陽明府實條治之。

治理 湧泉少澤清暑熱而生津。合谷曲池泄內熱而止煩渴。大椎退身熱。行間絕骨亦能清熱生津。而爲各穴之佐使也。

霍亂

四時皆能生病。而夏秋爲尤多。百病均可傷人。而霍亂爲最烈。發多倉卒。變在須臾。治或差誤。補救莫及。考古書之記載者甚多。內經有霍亂論。傷寒有霍亂篇。後世諸子百家。頗多言及。可謂詳且備矣。按霍亂爲腸胃病也。良由飲食不節。起居不時。穢濁雜邪。傷其正氣。擾亂中焦。脾胃之升降失調。揮霍撩亂而成此症。故有霍亂之名。金元諸大家。則有乾霍亂濕霍亂之分。有清王孟英氏。復創熱霍亂。寒霍亂之說。茲申述之。

附寒熱霍亂之辨法

霍亂之症。有屬於寒。有屬於熱。患之輕者。正氣未傷。邪未深入。神識尚清。不難因症辨別。患之重者。病毒深入。則脈伏音啞。舌苔濁膩。揚手擲足。煩躁喜飲。肢體厥冷。吐瀉并作。目眶低陷。汗出如雨。寒症有此見症熱症亦有此見症。苟非於似同中而辨其異點。則毫厘千里。生死立判。可不危哉。如同是聲啞。屬熱者則氣粗語數。或其言語有壯厲之氣。屬寒則語遲氣微。有懶語呻吟之態。同是揚手擲足。屬熱者則坦腹仰臥。兩足排開。手不近身。惡近衣被。轉側便利。屬寒者。則每多踡臥。膝腿偎依。手或按腹。臂或附臉。喜近衣被。身體重着。同是舌苔濁膩。屬寒者。則浮白而腐。屬熱者。則糙而微黃。或舌底尖邊現絳氣。同是煩躁欲飲。屬熱則喜飲冷。飲熱則胸中似怔。入口即吐。飲冷則胸悶頓暢。嘔亦遲慢。屬寒則喜飲熱。飲冷則胸格似痛。作嘔大吐。飲熱則胸中暢適。而不作惡。同是吐瀉。屬熱者則腹痛少。痛多拒按。所出之物酸穢異常。而出亦迅速。屬寒則腹痛喜按。所出之物。不甚穢臭。而出亦稍緩。寒熱之辨。大略如此。

寒霍亂

症狀　腸胃絞痛。或吐或瀉。或吐瀉交作。四肢厥冷。汗出而冷。面唇色青。膚枯螺癟。渴喜熱飲。甚則目陷轉筋。兩目失神。音啞脈伏。舌白或黑而潤。

病因　恣食生冷之物品。飽受寒冷之風露。以致腸胃受寒而成斯症。蓋腸胃司消化食物分泌水液之職。若遇寒冷之侵襲。則不消化。不分泌。致成上吐下瀉之霍亂病。若但吐不瀉。則病灶偏於胃。若但瀉不吐。則病灶偏於腸。四肢厥冷者。寒邪在內。體溫降低。不能充達於四肢也。汗出而冷者。表部神經失括約機能。水分由汗線而排泄。所謂陽虛則自汗也。水分由汗吐下三者之消失。無以滋潤各組織。毛細管乾枯。故膚枯螺癟。眼球筋乾枯收縮。故目陷失神聲帶缺乏津液之滋潤。故聲啞。轉筋者。肌肉痙攣而筋絡抽痛也。渴者亦水分消失之故。然爲寒邪。故喜熱飲。脈伏者水分消失過多。血液濃厚。血行障礙。故脈停止也。

治療　神闕灸　中脘　合谷　大冲　委中以上俱針

吐者加針　內關　內庭　足三里　瀉者加灸　天樞　章門　陰陵

崑崙

轉筋　加鍼　承山　絕骨　太冲

治理　灸神闕能除胃腸之寒。而振陽氣。中脘促進胃腸消化與分泌機能。益胃氣而散寒邪。合谷疎腸胃之氣。而調理中宮。委中太冲取其能淸血也。吐則加針內關。取其能宣泄胸膈之氣。足三里引胃氣下行。使不上逆。且有升淸降濁之功。內庭泄腸胃之穢濁。瀉則加灸天樞章門取其能除胃腸之寒也。陰陵泉崑崙去脾胃之濕。而治瀉泄也。

熱霍亂

症狀　發熱煩渴。氣喘胸悶。上吐下瀉。螺癟支冷。躁渴不安。神識昏迷。頭腹痛。舌黃糙或紅。脈沉或伏或代。

病因　本症原因。多由飲食雜進。腸胃運化失職。食物停滯於中。醞釀腐敗。更受外界之暑熱。淸濁混淆。亂於腸胃而成。或體質孱弱。抵抗力衰弱。因受他人傳染而成。其見症與寒霍亂相似。已辨別於前。其所以發現種種症狀者。亦無非大吐大瀉。水分消失所致。惟其因於暑熱。故治法當用淸泄。與寒霍亂不同也。若至目陷螺癟。額汗肢冷。脈伏等症。則爲至危之候。再進一層。則全身厥冷而死。故見以上各症

○不分寒熱○皆爲吐下後心藏衰弱○陽氣欲脫之候○急當灸其神闕○以復其陽○庶可挽救○其灸法先將食鹽塡滿臍孔○再將艾團置臍孔灸之○以肢溫汗止○脉起爲度○

治療 少商 關冲 委中刺出血 合谷 大都 曲池 陰陵 中脘 絕骨 素髎 承山

治理 少商 關冲 委中刺出血 清血中之熱毒也○合谷大都曲池清太陰陽明之熱○陰陵分利小便○而清暑熱○中脘通調腸胃之氣○且能治腹痛○素髎穴善治霍亂○其理殊難究測○絕骨承山能清熱○復爲治轉筋之特效穴○

乾霍亂

症狀 腹中絞痛○欲吐不得吐○欲瀉不得瀉○爪甲青紫○煩躁不安○甚則四肢厥冷○舌黃或白○脉多沉伏○

病因 暑熱穢濁之氣交蒸○壅閉中焦○邪蘊於胃○縱橫肆虐○賁門幽門○因受刺激而閉鎖○故欲吐不得○欲瀉不能○而腹中絞痛○煩躁不安之症狀見矣○較之吐瀉之濕霍亂○其危益甚○因病毒深入血分○血液中含毒素○血不清潔○故變其正常之色或青或紫○氣機失宣○血行瘀滯○故脈沉伏○而四肢厥冷○此症俗名絞腸痧○若不亟治○

必脹滿而死。

治療　人中　少商　十宣穴　委中刺出血　合谷　曲池　素髎　太冲　內庭　中脘　間使

治理　此症在藥物治療上。大多用探吐法。頗有效驗。蓋探吐可以宣泄氣機也。若針灸治療。則但取人中。少商。十宣。委中等穴刺出血。可以泄腸胃暑熱穢濁之氣。而清血中之毒。取合谷。曲池。中脘。內庭。宣泄暑熱之氣結而泄暑之邪。間使。絕骨等穴。佐使各穴。清暑熱。解穢濁者也。

中風

中風症素問名厥巔疾。亦曰大厥。其原文曰血之與氣。交并於上。則為大厥。厥則為暴死。氣復反則生。不反則死。又曰厥成為巔疾。至漢時張仲景。始有中風之名。更有中經絡。中血脈。中藏府之別。以分病之深淺。後世諸家。復有內風。外風。真中。類中之分。外界風邪之中於人而病者。為外風。為真中。肝風內動。非中外風而成者。則為內風。為類中。於是乎諸子百家。有言中風盡屬外風者。有言屬內風者。亦有言北方多真中風。南方多類中風者。其論病理也。有言痰者。有言氣者。有言火者。言說多端。實難枚舉。雖各有見地。未免使後之學者有其誰適從之慨。茲據西學解剖所得。方知此病屬於腦。謂係腦充血。或貧血。良以腦爲神經之總樞。吾人之知覺與運動。全賴乎神經。若腦已起變化。則神經亦隨之。故有卒然昏仆。不省人事。手足不用等等見症。然究內經命名厥巔疾者。頗有深義。巔者巔項也。蓋謂巔項之疾。雖未明言腦病。然已指腦之部位而言矣。但西學所言係腦病。乃不過由病者之檢驗而得。其所以致腦病者。則又不能脫離古人所言內氣外風也。茲據金匱之說。分中經絡。中血脈。中藏府。復加類中。別爲四條而言之。

中經絡

症狀　形寒發熱。身重疼痛。肌膚不仁。筋骨不用。頭痛項强。角弓反張。病起卒暴。兩脈弦浮。舌苔薄白。

病因　風爲陽邪。人身腠理不固者。則從皮毛而入經絡。刺激神經。神經受重大之刺激。直奔腦系。故卒然昏厥。同時全身之神經均受其影響。如運動性神經。失其功用。則筋骨不用。知覺性神經。失其功用。則肌膚不仁。致於項强角弓反張者。內經則曰督脈爲病。脊强反張。考中醫之所謂督脈。實則脊髓神經。發源於腦。由脊骨而下行。腦既受病。則影響脊髓神經。而發生緊張或攣急。故項强或反張如角弓之狀。頭痛者則因腦藏於頭故也。

治療　合谷　曲池　陽輔　陽陵　內庭　風府　肝兪

治理 合谷解寒熱而驅風。風府不特能驅風而又直刺脊髓神經。以治項强反張。肝主筋。筋會陽陵。故鍼肝俞陽陵。以治筋骨不用。陽輔爲其佐使也。內經曰。中於面則下陽明。中於項則下少陽。中於背則下太陽。夫風之中人。三陽經絡當其衝。故所取各穴。多屬三陽經之穴。而內庭所以泄陽明也。

中血脈

症狀 口眼歪斜。或半身不遂。或手足拘攣。或左癱右瘓。脈弦或滑。舌白或紅。

病因 中風之較輕者。爲中經絡。較重者爲中血脈。最重者爲中藏府。古人立此名目。蓋所以別病邪之深淺也。然其病因病理。初無二致。本條之種種見症。亦屬神經爲病。蓋人身運動神經分左右爲兩邊。密布周身。若一邊神經爲病。則爲半身不遂之症。病於左者名之曰癱。病於右者。名之曰瘓。所謂癱瘓者。實即半身不遂。不過辨別左右之名稱也。

治療 口眼歪斜　地倉　頰車　斜左者鍼右斜右者鍼左或直接灸亦可

半身不遂　百會　合谷　曲池　肩髃　手三里　崑崙　絕骨　陽陵　足三里　肝俞　左癱右瘓　治法同上

足拘攣或麻木　行間　坵墟　崑崙　陽輔　陽陵　足三里

治理　手拘攣或痲木　手三里　肩顒　曲池　曲澤　間使　後谿　合谷

以上各條。皆根據其病灶而取穴。無甚深意。蓋病某部。而鍼刺某部。如手部痲木拘攣。則於手部取穴治之。足部拘攣痲木。則於足部取穴治之。若直達病灶。而恢復神經之功用。故收效偉捷。惟口眼歪斜。斜左鍼右。斜右鍼左者。則因斜左者右邊之神經弛緩也。故宜右邊之頰車地倉二穴。或針或灸。以刺激之。而使其恢復原狀。歪右者則反之。惟不宜針灸大過。不然則反向針灸之一邊歪斜矣。

中臟府

症狀　口噤不開。痰涎上湧。喉中雷鳴。不省人事。四支癱瘓。不知疼痛。言語蹇澀。便溺不覺。脈或有或無。

病因　此爲中風之重症。多由其人飲食不節。起居失宜。或奉養過厚。及有煙酒等嗜好。以致生痰生濕。體氣不充。或體胖之人。形豐質脆。每多痰濕。外邪乘虛直入臟腑經絡。夾固有之痰濕。上冲於腦。故卒然昏仆。不省人事。喉間痰聲漉漉。有若雷鳴。便溺不覺。乃因膀胱括約筋弛緩。以致尿自遺出。此爲中風不良之現象。言語蹇澀。乃舌部神經痙攣。舌本强直。掉動不靈之故也。四肢癱瘓。不知疼痛。亦神經失去功用也。

治療 口噤不開 頰車灸 百會灸 人中灸

痰涎上壅 關元 灸十數壯或數十壯 氣海 灸十數壯 百會 灸三四壯

不語不知疼痛 神道 灸百壯至二三百壯

言語蹇澀 啞門針 關沖針

治理 百會爲治中風之要穴。蓋中風爲腦病。百會位居腦部。直達病所。頗有特效。今則於昏厥時刺之。立能清醒。故亦爲中風之要穴。口噤不開者。原屬上下牀骨相接處之拘攣。適當頰車之部位。故頰車灸之有特效。痰涎上壅原屬下元虧損。故宜灸氣海關元以固元氣。而引痰濁下行。啞門部位。附近舌本故能治舌強不語。神道關沖爲啞門之使。亦能治言語蹇澀也。

一 類中風

症狀 舌瘖神昏。痰壅氣逆。口開目合。髮直頭搖。脈沉或伏。

病因 此症非由風邪外襲。多由腎虛多慾之人。陰分大衰。不能涵陽。以致肝陽暴發。氣血上升。痰濁壅滯。驟然昏仆。以其形似中風。故曰類中風。口開目合。髮直頭搖。乃肝風內動。元氣欲脫之勢。近今所謂神經發虛性之興奮也。中風見此。皆爲難治。若老人精神虛竭。心臟衰弱。驟然厥脫而成類中者。則非鍼藥所能挽救矣。

治療　按照中藏府條施治然亦十中難救一二。

附中風之預兆及不治症

凡陰虛陽旺。或形豐質弱之人。易患中風。如其人覺坐臥不安。或頭痛眩昏。或噁心嘔吐。或怔忡手振。或口苦舌乾。或便秘溺赤。或四支麻木。乃中風之預兆。亟宜從事預防。若病發時而見瞳孔放大。面色晄白。口噤遺尿。目停口開。汗出清冷。痰聲如鋸等症。兼見一二。均屬不治。

驚風

驚風之名。創於金元。實即金匱之痙病也。蓋因小兒卒受驚恐。易成痙病。故名曰驚風。然其原因頗多。有因外感風邪者。有因內傷飲食者。若夫受驚而成。僅其一種耳。驚風之中。復有急慢之別。急驚多屬外感實邪。慢驚則屬內傷虛症。發作時症狀略似。而虛實懸殊。治法迥異。苟非明辨。誤人多矣。

急驚風

症狀　身熱面紅。煩哭手足抽搐不定。口中氣熱。喉有痰聲。大便秘結。小便黃赤。脈弦滑數。舌苔黃或糙。鼻樑筋現青紫。虎口脈紋紅紫。甚則竄視。口噤角弓反張。不哭脈伏。

病因 本症屬腦神經病。其原因頗多。約言之。可分三種。一爲外感。小兒肌肉之組織不堅。外衛不固。故易受外邪。因而發熱。小兒之神經柔嫩。熱度稍高。則起强度之興奮。而成抽搐反張等症。且小兒有疾。不能自述其痛苦。故古人有啞科之稱。醫者不加細察。每易誤治。如外感風寒。久而不解。寒必化熱。或誤用辛熱之劑。則內熱燔炭。而影響於神經。此古人所謂熱盛生風。風生則痰動。熱度客於胸膈間。風火相搏。故抽搐發動者是也。二爲飲食內傷。王孟英曰小兒之疾。熱與痰二端而已。蓋純陽之體。日抱懷中。衣服加溫。又襁褓之類。皆用火烘。內外俱熱。熱盛生風。火風相煽。乳食不歇。則必生痰。痰得火煉。則堅如膠漆。而乳仍不斷。則新舊之痰日積。必致痞滿。啼哭又强之食乳以止其哭。從此胸高氣塞。目瞪手搐。以成驚風。三爲受驚。小兒心氣未足。若耳聞異聲。如雷霆巨聲。或目驚異物。頓生驚恐。以其腦髓未實。神經易致緊張。故成抽搐反張等症。此皆急驚之原因也。

治療 少商 曲池 人中 大椎 湧泉、 中脘 委中 微刺

治理 驚風之原因雖多。然總不外乎停痰宿食鬱熱三者。其所現各症。亦無非神經起變化

。故鍼少商曲池以清熱。大椎清熱而鎮靜神經。以治角弓反張。委中湧泉清熱而能引熱下行。使不致犯腦。中脘泄化痰食而泄府熱。因小兒身體短小。故宜微刺之。

慢驚風

症狀 面色淡白。山根露筋。神昏氣促。四肢抽搐。或清冷。或倦怠少神。口吐沫。目直視。小便清長。大便溏薄。或完谷不化。惡寒潮熱。喉中痰響。脈虛細舌淡白。

病因 錢仲陽曰。小兒慢驚。因病後或吐瀉。或藥餌傷損脾胃。肢體逆冷。口鼻氣微。足逆冷。昏睡露睛。此脾虛生風。無陽之症也。因吐瀉脾肺俱虛。肝木所乘。或急驚屢用瀉藥。則脾損陽消。遂成慢驚。錢氏爲兒科聖手。其學說頗可取法。蓋吐瀉與病後及藥餌損傷三者。皆能使脾胃虛弱。則化力呆滯。飲食減少。化生之津液不足以營養全身。於是乎血管中之養料缺乏。而成貧血症。故病兒面色晄白。山根露筋。同時心臟因少血而衰弱。故倦怠少神。脈虛而細弱。大便溏薄。或完谷不化者。皆因脾胃虛弱不消化。不吸收之故也。神經因缺乏營養而發虛性之興奮。故四肢抽搐振動。然其爲虛性之興奮。故不若急驚之劇烈也。

治療 大椎　天樞　關元　神闕　各穴均灸

治理 大椎爲治驚風之要穴。取其能鎮靜神經也。灸天樞關元。温補腸胃之虛寒而助運化以治泄瀉。灸神闕所以振陽氣而强心。此穴爲治慢驚之妙穴。每見危重之慢驚病。氣微欲脫之時。單灸此穴而得甦者。舍此而外別無良圖也。

痙厥

痙

症狀 初起惡風發熱。頭痛連腦。或喘咳。或小便頻數。或嘔噁胸悶。舌白滑或膩。脈浮而急數。稍甚則項脊强痛。身體反張。臥不著席。頭汗浸淫。神昏譫語。欲起不得起。欲臥不得臥。舌苔或黃或絳。再甚則角弓反張。手足抽掣。少腹結塊。大便堅實。口噤目赤。金匱云。太陽病發熱無汗反惡寒者。名曰剛痙。發熱汗出而不惡寒者。名曰柔痙。此言其初起之症象也。又曰病者身熱足寒。頭項强。惡寒時熱。面赤目赤。獨頭動搖。卒口噤。背反張者。痙病也。此痙病之本症。又曰痙爲病。胸滿口噤。臥不着席。脚拘攣必齘齒。此痙病之已甚也。痙病症狀。不外乎此。

病因 痙者頸項强直之義也。凡病而見頸項强直者。皆得以痙名之。故其原因頗多。有因外感而成者。如傷風而發熱。重復感寒而致痙。即內經所謂諸病項强。皆屬於風者此也。如感風濕之邪而致痙者。經所謂諸痙項强。皆屬於濕是也。金匱云發汗多。

鍼灸治療講義

因致痙。又曰風病下之則痙。又曰瘡家不可發汗。汗出則痙。又曰太陽發汗太過因致痙。此爲誤汗誤下以致痙。其他更有痰火痙。風痰痙。妊娠痙。產後痙。種種名目繁多。不勝枚舉。然總括之則不外乎兩端。一爲感受外邪而成。一爲諸病誤治而得。其所以發現種種症狀者。則又不外乎腦。內經曰。督脈爲病。脊强反折。夫督脈即人身之脊髓神經。是痙病屬腦之明證也。故西醫名之爲腦脊髓膜炎。蓋其以局部病狀而取名也。外感之邪。卒入人身。體質孱弱者。抵抗力衰弱。神經不勝其刺激。發生痙攣。起强直之狀態。故成角弓反張。臥不着席。此外感成痙者也。若謂諸病誤治。如誤汗誤下或過汗以致津液虧損。神經失其營養。或誤治而致內熱太盛。神經錯亂。故爲抽掣搐戰。神昏譫語。古人所謂熱甚生風者此也。他如惡寒發熱。頭痛連腦。嗆咳等症。則爲痙病之前驅期。若能亟行醫治。可免於成痙也。

治療

少商 出血 曲池 人中 中脘 委中 湧泉 合谷 風府 風門

大椎 身柱 至陽 命門 肝俞 膈俞 百會 前驅期 百會

風府 風門 合谷 肺俞

治理

少商爲肺之井穴。外感之邪從口鼻入。必先傷肺。故刺之以宣肺氣解外邪。曲池清熱而止抽掣。人中合谷開口噤而醒神昏。委中清熱而止項脊强直。中脘清府熱而下燥結。湧泉引熱下行。使不犯腦。他如百會大椎等穴。則直刺病灶之局部。其功效較他穴爲尤著。痙病之原因雖多。其爲腦神經病則一。症狀亦相類。故但立一法。足以通治之。如其見症略有不同者。是乂貴乎醫者臨症時。隨機應變耳。痙病然。他病亦然也。

厥

厥症有二。四逆謂之厥。忽然暈仆。不省人事。亦謂之厥。故張介賓曰。厥症起於足者。厥發之始也。甚至卒倒暴厥。忽不知人。輕則漸蘇。重則即死。最爲悪候。後世不知詳察。但以手足寒熱爲厥。又以脚氣爲厥。謬之甚也。雖仲景有寒厥熱厥之分。亦以手足爲限。盖彼自辨傷寒之寒熱耳。非內經之所謂厥也。張氏之言。葢亦分厥爲四逆暈厥二種。四逆之厥有寒厥熱厥。暈厥之症。則有痰厥。食厥。氣厥。等等之不同也。

痰厥

症狀 殭仆卒倒。面白神昏。目閉不語。口吐涎沫。四支厥冷。脈多沉滑。

病因 此症多由其人素多痰濁。然痰多亦不致遂成暈厥。良由痰多之人。體質之不堅實可知。易招外界之感觸。如六淫之侵。七情暴發。而引動其固有之痰濁。蒙蔽腦經。故有昏仆卒倒之種種危象。是以痰厥一症。主因在痰。然必有其他感觸爲其誘因也。

治療　中脘　豐隆　合谷 針　靈台 灸

治理　痰濁之生。多由於脾胃不運化。以致津液停留而成。中脘能斡旋中州。使津液不致停留。以絕痰濁之來源。此爲根本療法也。豐隆爲泄降痰濁之猛將。合谷醒神昏。古人以痰厥爲痰迷心竅。故灸靈台以散心肺中之痰濁。

食厥

症狀　面黃噯氣。發熱口渴。時時痙厥。昏不能言。手不能舉。胃脘高起。脈多滑。

病因　此症多由醉飽無度。或感風寒。或著惱怒而成。古人所謂胃氣不行。陰陽痞膈。升降不通。而成暈厥者也。尤多見於小兒。良以小兒脾胃不强。消化力弱。易於食傷。痰滯鬱於中焦。化爲濁腐。故發熱口渴。胃脘高起。胃中熱濁之氣。薰蒸神經。興奮太過。而發生痙厥等症。

治療　中脘　足三里　內庭　中衝

治理　食厥之起。原屬食滯。故鍼中脘足三里助脾胃之消化而去食滯。因食滯而發熱。屬陽明經。故鍼陽明經之榮穴。內庭以退身熱。刺中衝。以醒昏厥。苟能於胃脘部按摩數百轉。則其效益佳。

氣厥

症狀 面色㿠白。氣促不語。神志雖清而不能自主。卒然暈倒。四肢厥冷。口出冷氣。

病因 此症多由氣量狹窄之人。中懷悒鬱。情志不宜。氣機鬱塞而成。或大怒大恐。大驚過悲等等而發。蓋用情太過。神經受重大之刺激而起變化。故輕者神志恍惚。不能自主。重者則卒然倒地。神昏等危候見矣。

治療 膻中 建里 內關 氣海

治理 氣會膻中。故針膻中以調氣。氣海能治一切氣病。勝玉歌曰諸般氣疾從何治。氣海鍼之灸亦宜。故二穴爲治氣厥之要穴也。建里內關能宣泄胸中鬱結。蓋氣厥者莫不心胸苦悶也。

寒厥

症狀 手足逆冷。身寒面赤。爪甲冰而青紫。不渴而吐。下利清谷。腹痛或不痛。脈沉遲細。舌苔淡白。

病因 此條與下條之厥。乃四肢厥逆。非昏厥也。本症之原因。多有寒邪內盛。體溫降低。故見手足清冷。腸胃受寒。故吐下兼見。古人所謂陰盛陽虛者是也。

治療　神闕　氣海　關元　俱灸

治理　灸神闕氣海關元三穴。以復陽氣。陽氣充則陰寒自除。而手足亦温矣。且三穴皆在腹部。能直驅腸胃之寒邪。而恢復其機能。故吐下亦止。

熱厥

症狀　身熱。手足厥逆。煩渴昏冒。不省人事。譫語自汗。溺赤脈數。或伏。舌紅或乾。

病因　本症由於熱邪內盛。故煩而渴。熱邪犯腦。故神昏不省人事。津液爲熱邪之蒸迫。故自汗。津液大傷故舌紅而乾。手足厥逆者。熱盛之徵也。此所謂陽盛陰衰者是也。

治療　行間　湧泉　復溜　曲池　合谷

治理　熱厥爲熱邪內盛。故鍼厥陰之滎穴行間以泄之。湧泉復溜清熱而生津。曲池合谷退身熱而醒神昏。熱退津復。手足自温。諸恙亦解。

癲狂

癲之與狂。皆爲神經錯亂之病。古來醫籍多分二症。良由狂則舉動剛暴。癲則不若狂之躁亂猛厲也。故有陰癲陽狂之稱。究二症之原因。古人則謂怒動肝火。痰迷心竅而發癲狂。

惟近今之說者。則謂二者症狀雖有差異。皆爲腦神經病也。其所以爲癲爲狂者。則因腦神經受病邪之刺激。人身之正氣足者。反應力强。故其現象亦剛暴。則爲狂症。反之則正氣弱者。則反應力亦弱。故其現象亦柔和。此爲癲疾貌視之則狂病重而癲病輕。實則癲病更深於狂也。故狂病較爲易療。癲病則難醫治。且有狂病不愈。久則成癲。可見癲者爲狂病更進一步也。

狂

症狀 喜怒無常。歌哭無時。妄言妄詈。自高自尊。少臥不飢。兩脈洪大。甚則登高而歌。棄衣而走。踰牆上屋。

病因 經曰。狂始生先自悲也。喜忘多怒善恐者。得之憂饑。狂始發。少臥不飢。自高賢也。自辨智也。自尊貴也。善罵詈。日夜無休。狂言善驚。善笑。好歌樂。得之大恐。又曰。多食善見鬼神。善笑而不發於外者。得之有所大喜。由此以觀。則癲狂皆由七情過度而成。蓋七情太過。腦神經受重大之刺激。因而錯亂。以致發生喜怒不常。歌哭無時。行動乖妄。種種無意識之舉動。此外更有傷寒陽明熱盛發狂。良由胃中有迷走神經。若胃熱過盛。則能直接影響於迷走神經。由迷走神經傳遞於腦。而致發狂。惟胃熱發狂。則多一發即止。且不若癲狂之狂症難治。而易於再發也。

治療 十三鬼穴

傷寒熱盛發狂。　曲池　大椎　絕骨　湧泉　期門

治理 十三鬼穴。卽人中。少商。隱白。大陵。申脈。風府。頰車。承漿。勞宮。上星。男子會陰。女子玉門頭。曲池。舌中縫。間使後谿針之頗有效驗。其理由殊難解釋。若因胃熱發狂。故鍼曲池以清陽明之熱。大椎退身熱。湧泉清內熱。行間期門泄氣血之熱。而鎮靜神經。

癲

症狀 或歌或笑。或悲或泣。語言顚倒。穢潔不知。精神恍惚。食不知飽。飢不知食。好靜多睡。如醉如癡。經年不愈。

病因 此症亦由用情太過。中懷悒鬱。或所希不遂。如貪名者求名。好利者圖利。或情塲失所。或時勢逼迫。終則不能償其所願。中心鬱憤。久則耗液灼津。古人謂五志之火內燔。陰分虧損。以致肝木生風而爲癲疾。蓋人身之滋養料缺乏。神經失其濡養。不能如常人靈動活潑。故如醉如癡。精神恍惚。甚者腦經錯亂。行動舉止。不能自主。故或喜或歌。或悲或泣。妄言妄動。古人謂之魂不守舍也。癲疾之由由於情

慾不遂。故治此症首重心理療法。宜先怡其耳目。暢其心志。解其所欲。然後如法施治。則事半而功倍矣。

治療 依照狂症針十三鬼穴。或加灸心俞神門。三四壯至十壯。

治理 癲狂之病理相同。故治法亦無異。本症之加灸心俞神門者。取其能振心陽而安神定志也。癲疾之起而未久者。針之頗效。已屢試之。惟年久痼疾。或發或愈。則根深蒂固。勢難爲力矣。

癇

症狀 發時卒然昏仆。瘈瘲抽搐。目上視。口眼喎斜。口吐白沫。忽作五畜之鳴。昏不知人。移時即醒。或一日數發。或數日一發。

病因 癇症古人每與癲幷稱。亦有謂癇即癲者。巢氏病源則謂十歲以上爲癲。十歲以下爲癇。今引徐嗣伯風眩論云。痰熱相感而動風。風火相亂則悶瞀。故謂之風眩。大人曰癲。小人則爲癇。其實則一也云云。惟癲疾則經年累月。纏綿難愈。癇症則忽發忽醒。或一日數發。或數日一發。發則神昏。醒則動作如常。二者之病狀毫不相同。是不能混合言之也。考癇疾之作。多起於病後虛怯。心腎陰虛。肝火胆火倏逆。痰涎上壅而成。近賢王愼軒氏。則爲小兒癇疾。多係遺傳性。或由其父母嗜酒。或姙娠之時。其父母受精神之感動。皆足爲小兒癇病之素因也。先業師張山雷氏。嘗謂癇症之發。多由氣上不下。聚於巔頂。冲激腦經而成。唐宋以後有五癇之分。曰羊癇。牛癇。馬癇。猪癇。鷄癇等稱。葢其以所作聲及發作之形狀。稍有不同而分別言之也。無甚意義。故不採取。

治療　大椎　間使　後谿　鳩尾　百會　神門　心俞　風府　豊隆
　　　中脘

治理　豊隆泄降痰濁。中脘化痰而降氣。百會風府大椎。直刺神經之總樞。而恢復其功用。間使後谿神門等穴。瀉心經之邪。爲治神志病之要穴。鳩尾一穴。專治癲癇。且頗有效。其理殊難推測。殆因癲癇有關於心。而此穴附近於心故也。

瘧

經曰。夏傷於暑。秋爲咳瘧。又曰汗出遇風。及得之以冷浴。又曰陽勝則熱。陰勝則寒。陰陽相搏而瘧以作。此內經之論瘧也。後世諸家。亦多言之。然皆以風寒暑濕之邪。及痰食阻滯等等爲瘧疾之原因。而近今之西醫學說。謂瘧疾之原因。係一種胞子微蟲。名麻拉利亞者。蕃殖於蚊體腸壁。並集合於蚊之唾腺。侵入人身血液內。而發生本症。故夏秋間小溪池沼之所。敗荷腐草之地。以及不清潔之水等處。蚊之蕃殖最盛。故瘧疾之發生亦恒以此時爲多。瘧菌侵入血液。新舊生滅。舊蟲滅而遺子。瘧止期也。子孵化而生新蟲。瘧發期也。然嘗見殷實之家。有夏秋不受一蚊之嘬刺者。何以亦犯瘧疾乎。故專以瘧蚊概論一切瘧疾。似亦未盡然也。考中醫言瘧。名目繁多。不勝枚舉。要不外乎寒熱之輕重。起發之遲早。而別其名稱。其主要者則爲寒瘧。熱瘧。間日瘧。瘧母四種。

熱瘧

症狀 熱多寒少。或但熱不寒。發時骨節煩痛。肌肉消爍。汗出頭痛如破。煩渴而嘔。脈弦數。舌苔黃膩。

病因 瘧疾雖四時皆有。而夏秋爲多。良由夏秋則天之暑氣下。地之濕氣上。暑濕交蒸醞釀。人感觸之輒成瘧疾。或貪涼而沐浴當風。炭酸不出。饕餮而飽飫食睡。胃積難消。凡此種種。皆瘧疾之主要原因也。致於所以成熱瘧者。則爲感受暑熱之邪。古人謂暑邪內伏。陰氣先傷。陽氣獨發。故熱多寒少。或但熱不寒也。

治療 太谿　間使　陶道　後谿　俱針瀉

治理 陶道爲治瘧疾之特效穴。太谿間使後谿清暑熱之邪。暑熱清則煩渴頭痛等症亦解。

寒瘧

鍼灸治療講義

症狀 發時多寒少熱。腰背頭項疼痛。始則戰慄鼓頷。繼乃發熱。逾數時汗出或不汗出而解。脈多弦滑。舌苔白。

病因 夏月乘涼沐浴。感受寒邪。伏於太陰。不能外出而與陽爭。故多寒少熱。北人謂爲脾寒病者此也。以其屬寒邪。故發時多惡寒少熱。或竟惡寒戰慄鼓頷者惡寒重也。

治療 大椎　間使　陶道　復溜

治理 大椎陶道。屬於督脈。古人謂督脈主一身之陽氣。鍼之瀉之。則能退熱。補之灸之則能除寒。故能治惡寒發熱之瘧疾。且據內經邪入風府循膂而下之說。則二穴正所以泄其邪也。惟瘧疾病灶。究在何處。尚無確定之論。二說雖可通。然終嫌無確實之證據。故大椎陶道二穴。何以能治瘧疾。其理殊難究測。而於治療上實有偉效。普通瘧疾。於未發前一二小時。或針或灸。未有不愈者。近賢王愼軒氏。謂風府脊骨。骶骨。皆是神經之要處。則瘧疾當屬神經系統之病。更引金匱瘧脈自弦之說。謂弦脈爲脈管壁纖維神經拘急之脈象。又謂砒霜金鷄納爲瘧疾之特效藥。皆有興奮神經之功用等說。以證明瘧疾屬神經系病之原理。然則大椎陶道等穴。亦爲刺激神經之要處。與砒霜金鷄納同一作用耶。惟王氏之說是否確實。則尤有可疑也。

間日瘧

症狀 寒熱往來。發有定時。頭痛胸悶納少。小溲渾黃。脈弦。隔一日作者謂之間日瘧。隔二日或三日作者。謂之三陰瘧。

病因 中醫謂瘧邪伏於淺者則日作。稍深則間日作。若深入三陰。則間二三日一發。謂瘧邪從衛氣而出入。邪在淺則出入易。故日作。邪在深則出入難。故間日或二三日而作。故日作者病輕。間日者較重。二三日發者則更重矣。西學則謂瘧菌侵入血球。生殖蕃息。待原蟲充滿。毀此血球而入彼血球之際。人體遂發寒熱。此項原蟲約分三種。生長之期各有不侔。故有一日瘧。間日瘧。三日瘧之別。西學之說。原由檢驗而得。自不能謂其不確。惟中醫言邪氣之藏於淺深者。亦未可非。嘗見病瘧者。初起大都日作。繼則間日。治療尚易。若久延不愈。則正氣日羸。乃成二三日一發之三陰瘧。調治頗難。此非病邪深淺之明證乎。

治療 與上同。惟宜每日針灸一次。連治三次。無不愈者。若三陰久瘧。則加灸脾俞。以久瘧則面黃食減。故宜脾俞以益脾。

瘧母

症狀 面色無華。寒熱日作。或時作時止。或不作。少食痞悶。有塊結於右脇而硬痛。此症先由瘧而來。故名瘧母。脈弦細。舌苔淡黃。或光剝。

鍼灸治療講義

病因　金匱云。瘧疾一月不瘥。此爲結癥瘕。名曰瘧母。後世諸家。則謂瘧邪夾瘀血痰濕。結於脅下。伏於肝經而成。實則脾臟腫大也。良由瘧疾發熱之時。脾臟先起充血。次則細胞增生。此時脾腫大。達平常之數倍。若遷延不治。則漸結漸固。輒從硬化而成癥瘕。名曰瘧母。脾臟腫大則消化力減退。故少食。瘧邪久留。血液日耗。赤血球減少。故面色無華彩也。

治療　章門鍼灸　脾俞鍼灸　有寒熱者則加鍼灸大椎間使。

治理　臟會章門故章門專主各藏之病。且其部位附近脾藏。鍼而灸之。能直達病灶。而散其血結。使其軟化。脾俞促進脾臟之運化。而補血液。此治瘧母之良法也。

瀉痢

內經曰。春傷於風。夏生飧泄。又曰邪氣留連。則爲洞泄。又謂濕勝則濡泄。此言泄瀉之病源也。又曰。飲食不節。起居不時者。陰受之。又謂陰受之。則入五藏。入五藏。則䐜滿閉塞。下爲飧泄。久爲腸澼。此言痢之病因也。夫瀉與痢。皆腸胃病。或由外感而成。或由內傷飲食而成。古人早已言之。惟二者之症狀。則不相同。瀉則大便時行而通利。所下之物或爲稀水。澄澈清冷。或稀溏黏糞。或完谷不化。有寒熱之分。痢者則大便時行。所出不多。裏急後重。滯而難下。故又名滯下。而所出之物。皆屬垢膩。或作白色。或赤色。或赤白兼作。故有白痢。赤痢。赤白痢之分。且二症治法。亦大有別焉。

寒瀉

症狀 腸鳴腹痛。大便泄瀉。所下之物。澄澈清冷。或完谷不化。小便短少。四肢厥冷。體重無力。脉多遲緩。舌多白膩。

病因 吾人飲食。入胃則由腸胃消化之。吸收而取其精華。而排泄其糟粕。此無病之人也。若腸胃失司其職。則泄瀉之病成矣。夫寒瀉由胃腸受寒。或寒邪自外侵襲。或多食生冷。以使腸胃虛寒。不能熱腐水谷。腸壁之吸收管。因受寒邪而緊束。吸收失常。遂使水分逕流。故或下稀水。澄澈清冷。或完谷不化。水分多數由大便排泄。故小便短少。更有五更泄瀉者。晝則大便如常。惟至五更。天將明時。則洞泄數次。古人謂之腎泄。良由腎司利尿之職。腎陽衰微。小便不利。則水停腸中而泄瀉。故曰腎泄。柯韻伯曰。夫鷄鳴至平旦。天之陰。陰中之陽也。因陽氣當至而不至。虛邪得以留而不去。故作瀉於黎明。西醫則謂腸癆。謂此症有結核菌潛居腸中。晝則消化力强。該菌不得逞勢。若五更時。則人寐已熟。人身各機關皆安靜。腸中殺菌之力亦衰。故斯菌得肆其毒而爲泄瀉也。

治療 中脘　氣海　天樞　神闕 俱灸 腎泄加灸　腎俞　命門

治理　神闕○中脘○氣海○天樞四穴○均在腹部○灸之能除腸胃之寒邪○而具溫中逐寒○調氣止瀉之效○腎泄則加灸命門○腎兪○以温補腎陽○腎陽振則泄瀉愈矣○

熱瀉

症狀　暴注下迫○泄瀉黄糜氣穢○肛門灼熱○口渴煩熱○腹部疼痛○或嘔噁頻作○小溲短赤○苔黄脈數○

病因　寒瀉係感受寒邪○多食生冷而成○熱瀉多由於暑熱蘊於腸胃○故恒患於夏秋之時○因腸壁之神經○受熱邪之刺激○而興奮蠕動亢進○遂使水分長驅直下○而爲泄瀉○熱邪鬱蒸腸胃中之谷食○因而發酵腐敗○故所下之物穢臭不堪○而肛門亦覺灼熱○腹部因之痠痛○水分因泄瀉而消失○故口渴○更有泄瀉青色者○則因於胆熱分泌胆汁過多○故泄下青色之糞水○而以小兒多見之○

治療　太白　太谿　曲池　三里　陰陵泉　曲澤　胆熱泄青者加胆兪足臨泣陽陵泉

治理　古人以泄瀉病屬脾○蓋脾藏亦爲消化器官也○故鍼太白以泄其熱○曲池○足三里○以泄腸胃之熱邪○曲澤○太谿清暑熱而治煩熱口渴○陰陵泉不特能清熱○且有通利小便之功○使水分與熱邪○由小便而分利之○胆熱泄青○則鍼胆兪足臨泣○陽陵以

泄之。

白痢

症狀 腹痛。下痢。青白粘膩。欲行不暢。舌淡苔白或膩。脈沉或細。

病因 痢疾多患於夏秋之間。良由此時暑濕熱三氣盛行。若感受之。蘊於腸胃。則成痢。或多食生冷油膩。及腐敗之物。停留腸胃而成。張景岳謂痢疾是長熱食涼。過食生冷。至大火西流。新涼得氣。則伏陰內動。而爲下痢。蓋飲食失宜。阻礙腸胃之消化。因而積滯其中。或暑濕之邪。或生冷飲食之刺激。而分泌多量之粘液。或夾脂油而出。故所下青白黏膩。黏液膠滯腸中。故欲行不暢。肛門重墜。此所謂氣滯不化也。因其黏液不得暢行。積滯不去。故腹中作痛。所謂痛則不通者是也。

治療 合谷　關元　脾俞　天樞　因於暑濕者則針之寒濕者則灸之

治理 合谷疏通大腸之氣滯。肛門重墜者。用之頗有效。蓋古人所謂調氣則後重自除也。關元天樞亦所以調腸胃之氣化。而宣積滯。灸之可除寒濕之邪。鍼之可泄暑熱之氣。脾俞取其能醒脾快胃也。

赤白痢

鍼灸治療講義

症狀 腹痛下痢。裡急後重。赤白相雜。腥穢不堪。肛門灼熱。日數十行。口渴舌紅。苔黃膩。脈弦數或滑。

病因 古人謂濕熱蘊於陽明。熱勝於濕。傷陽明血分。則爲赤痢。濕勝於熱。傷陽明氣分。則爲白痢。濕熱俱盛。則氣血兩傷。而爲赤白痢。夫濕熱之邪。集於腸胃。腸膜因之發炎。炎處滲出粘液。甚則腸壁血管破裂。故所下赤白。兼作直腸發腫。故後重。裏雖急於欲便。而肛門重墜不得暢行。垢濁不能儘量排泄。故日數十行。若腸膜潰爛。所下之物。或如敗醬。或如屋漏水。如魚腦。如猪肝者。皆不治之症也。

治療 小腸俞　中膂俞　足三里　合谷　外關　腹哀　復溜

治理 小腸中膂二俞。爲治赤白痢之要穴。蓋其部位附近直腸。鍼之能直達病灶。而泄濕熱之邪。合谷足三里。泄陽明之熱。而疏通腸胃之氣。腹哀治腹痛下痢。以其部位近腸胃也。外關復溜則清濕熱。若下痢如魚腦。敗醬等者。則因熱毒深重。故不治。

休息痢

症狀 下痢。腸中微覺隱痛。每感起居飲食失調。或過勞而發。乍發乍止。經年不愈。面黃食少。神倦支疲。

病因 此症多由痢疾調治失宜。或失於通利。或兜濇太早。以致餘邪逗留腸中。若飲食調和。起居適宜。則腸胃之抵抗力強。可以不發。若飲食失調。或稍事勞動。則抵抗力衰減。餘邪得以肆虐。即發生下痢。每多經年累月。時發時愈。如休息然。故名休息痢。久痢則脾胃虛弱。故食少而面黃也。

治療 神闕　天樞　關元　小腸俞　脾俞　各穴俱灸

治理 久痢則脾虛。故宜灸脾俞以益脾。神闕天樞關元小腸俞四穴。均所以調腸胃之氣。而促進其消化機能以外。更有百會一穴。善治久痢。蓋久痢則清陽之氣下陷。灸百會則能升下陷之清陽。若與以上各穴同灸。正與東垣之補中益氣法。同一意義也。

噤口痢

症狀 胸悶嘔逆。痢下不止。心煩發熱。飲食不下。舌苔黃或燥。脈弦數。

病因 噤口者。飲食不下也。其症有二。有初起而噤口者。有久痢而噤口者。夫飲食不進。則生化之源告匱。又復下利。奪其津液。則此症之危也可知。其初起即噤口者。則因暑濕與熱邪蘊阻胃中。以致消化機能失職。故飲食不下。嘔逆頻作。然此乃病毒犯胃。去其病邪。則胃納漸甦。飲食自進。若久痢噤口不食。則爲胃氣將絕之候。勢難藥救也。

治療　初起即噤口者。依照赤白痢條針之。久痢噤口者。依照休息痢條灸之。然多不救也。

咳嗽

咳爲有聲而無痰。嗽是有聲而有痰。二者雖有別。然多合言之。夫咳嗽肺病也。其原因多端。素問云。五藏六府。皆令人咳。非獨肺也。蓋肺主一身之氣。爲諸氣出入之道路。故咳嗽雖不隸屬肺而必借道於肺以出之。夫咳嗽之發生。如風寒燥濕等邪之外襲。痰飲之阻滯等等。以致肺中有所積蓄。乃作咳嗽以排泄之。故咳嗽乃排泄肺中積蓄物之一種作用。非病態也。可知治咳嗽。當驅除其積蓄物而咳嗽自己也。尋常之咳嗽。不外風寒痰熱。痰飲。乾咳四種。茲分條言之如下。更有虛癆咳嗽。則列入虛損門中。

風寒咳嗽

症狀　形寒頭痛。或頭暈。鼻流清涕。咳吐痰濁。白膩而爽。或咳或嘔。或咳引脅下痛。或咳而喘滿。脈象浮滑。舌苔薄白或膩。

病因　此症由風寒自外襲入。傷及肺氣而成。古人謂肺之合皮毛。又謂肺主皮毛。蓋皮毛亦爲呼吸器。肺時在翕張。皮毛之孔亦時在翕張。以其微而不之覺也。若風寒束於肌表。毛孔閉塞。則肺氣不宣。故發生咳嗽喘滿等症。此爲咳嗽症之最輕淺者。

治療 列缺 風府 肺俞 合谷 天突 兼吐者加鍼 太淵 經渠 兼喘者加鍼 三間 商陽 大都 兼咳引脅痛者再鍼 行間 期門

治理 本症由於風寒外束。治宜疏散表邪。故取合谷列缺風府解表而驅風寒也。佐天突以宣肺氣。咳嗽無不關於肺。故肺俞爲治咳嗽之要穴。咳而嘔者病仍屬肺。故取太淵列缺以止嘔。脅痛屬肝。故取行間期門二穴以泄之。且期門位居脅部。能直達病灶。故治脅痛之功效特佳。兼喘滿者則取三間商陽大都泄肺氣而止喘。

痰熱咳嗽

症狀 身熱。咳逆不暢。咯痰濃厚。口乾胸悶。舌紅苔黃。脈象浮數。

病因 此症多由風熱襲肺。肺中津液。爲風熱之邪所爍。鍛鍊成痰。積蓄於肺。乃爲咳嗽。厚膩之痰粘滯肺管。故咳而不爽。胸悶者。痰濁阻滯也。口乾者。肺有熱也。

治療 經渠 尺澤 魚際 解谿 陶道 豐隆

治理 經渠爲肺之經穴。能治咳逆。尺澤爲肺之合穴。能泄肺熱。魚際退身熱。解谿豐隆泄痰熱。陶道疏散風熱之邪。各穴相合。則有解表熱化痰濁之功。故能治痰熱咳嗽也。

痰飲咳嗽

症狀　形寒咳逆。每屆清晨或初更。則作咳甚劇。咯痰白膩。或稀薄白沫。胸悶或脇痛。甚或不能平臥。或胸背之間。一片作冷。舌多白膩。脈濡滑或沉濡而細。

病因　此症多由飲食生冷。或感受寒邪而發。古人所謂形寒飲冷則傷肺者是也。然必因平素脾陽不振。或老人之陽衰者。不能運化津液。以致停蓄為痰飲。每受外邪或生冷食物之引誘。則潰入肺絡。乃為咳嗽。清晨初更。則臟府安靜。脾胃運化之力益衰。故咳亦愈劇也。

治療　肺俞　膏肓　足三里　脾俞　俱灸

治理　肺俞膏肓。位居背部。灸之則直達肺臟。去寒邪而化痰飲。灸脾俞。所以振脾陽而助運化也。足三里則降氣逆。若老人久年痰飲咳嗽。每多下元虧損。則宜加氣海關元。以攝納下焦之氣。助治用黑錫丹最好。

乾咳嗽

病狀　咳而無痰。聲不連續。內熱口渴。甚則胸脇引痛。脈象多弦數。舌多絳無苔。

病因　此症多由感受外感之燥氣。尤多患於秋令。蓋秋時燥氣盛行。感觸之。直入肺臟。

肺失淸肅而成。或多食辛熱。嗜好煙酒。致肺有鬱熱。消爍肺液而成。陳修園云。肺爲臟腑之華蓋。臟腑之火不得水制止。上刑肺金。致肺燥乾咳。有聲無痰。與寒飲作咳者。不同也。

治療 少商　列缺　肺俞　關冲　足三里　魚際

治理 魚際泄肺熱。少商關冲淸肺熱而生津。列缺肺俞止咳逆。足三里降氣。諸穴同用。大有淸熱潤燥。降氣止咳之功。故能治乾咳也。

肺痿

症狀 咳聲不揚。咳痰艱於上行。行動數武。氣即喘促。衝擊連聲。痰始一應。口渴。甚則半身痿廢。或手足痿耎。

病因 金匱謂肺痿之起。或從汗出。或從嘔吐。或從消渴。小便利數。或從便難。又被快藥下利。重亡津液。故得之。喻嘉言曰。肺痿其積漸已非一日。其熱不止一端。總由胃中津液不輸於肺。肺失所養。轉枯轉燥。然後成之。於是肺火日熾。肺熱日深。肺中小管日窒。欬聲以漸不揚。胸中脂膜日乾。咳痰艱於上行。觀此則肺痿原由肺中津液枯少。以致肺葉日漸乾癟。其所以半身痿廢。手足痿耎者。亦爲津液虧損。筋失所養而成也。

鍼灸治療講義

治療　膏肓　肺兪　足三里　少商　列缺　魚際　太淵　中府　曲池

治理　肺痿由於肺熱傷津。故宜取少商列缺魚際太淵等穴。清肺熱而生津。膏肓肺兪爲治咳之要穴。兪府能清肺熱。而治喘促。足三里則降氣。曲池清熱生津。若至半身痿廢。手足痿耎。則爲難治。可遵照中風門半身不遂及手足不用條鍼治之。

肺癰

症狀　咳嗽。吐痰腥臭。胸中隱痛。鼻息不聞香臭。自汗喘急。甚則喘鳴不休。唇反。若咯吐膿血。色如敗滷。滃臭異常。正氣大敗。而不知痛。坐不得卧。飲食難進。爪甲紫而帶彎。手掌如枯樹皮。面色顴紅。聲啞鼻煽等症。皆爲不治。

病因　肺癰之成。多由感受風寒。未經發越。停留肺中。蘊發爲熱。或兼濕熱。痰涎垢膩。蒸淫肺竅。以致咳吐膿血。或如敗滷等者。則不可挽救也。

治療　魚際　少商　尺澤　豐隆　足三里　風門　肺兪　合谷

治理　魚際少商尺澤。清泄肺熱。豐隆足三里降氣而化痰濁。風門肺兪合谷諸穴皆泄肺氣而治喘急。初起者鍼之可以收效。久則不能爲力矣。

痰飲

痰與飲二症也。稠膩者謂之痰。稀薄者謂之飲。二者皆津液所化也。人而無病。則津液能營養人身。有病則化爲痰飲。反足以爲害矣夫痰多藏於腸胃與肺中。故每因咳吐下而出。飲者流溢周身。無處不到。蓋痰飲雖皆屬津液所化也。而其變化之原因。略有不同也。痰者乃謂中食物之精華。或肺中津液薰蒸而成。考吾人飲食入胃。化爲乳糜。其精華則由腸胃之吸收管吸收之。傳達於淋巴管以入血管而爲血。若腸胃之吸收作用減退。可津液停滯腸胃而爲痰。若肺爲風寒所侵襲。或大熱煎熬。則津液停滯於肺。而爲肺中之痰。此痰濁之所由生也。飲者爲胃中之水液所化。或血中水分變成。吾人飲入之水。本由胃中吸收。運行周身而爲汗爲尿。若吸收作用減退。則水分停滯而爲飲。且血中本有水。若一部分之鼓動力。輸送力減退。則停滯而爲飲。停於內則爲內臟之飲。溢於外則爲肌膚之飲。故飲者能流溢周身。無處不到。此飲症之所由成也。古人論痰。則有濕痰。燥痰。風痰。熱痰。寒痰。之分。飲症則有痰飲。懸飲。溢飲。支飲。伏飲。之別。症狀不同。治法各異。是不可不辨也。

濕痰

症狀　肢體沉重。腹脹脘悶。脈耎滑面黃。舌淡而膩。痰多易咯。口不渴。

病因　此症多飲食失調。如多食油膩厚味。或感受外界之濕邪。以致脾陽衰憊。不能運化津液。停留於胃。蘊蒸成痰。故腹脹脘悶。肢體沉重等症作矣。

治療　脾兪　膻中　中脘　豐隆　足三里　各穴俱灸

治理　古人謂脾胃爲生痰之源。故取脾兪中脘二穴促進脾胃之運化。使津液不致積蓄爲痰。灸之則具化濕之功。豐隆專化痰濁。膻中宣泄氣機。諸穴合用。則有健脾胃。運機樞。化濕痰之功。

燥痰

症狀　喉癢而咳。咳則痰少而濃厚。氣短促。面恍白。咳而不爽。

病因　痰有厚薄之分。濃厚者爲稠痰。較薄者爲稀痰。大約痰之屬風。屬濕。屬寒者。精稀薄。屬火。屬燥。屬熱者。多稠膩。人之精血充足。則化力厚而成稠痰。人之多血衰弱。則化力薄而成稀痰。故暴病多稠。久病多稀。本條之燥痰。乃燥氣傷肺。鍜津成痰。故濃厚粘膩。膠滯肺管。故咳嗽不爽。呼吸斷促也。

治療　依照咳嗽門。痰熱咳嗽條針治之。

風痰

症狀　神機驟然窒閉。神昏厥逆。四肢抽搐。痰聲如鋸。胸脅滿悶。脈弦面青。兩目怒視。

病因 此症多由肥盛之人。肌肉不堅。津液不化。古人謂肥人多痰濕。或平素嗜好烟酒。以致痰濁阻滯。陰分日衰。不能涵陽。則肝風內動。挾痰濁而犯腦。致成神昏抽搐等症。故名風痰。非外感之風邪也。

治療 大敦　行間　中脘　膻中　列缺　關元　百會　人中

治理 大敦行間。潛熄肝風。中脘泄化痰濁。列缺膻中宣泄肺氣。而開痰濁之鬱窒。以治胸脅滿悶。人中百會醒神昏而止抽搐。關元攝納下焦之氣。諸穴合用。則具潛陽熄風。抑肝滌痰之效。

熱痰

症狀 煩熱口渴。神昏好睡。咯痰濃黃。脈洪面赤。舌黃膩或神識不靈。

病因 此症由於熱邪蟠踞肺胃。津液爲熱邪之鬱蒸因而成痰。故厚膩而色黃。煩熱口渴。若神昏好睡。神識不靈。古人則謂痰熱蒙蔽清竅。實則腦神經受痰熱之蒸灼。而失其靈動活潑也。

治療 經渠　陽谿　豐隆　間使　委中　靈道　神門

治理 經渠泄肺熱。豐隆化痰濁。委中陽谿間使清熱而治煩熱口渴。靈道神門清熱而醒神昏。

寒痰

症狀 咳痰稀薄。脈沉。面目青黑。小便短少。手足淸冷。少腹拘急。舌潤有青紫色。

病因 古人謂命門眞陽衰微。不能蒸化津液。水泛則爲痰。夫命門即腎。功主分泌水液。若失其功用。則水液停留。故少腹拘急。小便短少。腎不分泌。則腸胃之吸收管亦失吸收之功能。致水液停留而爲寒痰。所謂水泛爲痰者此也。手足淸冷者。陽氣衰也。

治療 命門　腎兪　膻中　肺兪　足三里　俱灸

治理 命門腎兪。位居腎臟之外。灸之則直達腎臟。促進其分泌機能。所謂壯腎陽以制水也。膻中肺兪。則温化肺胃之寒痰。足三里引氣下行。灸之且能運化水液。使不致停蓄爲痰也。

痰飲

症狀 素盛今瘦。咳逆稀痰。腸間水聲漉漉。頭目暈眩。足下覺冷。甚或小便不利。肌肉浮腫。脉多弦滑。舌白或紅潤。

病因 金匱有四飮之名。曰痰飮。懸飮。溢飮。支飮。惟痰飮屬痰。雖則屬痰。而所咳之痰必是粘液。或雜以微細痰屑之稀痰而已。非厚膩之痰可比也。痰飲症。古人謂爲素肥今瘦。夫昔肥而今瘦者。良由飲食所化之津液。不能運化。停留腹部腔隙。以成痰飲。故腸間漉漉有聲。體中津液因痰飲之消失。不能榮養肌肉。以致日形瘦削。故昔肥而今瘦也。若小便不利。則水飲無從排泄。勢必溢於周身故爲浮腫。阻滯於肺。則爲咳逆也。

治療 天樞　中脘　命門　膏肓　氣海俱灸

治理 天樞中脘氣海。運行腸胃之水飲。使不停留。命門溫補腎陽。以通利小便。使停留之水分。由小便而排泄之。膏肓行肺中之痰飲。而治咳逆也。

懸飲

症狀 咳唾白沫。脅下引痛。脉多弦數細。舌多白膩甚或經年累月不愈。呼吸氣短。雙目仰視。

病因 水飲能流溢人身。古人以其停留於何部而異其命名。蓋示後學以辨別之法也。懸飲者多起於病後虛弱。渴多飲水。或暴飲過多。因中宮陽氣衰微。不能蒸化分播。以致水停脅下。金匱謂水在於肝。脇下支滿。嚏而痛。蓋肝藏爲水氣窒礙。故咳吐引痛。水飲留於脇下。懸而不降。不由小便而排泄。故曰懸飲。若久延不癒。呼吸氣短。雙目仰視。則爲難治。

治療　大椎　陶道 俱灸　肝俞 針灸　肺俞 灸　期門　章門 針

治理　肝俞行肝臟停留之水飲。期門章門治脇下引痛。且直達病灶。能運行脇下之水飲。大椎陶道肺俞。灸之則振陽氣化水飲而治咳唾白沫。

溢飲

症狀　肢節痺痛。筋骨煩疼。嘔逆咳嗽。喘急不得臥。脈浮弦。

病因　金匱云。水飲流行。歸於四肢。當汗出而不汗出。身體疼痛。謂之溢飲。此症之成。多由其人虛冷。多濕者飲水過多。含濕更盛。脾因濕而失其運化之力。以致水飲停留。外不能由毛竅排泄爲汗。內不能由膀胱輸出而爲小便。是以洋溢四肢。故肢節痺痛。筋骨煩疼。水飲入肺。則咳嗽喘急。停留於胃。則爲嘔逆。因其爲水飲洋溢而發生諸病。故名溢飲。

治療　水分　關元　神闕　肺俞　中脘　足三里　命門 俱灸

治理　水分專治水病。以其能分利水液也。關元神闕中脘。能運行水液。而促進脾胃運化之機能。足三里降氣逆以治喘急咳逆。命門促進腎臟分泌。使水飲從小便輸出。則無洋溢之患矣。

支飲

症狀 頭暈嘔吐。痰滿欬逆。氣短倚息不能臥。脈弦細。舌淡而潤。

病因 金匱云。咳逆倚息短氣不得臥。其形如腫。謂之支溢。夫飲之原因。必其人平素肺臟衰弱。有咳嗽之疾。間作間息。或感風寒。咳嗽痰涎較多。若因其微而忽之。久則增劇而成支飲。或由脾胃虛寒。水飲停留。支結於肺胃心下之處。故成嘔吐痰滿咳逆等症。

治療 依照溢飲條針治之。

伏飲

症狀 胸滿嘔逆。喘咳。腰背痛。心下痞。振振惡寒。身瞤劇。脈伏或滑。

病因 伏者潛而藏之之意。蓋水飲伏於人身而爲病也。張石頑曰。凡水飲蓄而不散。謂之留飲。留飲者留而不去也。留飲去而不盡者。皆名伏飲。伏者伏而不動也。飲之所以伏者。必由脾腎陽虛。不能蒸散。伏於肺胃。則爲咳逆。嘔吐心下痞滿等症。伏於腰背機肉等處。則爲腰背疼痛。身瞤劇等症。此外更有癖飲。飲澼。流飲。酒客等名。癖者素有痰疾間作間息。以成癖也。澼者是水積腸中之意。流者是水飲流行也。酒客者以嗜好飲酒每多飲病也。然其見症治法。已概括各條中故不另述。

治療　膻中　中脘　關元　腎俞　脾俞　膏肓　俱灸

治理　膻中中脘。去肺胃之伏飲。腎俞脾俞。治腰背之疼痛而振脾腎之陽蒸化伏藏之水飲。膏肓治喘咳而化痰飲。伏飲去則諸恙悉解。

哮喘

熱哮

症狀　身熱口渴。喘咳不得臥。聲如曳鋸。兩脈滑數。

病因　哮與喘二症也。哮者喉中有痰聲。其病因偏於痰。故金匱言哮。謂咳而上氣。喉中如水鷄聲。喘則爲吸呼之氣急促。其病因偏於氣。故治哮者。宜治痰。治喘則宜理氣也。然哮症之中。復有寒熱之別。熱哮由於痰熱內鬱。留於肺絡。氣爲痰阻。故呼吸有聲如曳鋸。喘咳者。痰滯氣逆也。身熱口渴。痰熱盛也。

治療　天突膻中合谷列缺足三里太冲豊隆　俱針

治理　熱哮由於痰熱內鬱。故刺天突膻中以宣肺氣。而治咳逆。復取足三里豊隆之泄降痰熱。合谷列缺清泄肺熱。太冲能治諸逆上冲。諸穴合用。則有化痰濁。泄肺熱降氣逆之功。故能治熱哮也。

冷哮

症狀　形寒肢冷。咳嗽痰多。喉中有聲。脉細弦或細滑。舌潤不渴。

病因　此症多由素有痰飲之人。留積胸中。每遇風寒而發。蓋風寒外束。肺氣先傷。陽氣不得外泄。引動痰飲上逆。故咳嗽痰多。痰飲壅滯氣道。故呼吸時。喉中有聲也。

治療　靈台兪府乳根膻中天突豐隆肺兪足三里。

治理　冷哮原由內有痰飲。兼感風寒而發。治宜疏解風寒。溫宣肺氣。而化痰飲。故灸靈台以解表寒。灸膻中以宣肺氣。天突乳根兪府豐隆以化痰飲。表解飲除。則肺氣寧矣。

實喘

症狀　胸高氣粗。呼吸促急。兩肩聳動。聳達戶外。兩脉滑實。

病因　素問曰。諸病喘滿。皆屬於熱。又謂邪氣入於六腑。則身熱。不時臥。上爲喘呼。李士材云喘者促促氣急。又謂張口抬肩。搖身擷肚。此皆指實喘而言也。夫實喘之原由於感受外邪。壅窒肺發。氣道爲之阻塞。故胸高氣粗。肺氣急於向外排泄。故呼吸促急。而兩肩聳動也。聲達戶外者。呼吸之氣粗而急。然與哮症之痰聲有別也。

治療　肺俞合谷魚際足三里期門內關　俱針

治理　喘症有虛實之分。實者宜瀉之。故取肺俞合谷魚際以泄肺氣。期門內關以泄胸中之邪。足三里降氣。若喘症而至面淡鼻冷。則不治。然速灸關元氣海。各數十百壯或可救。

虛喘

症狀　喘時聲低息短。吸不歸根。若斷若續。動則更盛。心悸怔忡。兩脈虛細。

病因　虛喘由於腎元虧損。丹田之氣不能攝納。氣浮於上而成。多患於老人。以其爲氣不足。故雖喘而聲低氣短。與實喘不同也。古人云。呼出心與肺。吸入腎與肝。腎虧則吸不歸根。故若斷若續也。心悸怔忡者。乃心下惕惕然跳。築築然動。本無所驚而心動不寧。亦由心臟衰弱。腎氣上逆而然也。

治療　關元腎俞氣海足三里　俱灸

治理　關元氣海攝納氣之上浮。而補丹田之氣。足三里引氣下行。腎俞益腎元虧損。腎氣充。丹田氣足。則無上逆之弊矣。

虛勞門

陽虛

症狀　怯寒。少氣。自汗。喘乏。食減無味。腹脹飧泄。或精氣清冷。陽痿不舉。目眩肢痠。膝下清冷。水泛為痰。面唇皝白。舌白無華。脈多沉細耎弱。或大而無力。

病因　經曰。陽虛生外寒。乃心臟機能衰弱。輸血力弱。皮下血管貧血。故見惡寒少氣等症。脾陽不振。則化力呆滯。吸收減退。故腹瘨泄瀉。腎陽衰弱則精冷陽痿。肢瘦脚冷。故治陽虛者。宜補脾腎之失也。

治療　命門腎兪脾兪關元神闕　各穴俱灸

治理　灸命門腎兪。壯腎陽也。腎陽充則膝冷陽痿等症悉解。脾兪溫養脾臟。復佐關元神闕以振下焦之元陽而強心。脾陽振則化元強。心陽振則輸力充。斯惡寒少氣自汗泄瀉等症亦愈矣。

陰虛

症狀　怔忡。盜汗。潮熱。或五心煩熱。口乾不寐。男子遺精。女子經閉。或面赤唇紅。

病因　咳嗽痰多。脈多數而無力。

經云。陰虛生內熱。多由熱病後。及少年色慾過度。損及肝腎。精陰枯涸。不能涵陽。以至陽氣偏旺。而生內熱。至於遺精不寐等症。亦由陰虛陽旺。君相之火不藏也。面赤唇紅等症。則由陰虛於下而陽浮於上也。

治療　大椎　陶道　肺俞　膏肓　足三里　陰郄　後谿　肝俞　腎俞

治理　大椎陶道瀉陽退熱。肺俞膏肓足三里治咳嗽而益虛。肝俞腎俞益肝腎之陰以涵陽。陰郄後谿清虛熱而治盜汗。熱輕而鍼而灸之。熱重者愼勿灸也。

五　癆

症狀　潮熱盜汗。咳嗽痰多。初起多稀薄。久則漸形濃厚。胸部或背部一處作痛。或側面而臥。此肺癆也。若面色蒼白而不能行者爲肝勞。足痠弱不能久立而遺精者爲腎勞。

病因　精氣內奪。則內虛損。由虛而漸以成癆者。精氣虛憊之極也。越人謂自上損下者。一損肺。二損心。三損脾。四損肝。五損腎。自下損上者。一損腎。二損肝。三損肺。四損心。五損脾。五臟俱損。乃成五癆。夫五癆雖屬五臟。然有連帶之關係。故中醫之論癆病。每連類及之。如咳嗽吐血。久而不愈。上損於肺。肺之呼吸系病不能呼炭納養。體內之新陳代謝因而失職。能影響脾胃之消化。以及心之循環。腦之神經。腎之內分泌。各藏無不受其累。此所謂自上損下也。又少年斲傷。損及腎藏。精液枯涸。遂生虛熱。引起肝陽。肝旺乘脾。消化失職。血無資生。則心之循環無由供給。神經及各組織均失營養。至末期可連累及肺。此所謂自下損上也。古人又謂上損及中。過脾不治。蓋肺病第一期。病專在肺。咳嗽痰多。連及神經循環。謂之第二期。潮熱。顴紅。至壞至消化機能飲食不進。則爲末期。已屬不治。又謂下損及中。過脾不治。蓋腎陰虛而生內熱。以至飲食不進者。亦爲不治也。惟西醫論癆病則謂爲結核菌爲患。然必因臟器先弱。失却抵抗能力。故適合於結核菌之滋長發育也。

治療 四花　腰眼　肺癆加肺兪膏肓足三里　心癆加陰郄後谿　脾癆加脾兪胃兪
肝癆加肝兪　章門　腎癆加精宮三陰交

治理 四花腰眼專治五癆及一切虛損。肺癆則加肺兪膏肓足三里以治咳嗽而降氣。心癆則加陰郄後谿養陰退熱而治盜汗。脾癆則加胃兪脾兪補益脾胃而治泄瀉。肝癆則加肝兪以益肝。章門以治脅痛。腎癆則加腎兪精宮三陰交以補益腎藏。而治遺精。癆病之初起者。醫治得法。尚可挽救。若久延不愈。則非鍼藥所可圖收也。

吐衄門

吐血

症狀 吐血或從吐出。或從嘔出。傾盤盈碗。或鮮散中兼紫黑大塊。吐後不即凝結。面色㿠白。脈多虛芤。

病因 吐血出於胃。方書所謂府血是也。其原因多由胃熱逼血妄行。因而上溢。或暴怒火逆傷肝。古人謂怒則氣上。以致血向上迫。或肝火昌熾。鼓激胃中之血上溢。故從嘔吐而出。或飲酒過多。傷胃而吐血。然皆屬胃中之血。有謂肝心脾皆能吐者。非也。失血過多則成貧血之現象。故面色㿠白而脈虛芤也。

治療 魚際　尺澤　足三里　膈俞　中脘　內庭　嘔血加肝俞　行間

治理 吐血出於胃。故針足三里內庭以泄降胃氣之上逆。蓋氣逆然後血逆也。鍼膈俞以寧血。魚際尺澤能止血。中脘清胃熱而降衝氣。嘔血屬肝火。故取肝俞以抑肝。行間以泄肝。然肝氣上逆而嘔血者。多兼胸脅痠痛。則宜加鍼期門陽陵以治之。

咳血

症狀 因咳嗽而見血。或乾咳。或痰中兼血咳出。氣喘急。然所出之血。不如吐血之多也。脈多微弱。

病因 咳血出於肺。方書所謂藏血是也。其原因多由於外感風熱。鬱於肺而嗆咳。傷肺。故血從咳嗽而出。或陰虛火動上逆而咳血。或肥盛酒客輩。痰中有血。凡此皆肺中之血也。惟咳血久而成癆。或因虛癆而咳血者。則見肌肉消瘦。四肢倦怠。五心煩熱。咽乾顴赤。潮熱盜汗等。當依照虛癆條治療之。

治療 肺兪。百勞。足三里。膈兪。陰虛火動者加三陰交。肝兪。痰中帶血者。如豐隆中脘。風熱襲肺者。加風門列缺。

治理 咳血屬肺。故肺兪百勞爲治咳血之要穴。足三里降氣。陰虛火動者則加鍼肝兪三陰交以養陰。酒傷痰中夾血者。則加中脘豐隆以降氣化痰。風熱傷肺者。故加鍼風門列缺以宣泄風熱之邪。

衄血（鼻衄眼衄耳衄牙衄皮膚出血）

症狀 鼻衄即鼻中流血。亦名紅汗。耳衄牙衄即耳中與牙齒出血也。眼衄目中出血也。皮膚出血又名肌衄。

病因 衄者血從經絡滲出。而行於清道也。良由風熱壅盛而發。或煙酒惱怒刺激而出。古人謂陽絡損則血外溢。血外溢則爲衄血也。

治療 (鼻衄血)合谷禾髎大椎魚際列缺少商上星鼻衄原由風熱。魚際列缺清肺熱。禾髎位居鼻旁。故能治鼻衄也。少商能清肺且爲鼻衄之特效穴。

(眼衄血)睛明太陽行間曲泉。眼衄乃積熱傷肝。或誤藥擾動陰血。以致血從目出。故宜鍼行間曲泉以清泄肝熱。睛明太陽以其部位近目。故能泄局部之熱而止血也。

(耳衄)足竅陰刺出血。俠谿。陽陵泉。行間。翳風。此症多由飲酒過多。或多怒之人。肝胆之火上激。以致血從耳出。故鍼竅陰俠谿陽陵行間以泄肝胆之熱。翳風以泄病灶局部之熱而止血。

(肌衄)膈俞血海。此症亦血熱沸騰而從毛竅溢出。故取膈俞血海以清血熱而止其血也。

(牙衄)合谷內庭手三里足三里。牙衄乃陽明蘊熱上乘。故鍼合谷內庭手三里以泄陽明之熱。足三里清熱而引熱下行。

嘔吐

實熱嘔吐

症狀 口渴發熱。食入則吐。所出之物多兼穢臭。或苦或酸。頭目暈眩。舌黃脉數。

病因　嘔者。有聲而有物。吐者。有物而無聲。二者雖略有不同。然皆胃病也。嘔吐之屬於熱者。由胃有鬱熱。火勢上炎。胃氣不能下降而成。或怒激肝氣。肝木橫逆。或肝胆風熱上炎。皆致嘔吐。經曰諸逆衝上。皆屬於火。諸嘔吐酸。皆屬於熱。是也。夫吐出之物。或苦或酸者。則因胃酸與胆汁。因熱而分泌過多上溢也。

治療　內庭　合谷　內關　中脘　上脘　足三里　肝胆之氣上逆者。加陽陵泉　太冲。

治理　實熱嘔吐。由於胃熱。故鍼內庭足三里以清熱而降氣。嘔吐之病灶在胃。故鍼中脘上脘以直泄脘中之熱而止嘔吐。合谷內關宣泄胸部之氣而清熱。肝胆之火上亢者。則加鍼太冲陽陵以泄之。若輕症之嘔吐。則單鍼三里留撚稍久。其效頗著。

虛寒嘔吐

症狀　嘔吐稀涎。面青肢冷。胃脘不舒。口鼻氣冷。不渴。苔白脉細。

病因　嘔吐之屬於虛寒者。乃由脾胃之陽不振。運化失職。或飲食生冷。以致寒濕濁邪。留滯中宮。乃上逆而作嘔吐。故覺當胃不舒。四肢厥冷也。

治療　中脘　內關　氣海　胃俞　三陰交　膻中　脾俞　足三里　俱灸

治理　嘔吐皆由氣上逆。故足三里爲要穴。內關膻中宣泄胸中之氣。脾俞胃俞振脾胃之陽。而化寒濕濁邪。三陰交亦能溫脾化濕。氣海理腸胃之氣。氣調則無上逆爲吐之患矣。

乾嘔

症狀 乾嘔不止。有聲無物。與噦相似。惟不若噦聲之悪濁而長也。但覺胸膈不舒。口渴或不渴。甚則四肢厥冷脈絕。

病因 乾嘔亦屬胃病。葢由清濁之氣。升降失常。阻拒於胸膈之間。乃脾胃虛弱。運化失職。氣機失調而成。亦有因於胃熱者。濁熱之氣上攻。則兼發熱口渴。

治療 中脘 足三里 內關 脾兪 胃兪 章門俱灸。胃熱者改灸易針。加針內庭 厲兌

治理 屬虛寒者。則單用灸法。以温補脾胃。如脾胃兪中脘章門等穴是也。餘如三里內關亦無非降氣行氣。而具升清降濁之功。因胃熱者則鍼以泄之。復加內庭厲兌以清陽明之熱。

噎膈

寒膈

症狀 脘腹痞滿。嘔吐清水。四肢厥冷。食不得入。或食雖可入。而良久反出。面色㿠白

○兩脈遲細○

病因 膈者膈塞不通○飲食不下也○若食入反出○謂之反胃○二者皆膈間受病○故通名爲膈也○寒膈由於中宮陽氣衰微○寒邪凝聚○脾氣不能升○胃氣不能降○故飲食不下○反胃亦由脾胃虛寒○運行失職○不能熟腐五谷○變化精微○故食雖可入○良久復出也○王太僕曰○食入反出○是無火也○古人謂朝食暮吐○是胃虛寒也○

治療 膻中灸 膈俞灸 中脘 足三里 公孫 脾俞 胃俞 針灸

治理 膻中膈俞宣展胸膈之氣○足三里公孫降氣逆○中脘脾胃俞振脾胃之陽而理寒邪○

熱膈

症狀 胃脘熱甚○口苦舌燥○煩渴不安○嘔吐酸臭○食入即吐○或前後閉濇○脈多大而有力○

病因 素問曰○三陽結謂之膈○夫所謂三陽者○即腸胃膀胱也○蓋腸中積熱○則後不圊○膀胱結熱○則小便不利○故前後秘濇○胃有鬱熱○則胃津枯耗○食道液燥○故食不得下○且下既不通○勢必上逆○故食下亦仍出○是火上行而不降也○因其三陽結熱○故口渴舌燥○煩躁不安也○

治療 內庭 中脘 足三里 支溝 合谷 大陵 內關 委中 大腸俞○

鍼灸治療講義

治理　內庭中脘泄胃熱。足三里降氣逆。且與支溝合用則有導府之功。合谷大腸俞清腸中之熱。委中清膀胱之熱。大陵內關清熱而治煩渴不安。

氣膈

症狀　噫氣頻頻。中脘滿痛。痛行脊背。胸悶氣熱。食不得下。大便不利。

病因　素問曰。膈塞閉絕。上下不通。則暴結之疾也。此言噎膈之起於鬱結不舒者也。內經曰憂則氣聚。蓋中心抑鬱。憂結不解。則氣鬱於中。運化不利。肝氣上逆。故食不得下。而成氣膈。

治療　中脘　膻中　氣海　列缺　內關　胃俞　三焦俞　足三里（俱針灸）　期門（鍼）

治理　氣膈以調氣爲主。故取膻中氣海理氣之鬱結也。足三里降氣之上逆也。列缺內關宣泄胸膈之氣。期門泄肝氣。鬱結不舒。則胃氣不能敷布。故取胃俞三焦俞。以運行胃氣。氣調鬱解。膈症自愈。惟憂結爲情志病。苟病者能達觀。則易於收效也。

痰膈

症狀　咳嗽氣喘。喉間痰聲。胸膈痞悶不舒。飲食不能下咽。舌多膩苔。兩脈滑實。

病因　此症多因憂思悲恚。脾胃受傷。血液漸耗。鬱氣生痰。痰濁留滯於肺胃。阻塞氣機。飲食下咽。每有所阻。如礙道路。膈而不得下。噎膈所由成也。痰滯氣逆。故咳嗽氣喘。

治療　膈俞灸　天突針灸　肺俞灸　豐隆針灸　下脘灸　大都灸　足三里針灸

治理　肺俞天突治咳嗽氣喘。膈俞理胸膈之氣。豐隆泄化痰濁。三里大都降氣。下脘旋運中州以行痰濁。

食膈

症狀　胸脘脹痛不得安。食難下咽而痛。甚或氣塞不通。危殆不堪

病因　此症多患於老人。良由脾胃衰弱。每於過飢之後。猝然暴食。壅滿胃之上口。閉塞脾胃之氣機。而成噎膈。食滯於胃。故胸脘部脹滿作痛。老年患此。多難救治。

治源　中脘　脾俞　胃俞　膻中　氣海　足三里　巨闕

治理　中脘三里巨闕。化食滯而兼導六腑。脾俞胃俞。助脾胃之消化。膻中氣海則調氣而宣氣機之閉塞也。

虛膈

症狀　飲食不下。肌膚乾燥。或嘔吐白沫。糞如羊屎。兩脈虛濇。體倦神疲。

病因　此症多由脾胃津液枯燥。不能化納。以致飲食不下。蓋人身藉飲食之精微以營養。若飲食不進。則滋養料之來源告匱。故肌膚乾燥。古人謂噎而白沫大出。糞於羊屎不治。若胸腹疼痛如刀割者。死期迫矣。

治療　膈俞　合谷　大包　太冲

治理　灸膈俞數十壯以治膈氣。針合谷以宣大腸之氣。針灸大包以補胃。針太冲以降逆。然多不救也。

臌脹門

水　臌

症狀　初起四肢頭面腫痕。漸延胸腹。皮膚黃而有光。脹大繃急。按之窅而緩起。甚則臍突露筋。口渴煩躁不寐。胸悶氣喘。皮膚日粗。面色灰敗。鼻出冷氣。則為危候。

病因　此症多由水腫之甚以變成者。水腫之原多為飲冷過度。或著寒邪。以致脾腎陽衰。脾不運輸。腎不分利。體中水分無所發泄。水氣泛濫。溢於皮膚。膨痕而成水腫。日久月深。水質蓄積不消。肢體脹大滿量。遂成腫體。即變水臌。水鬱於內。猶溝壑之積水。積久不消。化而為毒。則難施治。若腹露青筋。面色灰敗。則為水毒深重之候。若口渴煩躁。則水毒化熱。煎熬血液。腎中之龍火上騰也。凡此皆爲水臟垂危之候。雖有華扁之能。亦將束手矣。

治療 腎俞 灸 膀胱俞 灸 三陰交 針 陰陵 針 水分 灸 人中 脾俞 灸

治理 腎俞膀胱俞。以宣膀胱之氣化。而促進腎臟之分泌。陰陵通利小便。脾俞振脾陽以行水。水分爲治水臟之特效穴。以其能分利水分也。三陰交運化脾之濕。人中可用粗針泄水。

氣臟

症狀 腹太而四肢瘦削。皮色不變。按之窅而即起。噫促煩悶。或腸鳴氣走。漉漉有聲。二便不利。脈弦鬱。

病因 氣臟與水臟。原屬二症。以手按之。成凹而不隨手起者。水臟也。按之成凹而隨手起者。氣臟也。氣臟之原因。多由七情鬱結。氣化凝聚。留滯中焦。腹部乃爲之脹滿。用情太過。傷及脾胃。脾胃失運化之能。血液無從產生。肌肉失所營養。故四肢漸形瘦削也。

治療 膻中 氣海 關元 脾俞 胃俞 中脘 足三里 各灸數十壯

治理 氣臟原屬氣積。治以理氣爲主。故取膻中氣海關元調氣而開鬱結。脾胃俞中脘足三里則助脾胃之運化。氣調則痞滿自除。脾胃强則化力足。斯諸恙均得而解矣。

實脹

症狀　腹脹堅硬。大便秘結。小便黃赤。行動呆滯。吸呼短促。或息高氣粗。脉沉滑有力。

病因　此症多由七情之傷。脹起於旬日之間。或多感受寒濕之邪。多食生冷之物。以致脾陽不振。失其旋轉。濕濁阻滯。因而痞滿。

治療　依照氣臟各穴針灸之。以調其氣。大便祕結者加針支溝內庭。并瀉足三里以化結滯。而導六腑。

虛脹

症狀　容形枯槁。脹起於經年累月。腹部脹滿。朝寬暮急。或暮寬朝急。大便溏薄。或小便清白。脈細少氣。面淡舌白。

病因　虛脹多起於久瀉。或飲食起居不善攝養。或病後飲食不愼。中氣受傷。脾胃虛弱。不能運化。濁氣滯塞於中。以致痞滿。若痢後成痞。久病羸乏。臍心凸起。喘急不安者。此爲脾腎俱敗。則難調治。若咳嗽失音。青筋橫絆腹上。及爪甲青或頭面蒼黑。嘔吐頭重。上喘下泄者。皆不治之症也。

治療 關元 中脘 下脘 神闕 脾兪 胃兪 大腸兪 各灸三五壯

治理 虛脹由於中氣虛損。脾胃衰弱。故灸關元神闕中下脘各穴。以益中氣。大腸兪以鼓舞腸中氣化。以治大便溏薄。脾兪胃兪則調補脾胃。扶助正氣。脾胃健則運化復常而脹消矣。

癥瘕門

癥

症狀 面黃肌瘦。飲食減少。神疲體倦。胸脘腹間有塊硬痛。按之有形。牢固不動。舌光脈澁。

病因 積聚之有形可徵者曰癥。古人謂癥者眞也。然有食癥。痰癥。血癥。之分。食癥者因食積而成癥也。多由多食生冷黏膩之物。脾胃虛弱不能消化。膠滯腸間。與氣血相搏。積聚成塊。日漸長大。堅固不移。痰癥由於痰濁鬱滯。多積於脇下。血癥乃血積而成也。多由藏府虛弱。寒熱失節。或風寒內停。或閃挫跌撲。氣血停滯。壅瘀經絡而成血癥。多積於少腹部

治療　（少腹有塊）關元　太冲　行間　三陰交　膈俞少腹有塊。多屬血積。故所取各穴皆屬血分之穴。如灸太冲能行血。行間三陰交能破瘀。膈俞開胃調氣。

（臍上脇下有塊）神闕中脘中脘章門脾胃俞。臍上脇下有塊。多屬食積。故取下脘中脘之化積滯。脾俞胃俞健脾胃以助運化。神闕調氣。章門能直達病灶。消脇下之塊。

（脇下兩旁有塊）章門期門行間肺俞豐隆陽陵。此症多由痰積。故取肺俞豐隆以化痰。章門期門以消積。行間陽陵以疏胆肝之氣。因脅下屬肝膽二經也。更宜於塊之中央及上下左右針而灸之。不問其爲何積。均可如法施治。直達病灶。收效尤易。

瘕

症狀　發生胸脇臍腹。或痛。或噯氣。或嘔吐。甚則氣逆神昏。腹中有塊攻衝。遊走無定。聚散無常。推之則動。按之則走。脈多沉細。舌苔薄白。

病因　積聚之或聚或散者曰瘕。古人謂瘕者假也。難經曰聚者陽氣也。其始發無根本。上下無所留止。其痛無常處。蓋指瘕症言也。多由肝脾之氣失和。肝氣橫逆。脾失輸化。水飲痰液。凝聚成瘕。隨氣之順逆運滯。而時形時散。故起伏不時。游走無常也。

治療　氣海　關元　脾俞　肝俞　各灸十數壯　嘔逆噯氣者。加鍼灸內關足三里。

治理　瘕症多爲氣滯而發。故取氣海關元以調氣脾俞肝俞調和肝脾之氣。嘔逆噯氣則鍼灸內關以宣胸膈之氣。足三里以降氣逆。更須調攝得宜。可收全功。

五積門

心積

症狀　此症起於臍畔或臍上。大如手臂。形如屋樑。由臍至心下。縈繫於中。伏而不動。久則令人心煩心痛。夜眠不安。身體腫。股皆腫。不可移動。困苦異常。脉沉細或芤。舌絳。

病因　難經曰。心之積名曰伏樑。起臍上。大如臂。上至心下。有若屋樑。故名伏樑。此症多由心經氣血不舒。凝聚而成也。

治療　上脘 針灸　大陵 針　心俞 針灸　膈俞 針灸　行間三陰交

治理　上脘直刺病灶。散氣血之凝滯。心俞膈俞大陵活血通結。而泄心經之積氣。足三里調氣行血。行間三陰交行血而破血結。苟能心曠神怡。可冀漸以向愈

肝積

症狀　左脇下有塊。狀如覆杯。有足似龜。久則寒熱如瘧。或喘咳嘔逆。脇下痠痛。脈强而細。

病因　難經曰。肝之積名曰肥氣。在左脇下如覆杯。有頭足。久不愈。令人咳逆痎瘧。此症多由肝藏氣逆。與瘀血積合而成。

治療　章門 灸　行間 針灸　期門 針　膈俞 針灸　寒熱嘔逆加針灸大椎足三里

治理　章門期門化脇下之塊。肝俞調肝氣。膈俞行間行血破瘀而化積。中脘爲諸穴之佐使。位近病灶。能理氣消積。寒熱者則鍼灸大椎以除之。咳逆者則取足三里以降氣。

脾積

症狀　當脘痠痛。如覆大盤。面黃肌瘦。飲食不爲肌膚。胸悶嘔。脈多沉細。

病因　脾積者。脾之積氣也。難經曰。脾之積名曰痞氣。在胃脘如覆大盤。久不愈。令人四肢不收。此症由於脾胃衰弱。氣少運行。寒邪痰飲。積聚不化而成積。脾胃衰弱不能運化津液。故面黃而肌瘦也。

治療　痞根穴　脾俞　中脘　內庭　足三里　隱白　行間俱灸　塊之上下左右針而灸之。

治理　痞根爲經外奇穴。專治痞積。凡屬積聚。用之皆效。脾俞中脘益脾胃之衰弱。而助運化。內庭隱白足三里行脾胃之積氣。行間破積聚。復於塊之上下左右針灸之。其效益著。

肺積

症狀　微寒微熱。咳嗆氣促。呼吸不利。嘔逆頻作。右脇下覆大如杯。胸痛引背。脉弦細。

病因　難經曰。肺之積名曰息賁。蓋因肺氣積於脇下。喘息上賁也。此症多由肺氣不利。痰濁不化。積聚脇下而成。

治療　巨闕　期門　肺俞　經渠　章門　豐隆　內關　足三里鍼而灸之

治理　息賁治法。宜降氣開痰散結。故取期門章門巨闕直達病灶以散結。內關經渠宣肺氣而開痰濁之積聚。豐隆足三里降氣而化痰濁。

腎積

症狀　先於小腹右角起一小塊而微痛。塊漸大。痛漸劇。時上時下。痛引腹部。寒熱不時。甚則痛攻心下。坐臥不寧。困苦萬狀。續則漸漸不衝。塊漸小。痛亦漸止。而至於無。起伏不時。

病因　腎積曰奔豚。因其發作時。有物如豚之奔走故名。金匱曰。奔豚病從少腹起上衝咽喉。發作欲死。復還止。皆從驚恐得之。經曰恐則傷腎。蓋大驚猝恐。腎藏之分泌乖常。尿毒穢氣結而上逆。故自少腹上衝於心胸。甚則欲死。古人所謂水氣上逆淩心也。然亦有由腎氣虛而寒濕積聚。或房勞不節。復感寒涼。而成斯疾也。

治療 中極　章門　腎俞　湧泉　三陰交　關元　俱用灸法

治療 奔豚由於腎氣虛寒。水氣上泛。故灸腎俞湧泉以益腎陽。而排除水氣。關元中極行氣而通調水道。章門三陰交。袪腎臟之寒邪。他如氣海期門各穴。均可酌取也。

三　消

上　消

症狀 心胸煩熱。咽如火燒。大渴引飲。飲不解渴。小便清利。食量減少。大便如常。舌上赤裂。脈多細數。

病因 內經曰。心移熱於肺。傳爲鬲消。鬲消即上消也。多由嗜慾過度。或過食辛熱之物。或感受燥熱之邪。以致心肺鬱熱。故飲食多而易消也。

治療 內關　神門　魚際　尺澤　肺俞　人中　然谷　太谿　金津　玉液　俱針

治理　上消由於心肺鬱熱。故針內關神門以清心熱。魚際尺澤以淸肺熱。然谷太谿清熱養陰。金津玉液清心熱而生津液。針人中以泄陽邪。且此穴亦能治消渴多飲水也。

中消

症狀　口渴引飲。多食善飢。不爲肌膚。肌肉瘦削。大便秘結。小便頻數。自汗口臭。甚或面赤。唇焦。關脈滑疾。舌紅苔黃。

病因　經云。二陽結謂之消。又曰大腸移熱於胃。善食而瘦。謂之食㑊。又曰邪在脾胃。陽氣有餘。陰氣不足。則熱中善飢。此症乃脾胃鬱熱。津液枯燥。故渴飲多食。而不能化生津液。以滋養肌肉。以致漸形瘦削也。

治療　中脘　胃兪　脾兪　內庭　曲池　三里　支溝　陽陵　金津　玉液　俱針

治理　中脘胃兪內庭泄胃熱也。曲池清大腸之熱。脾兪陰陵清脾熱。金津玉液清熱而生津液。三里支溝清熱而通大便。

下消

症狀　初起便濁不攝。溺如膏淋。煩渴引飲。漸至腿膝枯細。面色黧瘦。耳輪焦黑。小便

病因　多而渾濁。或上浮如脂。或如燭淚。脈細數舌絳。

下消又名腎消。多因色慾過度。肝腎陰虛。虛則火旺而津液爲之消爍。故煩渴引飲。而小便渾濁也。

治療　湧泉　然谷　腎俞　肝俞　肺俞　曲泉　中膂俞 俱針

治理　下消由於肝腎陰虧。虛火上炎。故針肺俞以清上焦之虛火。腎俞肝俞以益肝腎之陰而制陽光。湧泉然谷曲泉以清虛熱而養津液。中膂俞清熱而養腎陰。此皆治腎陰虛而成消渴者。然亦有命門火衰。火不歸元者。則宜灸腎俞中膂俞中極命門關元氣海以振下焦之陽。而納上浮之火。

黃疸門

陽黃

症狀　一身盡黃。色明如橘子柏皮。身熱煩渴。或消穀善飢。小便赤澀。大便秘結。脈滑數。舌黃厚。

病因　黃疸有陽黃陰黃之分。陽黃屬熱。陰黃屬寒。陽黃多由脾胃濕熱鬱蒸而成。喻嘉言謂夏月天氣之熱。與地氣之濕交蒸。人受二氣。內結不散。發爲黃疸。惟近今之說者。則爲胆熱。膽口炎腫。汁不下於小腸。溢於血管而發黃色也。

治療　中脘　足三里　委中　至陽　胆俞　陽陵泉　公孫　三陰交　俱針

治理　中脘足三里清胃熱而導府。委中清熱而利濕。胆俞陽陵泉。泄胆中之熱。公孫三陰交清脾熱。至陽化濕熱而退身熱。

陰黃

症狀　身目皆黃。黃色晦黯。有若薰烟。形寒胸痞。腹滿踡臥。四肢痠腫。或自汗自利。小便亦少。渴不欲飲。甚則嘔吐。舌淡而白。脈濡而細。大便白色。

病因　陽黃色明屬濕熱。陰黃色晦屬寒濕。亦有因陽黃服寒涼藥劑過多。而成陰黃者。陰黃之成多由過食寒冷之物。或感受寒濕之邪。蘊於脾胃。越於皮膚而成。

治療　脾俞　氣海　足三里　至陽　中脘　陽綱　俱用灸法

治理　陰黃屬寒濕阻於脾胃。故灸脾俞中脘以化脾胃之濕邪。氣海除腹中之寒濕而治腹滿。至陽陽綱化寒濕。足三里行濕而治嘔吐。

酒疸食疸

症狀　身目均黃。心下懊憹。胃呆欲吐。脛瘇溲黃。面發赤色。小便短少。足下熱。舌苔黃膩。脈弦實。此酒疸也。若寒熱不食。或食畢即頭暈。脘腹滿悶。二便秘結。舌膩脈滑實者。此食疸也。

病因 酒疸者。疸病之由於酒傷得之者也。如飢時飲酒。或酒後當風而臥。入水浸浴。以致酒濕之熱。遏而不宣。蒸發爲黃。食疸又名穀疸。乃食傷所成之疸也。多由胃熱大肌。過食停滯。致傷脾胃而成。夫所謂酒疸食疸者。均屬陽黃病。不過因其病因不同。而易其名稱耳。胡廉臣先生謂。凡人消化不良。不論因酒因食。妨碍胆汁之排泄者。均成黃疸也。

治療 酒疸依照陽黃條針之。(食疸)中脘足三里胃俞內庭至陽

治理 酒疸雖由酒傷。亦屬濕熱爲病。故與陽黃同治。食疸由於食積。故取中脘足三里以運化食滯。胃俞內庭以泄胃實而清熱。至陽清熱而退黃。他如陽綱腕骨等穴俱可採用。更宜與陽黃條互相參看。

女勞疸黑疸

症狀 額上黑。皮膚黃。微微汗出。手足心熱。或薄暮發熱。然必以少腹拘急。小便自利。大便黑。爲女勞疸之的症。

病因 女勞無度。或醉飽入房。或小腹蓄血。或脾中濕濁下趨。古人謂爲脾腎之色外現。

則身黃而額黑。黑疸多由酒疸女勞疸久延。或誤下。以致脾腎虛弱而成。初起則面部發黑。甚則周身漸黑。大便亦黑。若腹脹如水臌。或心中如啖蒜狀。皮膚不仁者。則為危候。

治療 公孫 然谷 中極 脾俞 腎俞 至陽 陽綱 俱用灸法 血瘀者加關元膈俞。

治理 女勞與黑疸。均由脾腎虛弱。故灸脾俞腎俞以益脾腎。佐公孫然谷以宣脾腎之氣化。至陽陽綱專退身黃。為治疸症之要穴。若小腹有瘀血者。則加針灸關元膈俞以行瘀。

汗病門

自汗

症狀 不因勞動。不因發散。濈然汗自出。或每至天明時汗自出。惡寒身冷。脈象虛微。舌多淡紅。

病因 自汗屬陽虛。陽者衛外而固表者也。陽氣內虛。陰中無陽。蓋陽虛陰盛而表不固。腠理疏。則汗隨氣泄。經謂陰勝則身寒汗出。即其候也。若過服汗劑。汗出不止。

則爲亡陽危候。

治療　合谷 鍼 復溜 灸 大椎 灸

治理　瀉合谷補復溜以止汗。大椎以固表而振陽。并可參用下條盜汗各穴。若自汗欲脫。亟宜灸神闕。不論壯數。但以汗止爲度。蓋汗出過多。則心藏衰弱。神闕爲强心之穴也。

盜汗

症狀　寐中汗竊出。醒後倏收。氣虛神倦。脉虛細。舌多紅而光。仲景云。男子平人脉虛弱細微者。善盜汗也。

病因　盜汗屬陰虛。陰者內營而斂藏者也。陰氣虛弱則生內熱。而迫液外泄。若兼咳嗽。顴紅。潮熱。等症。則已入損門爲難治。若汗出如珠不流者。此爲絕汗。死不可治。

治療　間使後谿陰郄肺俞百勞

治理　盜汗屬陰虛內熱。故鍼間使後谿陰郄以養陰退熱。肺俞百勞退熱而益陰。若婦人產後脫血過多。孤陽無依。大汗不止者。則宜本條各穴改鍼易灸。并加灸氣海關元等穴。以固眞元。

黃汗

症狀 身重而冷。狀如周痺。胸中鬱塞。不能食。煩躁不眠。汗自出而口渴。汗出沾衣。色正黃。如柏汁。脉象多沉。

病因 黃汗爲疸症之一。身黃而汗出沾衣作黃色也。乃脾家濕熱蘊蒸。由毛孔泄出。多由汗出用水浸浴。水入毛孔。經鬱蒸而爲黃汗。仲景所謂黃汗得之汗出。入水中浴。水從汗孔中入得之是也。

治療 脾俞　陰陵　三里　中脘　公孫　至陽

治理 黃汗屬脾家濕熱。故取脾俞公孫以清脾熱。三里中脘至陽以清熱化濕。陰陵滲利溫邪。此外如三焦俞人中等穴。均可佐使。幷宜酌量鍼黃疸門陽黃條各穴。

寤寐門

不眠症

症狀 精神恍惚。怔忡健忘。輾轉不寐。四肢懈怠。甚則心煩焦急。頭旋眼花。少氣不支。

病因　此症多由思慮太過。傷及心陰。神不守舍。或病後血虛火旺。心神不安。乃成煩而不寐。怔忡健忘等症。然亦有胃中有積有熱。或痰濁阻滯。則心煩不寐。內經所謂胃不和則臥不安是也。他如邪念叢生。慾火上衝。雜念交感。致成心理之失眠者。則惟靜養可以奏功。鍼藥所難及也。

治療　三陰交　神門　間使　心俞　內關

胃有積熱者則鍼中脘　三里　內庭　天樞

痰濁阻滯　豐隆　中脘　足三里　肺俞

治理　失眠之由於心陰不足。神不守舍。與血虛火旺者。則鍼三陰交間使內關以滋陰養液。心俞神門以安神定志而養心陰。若因積因熱因痰者。則但去積清熱化痰。積滯去。熱邪退。痰濁除。則神志安靜自得酣臥矣。

多寐症

症狀　四肢倦怠無力。胃呆食減。呵欠頻頻。精神萎頓。反復昏睡。脈則虛緩。

病因　此症多由大勞大病之後。脾陽虛憊。精神不振。以致怠倦多寐。或濕邪內戀。蒙蔽清陽。神志不清。昏迷好睡。則必兼舌膩口糊等症。

治療　脾陽虛憊者。大椎　至陽　脾俞。

治理　濕邪內戀者。　中脘　足三里　脾俞　胃俞。
大椎至陽。振陽氣。脾俞益脾。艾灸三穴。則能興奮精神而治陽虛多痳。屬濕者則取中脘　三里　脾俞　胃俞　以斡旋中樞。而化濕邪。

疝氣門

衝疝

症狀　氣從少腹上衝心。疼痛異常。甚則冷汗淋漓。飲食不進。二便秘塞不通。古人所謂不得前後爲衝疝也。

病因　疝症均屬於肝。與衝任爲病。良由衝任循腹裏。肝脈過腹裏而環陰器。故疝氣雖有衝疝。厥疝。瘕疝。狐疝。癀疝。瘕疝。㿗疝。等之區別。終不外乎此三經也。衝疝之原因。多由寒濕之邪。久鬱於內。化而爲熱。容寒觸之。以致少腹疼痛。掣引睪丸。甚則氣上逆而衝心作痛。歲久不癒。漸變衝心疝氣。則難調治矣。

治療　關元。太冲。獨陰。臍三角灸法。

治理　衝疝乃衝任與肝三經之氣滯而成。故用臍上三角灸法。以宣通氣結。關元太冲疏肝任二經之氣。獨陰爲經外奇穴。專治疝氣。

㿗疝

症狀　少腹控卵。腫急絞痛。甚則陰囊腫大如斗。如栲栳。或頑癩不仁。

病因　此症由太陽寒濕之邪。下結膀胱。因而陰囊腫痛。經曰三陽爲病。發寒熱。傳爲㿗疝。三陽即小腸。膀胱胆。小腸膀胱居下體。而肝與胆爲表裏。故皆能致疝也。

治療　曲泉　中封　太冲　大敦　氣海　中極

治理　肝脈循陰器。故疝病皆宜取肝經之穴。曲泉中封泄肝氣。太冲大敦疏肝也。且二穴治疝氣。每有特效。可謂治一切疝氣之主要穴。復針灸氣海中極。以調氣。而化寒濕之邪。

厥疝

症狀　脈大而虛。少腹疼痛。上下左右。攻衝無定。甚則四肢厥逆。

病因　肝經素有鬱熱。寒邪外鬱。肝氣乃不條達。因而橫逆遂成此症。

治療　太冲　大敦　獨陰　石門　氣海

治理　太冲大敦疏泄肝氣。石門氣海行氣而治少腹疼痛也。

狐疝

症狀 睪丸偏有大小。臥則入腹。立則下墜。時上時下。脹緊攻痛。久則正氣自衰。病氣日盛。以致不能坐立。坐立則脹墜欲絕也。

病因 經曰。肝所生病爲狐疝。多由寒濕之邪。襲入厥陰。沉結下焦。邪挾肝風而上下也。

治療 依照癲疝條治療之。并於臍下六寸。兩旁一寸。灸三壯。

瘕疝

症狀 腹有瘕痞。左右有塊。痛而且熱。時下白濁。女子不月。男子囊腫。

病因 此症多由於脾經濕氣下注於衝任交會之處。以致結爲瘕痞作痛。衝爲血海。任爲氣海。脾濕下注。衝任失調。故女子爲不月。男子則陰囊腫痛也。

治療 氣海　中極　陰陵　陰交　大敦　太冲

治理 陰陵化脾經之濕氣。大敦太冲治陰囊腫痛。氣海中極陰交宣衝任之氣而治瘕痞。

㿉疝

症狀 肝脈滑甚。卵核腫脹。偏有大小。堅硬如石。痛引臍腹。甚則膚囊因腫脹而成瘡。時出黃水。或成癰潰爛。或下膿血。

病因　此症稱之爲㿗疝者。以其必裹膿血。甚則下膿血也。多由肝不條達。血凝氣滯而成。蓄肝脈環陰器。故結於陰囊而爲㿗疝。

治療　依照癩疝條治療之。再加鍼氣衝中極。以行氣血之凝滯。而治臍腹部之痛。

癃疝

症狀　小腹滿痛。腎囊腫大。小便秘塞。甚則脹緊欲絕。

病因　癃者小便不通也。疝病而小便秘塞。故名癃疝。此症多由脾經濕熱下注膀胱。濕熱鬱結。故小便不通。腎囊腫大。少腹滿痛等症見矣。

治療　關元　陰陵　三陰交　水道　大敦　太冲

治理　癃疝治法。當通利小便。故取關元宣膀胱之氣化而治少腹滿痛。陰陵水道化脾經之濕熱。而通調水道。大敦太冲則治陰囊脹腫也。

遺精門

康健之體。氣盛精旺。淡色慾。節房勞。其有偶然遺者。非病也。乃盈滿而遺也。謂之精溢。若每日一遺。或三五日一遺。以致疲勞倦怠。耳鳴頭眩者。則病矣。若非有良好之調治。久則漸入虛勞。而成不治。然遺精一症。則又有有夢無夢之別。有夢屬心病。無夢屬腎病。有夢曰夢遺。無夢曰滑精。二者之治法。略有不同。述之於後。

夢　遺

症狀　精泄時每夢與女子交合。或每夜一遺。或數日一遺。久則神志恍惚。脈多弦數。舌紅。有時黃薄。

病因　夢遺屬心病。多由好色之人。見美色觸於目而起淫心。印入於腦。夜乃成夢而遺精。古人謂心爲君火。腎爲相火。慾念妄動則君火搖於上。相火熾於下。水不能濟。而精隨以泄。或陰虛之體。不能涵養。陽事易興。而致遺泄。若失於調治。久則漸入命門。爲患不淺也。

治療　心兪　白環兪　腎兪　中極　關元　三陰交　針

治理　心兪　白環兪　腎兪三穴。清君相之火而滋陰。三陰交則養陰以涵陽。所謂壯水以制火也。中極關元益虛弱而固精。惟由於慾念妄動者。則爲心理所造成。尤宜恬淡性情。清心寡慾。庶可收效。不然則無情之鍼灸可救生理之變化。不能治情慾之妄動也。醫者病者。宜注意之。

精　滑

症狀 每在睡中。無夢自遺。或慾念一動。陽舉而精自滑下。不分晝夜。甚則一日數度。精神痿頓。耳鳴目眩。腰痛頭昏。漸則潮熱盜汗。而成虛癆。脉虛弱或細數。

病因 此症多由縱慾無度。或誤犯手淫。斵喪太過。以致腎氣不藏。精關不固。不能攝精。每因慾念一動。即不禁而滑出。漸至神經衰弱。而潮熱盜汗等症作矣。調治殊難治療。此症首宜使病者定心志。節嗜慾。然後施以治療之法。古人云。服藥百粿不如獨臥一宵。此症最相宜也。

治療 精宮腎俞關元中極 俱用灸法

治理 精宮能固攝精氣。專治遺精。關元中極固精益元氣而補虛羸。腎俞。補益腎藏。若兼潮熱盜汗等症。則加鍼灸膏肓足三里。

淋濁門

淋與濁二症也。淋者小溲數而且澀。淋瀝不暢。故謂之淋。仲景云淋之爲病。小便如粟狀。少腹弦急。痛引臍中。大抵淋病之起。多由胞熱之故。與濁懸異。濁者小便時下濁液，綿綿如醬水狀態。多由濕熱下注。然淋病有石淋。勞淋。血淋。氣淋。熱淋之分。濁則有赤濁。白濁之別。症狀各有不同。宜分別述之。

五淋

症狀 〔石淋〕臍腹引痛。小便艱難，輕則下沙。甚則下石。或黃赤或渾濁。色澤不定。便時刺痛。澈於心肺。令人難受〔勞淋〕小便淋瀝不通。遇勞而發。身體疲憊。溲時數痛。腹脹牽引各道。勞之微者。其淋亦微。勞之甚者。其淋亦甚。〔血淋〕溺痛帶血。血色鮮紅。脈數。〔氣淋〕少腹滿痛。溺有餘瀝。〔熱淋〕肥盛之人。濕熱流於下焦。多發於夏季濕令。瘦削之人。陰虛津枯。熱甚而淋。然皆莖中熱痛。小便熱赤。口渴喜飲水。或煩熱。

病因 〔石淋〕由於膀胱蓄熱。失其氣化之職。結成沙石。從尿道而出。惟此症非其人陰陽太虛。而曾患生殖器病者不易得此。故五淋中當以石淋爲最少。然一經患此。頗難治癒。故爲淋病中最重之症。〔勞淋〕由於本能衰弱。元氣不足。膀胱不能輸送水道。苟一遇勞事。溺竅因此澀塞不通。而爲淋病。〔血淋〕此症亦由膀胱蓄熱。熱甚搏血。失其常道。與溲俱下。〔氣淋〕由於氣化不及州都。胞中氣脹。故使小便點滴。小腹滿堅。〔熱淋〕熱淋有虛實之分。屬於實者。如與不潔之婦人交合。或好食辛辣煎炒厚味。積熱太甚。流注下焦。膠秘而爲熱淋。虛者如好色縱慾。陰精枯燥。相火猖，熾熾灼津液。腎氣爲斲喪。致水道不利。而成熱淋。

治療 腎兪。三焦兪。小腸兪。膀胱兪。陰陵。中極。合谷。尺澤。石淋加鍼行間。太谿。委中。勞淋加針關元。血淋加鍼血海。三陰交。氣淋加針氣海。熱淋加鍼湧泉。

治理 淋雖有五。然皆爲小溲澀痛。屬腎與膀胱熱邪鬱結。不能滲泄故也。故針腎兪。膀胱兪。宣通氣化。三焦兪。小腸兪。以清熱。中極以鼓下焦氣化。佐陰陵以通利小便。合谷。尺澤開肺氣而調水道。石淋加行間。太谿。委中。以清熱養陰。勞淋加灸關元。以益下元。血淋加血海。三陰交以清血。氣淋加灸氣海以調氣。熱淋加湧泉以清熱。

赤白濁

症狀 初起口渴。小便時莖中熱痛。如火灼。刀割。穢濁之物。淋瀝不斷。隨溲衝出。不便時。自流濃液。白濁則色白。如眼之眵。如瘡之膿。赤濁溺赤。濁亦赤。經過相當日數。則莖中不灼痛。小便則頻數。濁液自滴。脈多滑大。或濇滯。

病因 白濁赤濁多由入房太甚。或交媾不潔。忍精不泄。以致敗精瘀腐。蘊釀而成。或濕熱下注而成濕熱濁。然由敗精瘀腐者十中六七。由濕熱下注者十常二三。古人云色白如泔。如或腐化腐醬。而馬口不乾結者爲濕。色黃赤而馬口乾掩者爲火。然間有失於調治。久則脾氣下陷。而成脾腎虛弱之症。則當求脾腎而舉之固之。不能與普通之赤白濁一例觀也。

治療　三陰交　關元　腎兪　膀胱兪　陰陵　脾虛下陷者。脾兪　腎兪　關元　中極　章門　針而灸之

治理　濁與淋雖屬二症。然其治法則相近。本症取腎兪膀胱兪關元等穴。鼓舞下焦之氣化。佐三陰交陰陵清熱而分利小便。蓋小便通暢。則濁自除。脾腎虛者則針灸脾兪腎兪章門關元中極。以益脾腎而固下元。

癃閉門

小便癃閉

症狀　閉者則小便閉無點滴下。癃者淋瀝點滴而出。一日數十行。或勤出無度。屬實熱者則煩悶舌赤。大便閉。小便不通。莖中疼痛。屬虛寒者。憎寒喜煖。手足逆冷。小腹如氷。言語輕微。裏無熱候。口不渴。舌淡紅。然皆少腹痕急。脘腹痞滿。甚則胸悶氣喘。

病因　屬實熱者。則多因濕熱之邪鬱阻膀胱。以致小便閉塞。少腹痕滿。屬虛寒者。則由腎陽衰弱。不能分佈水液。以致小溲滴點。日數十行。然亦有敗精瘀血。阻塞溺道

。以致小便閉塞。更有因肺氣不宣者。古人謂肺主通調水道。肺氣閉塞。則小便不通也。

治療 氣海。關元。中極。屬實熱者加鍼陰陵。三陰交。曲泉。屬虛寒者。加灸腎俞。膀胱俞。肺氣不宣者。加合谷尺澤。

治理 氣海。關元。中極。宜下焦之氣化。氣化行則小便暢下。屬實熱者。則佐陰陵等穴清熱而利小便。屬虛寒者。則佐腎俞等穴以振腎陽。肺氣不宣者。則佐合谷等穴以開展肺氣。上竅開則下竅自利。若因敗精瘀血者。則多屬鬱熱之症。可依照實熱條鍼治之。

大便閉

症狀 大便閉結。腹部脹滿。疼痛拒按。內熱煩燥。口渴。溲赤。此屬實閉。若形若神衰。肌肉消瘦。內無實熱。大便秘結。此屬虛秘。

病因 寔閉症。多由食積與熱邪阻滯腸中。以致便塞腹痛。故必兼煩熱口渴等症。虛秘者則因血虛液枯。腸中失所濡潤。不能輸送糟粕外出。故內無實熱見症。肌肉消瘦者。血津枯而榮養缺乏也。

治療 大腸俞。支溝。足三里。氣海。實熱者加中脘。內庭。三間。陰虛者加太冲。太谿。

治理　大便不行。病灶在腸。故取大腸兪氣海以宣腸中氣化。足三里。照海。支溝。降腸胃之氣而通大便。實熱症加鍼。中脘內庭。以化積滯而清熱邪。陰虛則加太冲。太谿。以滋養津液。津液充則大便潤下。

便血門

症狀　小便溲血。脉多無力。神疲肢倦。若溲血日久。形枯色痿。癃閉如淋。二便引痛。喘急虛眩。行步不能者。與死爲鄰矣。

病因　經曰胞移熱於小腸。則癃溺血。可知溺血之由。無不本諸熱者。蓋血得熱則妄行。從小便而出。多慾之人。腎陰虧損。下焦結熱。血隨熱出。然亦有肝腎兩虛。血室之血。失於統攝而成此症者。

治療　膀胱兪。關元。三陰交。湧泉。肝腎虛者。加肝兪。腎兪。

治理　膀胱兪。清溺中之熱。佐關元以固血。三陰交與湧泉。清熱以寧血。肝腎虛者。加肝兪腎兪以益肝腎。

濕脚氣

鍼灸治療講義

症狀 浮腫先見於足部。軟弱光亮。漸延兩股兩臏。不便行走。甚則破之流水。疼重難動。因寒而發者。面黑。惡寒。足冷如冰。是爲寒濕脚氣。濕鬱化熱者。面黃。口渴。便閉。熱赤。足如火熱。是爲濕熱脚氣。若噁心嘔吐。煩渴異常。氣短喘息。胸悶。心跳。或腹部衝脈動跳震手。則爲脚氣衝心之危候。若脈短促。舌紫黑。或舌焦。其人昏厥不語。兩鼻孔煽者。則不治。

病因 脚氣病。內經各厥。分痺厥。痿厥。厥逆三症。頑麻腫痛爲痺厥。即濕脚氣也。縱緩不收爲萎厥。即乾脚氣也。厥氣衝胸爲厥逆。即脚氣攻心也。濕脚氣之原因。多由處居低濕之地。濕邪襲入足脛經絡皮肉。而致腫脹。或飲污穢之水。及腐敗食物。化生濕熱。下注兩足。而得之濕毒上攻。則成脚氣衝心之症。

治療 足三里　三陰交　絕骨　陰市　陽輔　陽陵　犢鼻　商邱　崑崙

脚氣攻心加鍼關元　氣海　大敦

治理 脚氣病所取各穴皆病灶之局部。且各穴之功效爲陽輔陽陵風市等之通經絡。三里崑崙等之化濕行氣。故能治脚氣頗有效驗。惟寒濕脚氣則宜針而灸之。若濕熱脚氣。腫處發熱者。愼不可灸。若脚氣攻心則宜加取關元氣海大敦以泄氣之上逆。

乾脚氣

症狀　兩脚乾瘦。不腫而痛。或萎弱攣急。或日見枯細。步履維艱。面色枯燥。舌多紅。脈弦數。或弦細。甚則亦能衝心。而成心悸氣促。腹部震動等症。

病因　本病多起於病後營養缺乏。或暑熱傷足三陰。津液爲熱所灼。以致枯細瘦弱。而爲乾脚氣。

治療　湧泉。至陰。太谿。崑崙。陰陵。陽陵。三陰交。絕骨。三里。

治理　本症所取各穴。均能直達病灶。而具養陰退熱通經活絡之功。若攻心症。則與濕脚氣之脚氣攻心條同治。

痿痺門

痿症

症狀　腿膝手足不利。或不能伸屈。或血弱而不能履行。或冷痳而失其知覺。

病因　痿者者四肢無力。舉動不能。如委棄之狀也。此症多由熱邪爍傷精血。而皮毛筋骨爲之耎弱無力。或病後精血大虧。筋骨失所營養而成。內經所謂大經空虛。營衛之氣不足也。

治療　陽陵。絕骨。大杼。灸　參看手足各病門。

治理　痿症乃筋骨爲病。故灸陽陵大杼絶骨三穴。以恢復筋骨之用。並參觀手足各病門以治療之。

痺症

症狀　筋骨二部分作痛。或拘攣。或遊行走痛。而無定處。

病因　經云風寒濕三氣雜至。合而爲痺。風氣勝者爲行痺。寒氣勝者爲痛痺。濕氣勝者爲著痺。都爲經絡受風寒濕各邪之襲擊而發生疼痛拘急等症。

治療　依照痿症治療各穴。改灸爲鍼。或鍼且灸之。并參觀手足胸背各病門。

鍼灸治療講義完

针灸治疗讲义续编
（承淡安）

提　要

一、作者小传

承淡安，见《针灸治疗讲义》（承淡安）提要。

二、版本说明

《针灸治疗讲义续编》，中国针灸学研究社铅印本。

三、内容与特色

《针灸治疗讲义续编》分妇人门（经病、带下）、头部门、目疾门、耳疾门、鼻疾门、牙齿门、口舌门、咽喉门、小儿痘门、胸腹门、腰背门、手足病门12门，并阐述了相关疾病的症状、病因、治疗、治理等。《针灸治疗讲义续编》中的病名以西医病名为主，旁注中医旧称，以便中医、西医从业者学习，也便于中医、西医沟通交流。因此，《针灸治疗讲义续编》充分展示了承淡安先生在中西汇通方面努力和实践的成果。

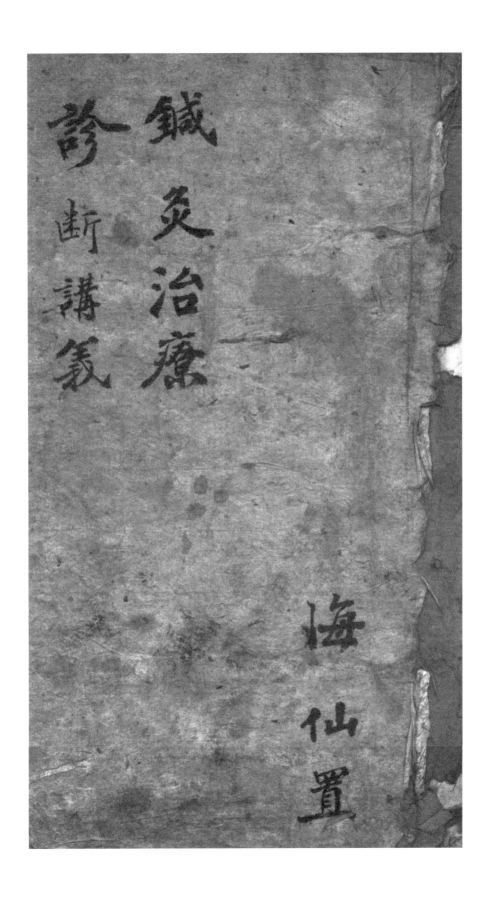

鍼灸治療
診斷講義

梅仙置

鍼灸治療講義續編刊誤表

頁	行	字	誤	正	頁	行	字	誤	正
二	十一	二五	俞	食	二	十三	六	聽字下少一「啞」字	
	二二	二十	果	里		二三	十二	脾	俞
三	二五	三二	灸	灸	三	二七	三四	者	者
四	四	十五	或	成		十二	十六	清	精
五	八	二五	陽	腸	五	十七	二十	炙	灸
六	十三	十三	十四兩行交義		七	十	十五	鮮	解

七十九	二三	殊	球
二八	七	盲	盲
十六	四	晴	睛
十九	十二	盛	感
九三	十三	腋	液
七	十三	漏腦	腦漏
一一十七	十	輕較	較輕
一二二三	二二	痕	痕
一十 十四		脾	睥
八 十一 十五		論	輪
十五 九		臂	翳
二八 四		大	太
九 三 二四		聾	襲
廿一 七		針	稜
十二 八 二三		或	成
一三 十五 一		申	中

足冷如冰

婦人門 經病

經水先期

症狀 未及經期而經先至。腹不甚痛。身熱而色紫。脈洪數。此屬實症。亦有腹痛身不熱而色鮮紅者。此屬虛症。

病因 女子經水。以三旬而一至。月月如斯。經常不變。故謂之月經。又謂之月信。一有不調。則失其常度。而諸病見矣。素問曰天地温和則經水安靜。天寒地凍則經水凝泣。天暑地熱。則經水沸溢。可知經水先期。屬血熱者爲多。蓋血熱內迫。能使神經與細胞起非常之興奮。於是血液運行。亦同時超過常度。而經乃先期至矣。然亦有因於氣虛不能攝血。而不由血熱者。更有因於憂鬱忿怒過度。血液之循環乖度。遂致血不涵肝氣橫逆。而經先期來者。此在乎臨症時細察也。

治療 血熱氣海三陰交行間關元針。肝氣橫逆者。加曲泉期門肝俞。氣虛者灸氣海，中極，三陰交，

治理 血熱而經先期至者。則當清血熱。故取血海，三陰交，行間等穴。以清熱。關元位居子宮。鍼之則能直達子宮。故爲經病之要穴。鍼而泄之。以清熱。肝氣橫逆則加鍼曲泉，期門，肝俞，以泄肝氣。虛者則灸氣海，中極，三陰交，以益氣固血。

經水後期

症狀　經水後期而來。少腹綿綿作痛。而色淡不鮮。脈大無力或濇細。惡寒喜煖。此虛也。然亦有色紫或成塊者。脈細數。此血熱乾枯也。

病因　方書謂經水後期，屬血室虛寒。或生冷凝滯。蓋血室虛寒或誤服生冷，其血因寒邪而凝結。於是血液之循環濇滯，運行之能力減退。遂致經行後期矣。間亦有血熱乾枯者。蓋血熱內熾之人。因高度熱量之薰灼。遂致血絡燥結。血液乾枯。血行瘀滯。而致經水後期而至者。然不常見也。

治療　虛寒者關元，氣海，血海，地機，歸來灸，血熱內熾者，依照血熱而經水先期條針治之。

治理　虛寒而經水後期。治當驅寒邪。溫下焦。而調氣血。故灸關元，氣海，歸來，以煖子宮而益氣除寒。灸血海地機散血液之凝滯。而促進血行。庶乎寒邪去，氣血通暢。斯無後期而來之患矣。

月經過多或減少

症狀　婦人經水一月一行。其排泄量。須月月平均。若經來過多。或過少。則爲病矣。

病因　方書以經多屬實。經少屬虛。此言其常也。然經來過多。有由於氣虛者。有由血熱妄行者。有由鬱怒傷肝者。蓋氣虛則不能攝血。血熱則血液妄行。鬱怒則肝氣橫逆。凡此種種。皆足以造成。經水過多之病。經來過少，有由於瘀熱內畜者，有由於脾胃虛弱者，有由於血室虛寒者，蓋瘀熱內蓄，則血液乾枯。脾胃虛弱，則飲食減少。健運失常。經血乏生化之源。血室虛寒，則血液之運行力衰微。因而凝泣。凡此種種。皆能使月經減少也。

治療 經水過多或過少。屬氣虛者依照經水先期氣虛條治療之。屬瘀熱者依照經水先期血熱條針之。血室虛寒者依照經水後期虛寒條治療之。脾胃虛弱者則於虛寒條中，加灸脾兪，胃兪，以補益之。

經閉

症狀 經閉有虛性，實性，兩種。虛性之症狀。爲頭眩心悸，面色皖白脈細。初則經行減少。漸至經閉不行。或神疲氣短。肢冷脈微。經行乍多。漸至經閉。或兪少便溏。面黃脈虛。經期屢亂。漸至經閉。如見少腹硬痛。肌膚甲錯。脈象沉細。月事不來。或腹滿脹痛。胸悶噫噯。脈象弦細。而月事不來。此實性之經閉也。

病因 經閉之原因頗多。本條所言，不過舉其大略耳。實性之經閉。多由瘀血停積。瘀血積於子宮。新血不得下行。故致經閉而少腹硬痛。或由氣化鬱結。血滯不行。經閉而滿腹瘨痛。如胸悶噫噯等症。皆氣鬱之徵也。虛性之經閉。多由血液貧乏。或神經衰弱。子宮不能分泌經水。故致經閉而成頭眩心悸，氣短，肢冷等。氣血虛弱之現象。或脾胃虛弱，消化不良，飲食減少。缺乏產生經水之原料。亦成經閉之病。而現食少，便溏，面黃等症。然有由生理異常者。則月經終身不來。所謂暗經是也。又有二月一行者，謂之並月。三月一行者，謂之居經。一年一行者是謂避年。其經水雖不按月而來。然亦能受姙。身無疾病。此生理之異常。不能作疾病論也。

治療　實性經閉　膈俞，血海，氣海，中極，行間，曲泉，三果。俱用針法。虛性經閉　三陰交，膈俞，肝俞，關元，脾俞，胃脾，俱用灸法

治理　經閉之屬實者。原由經水瘀結。或因氣結之阻滯，以致閉而不下。則當去其障礙。而經自通。故宜鍼瀉膈俞，血海，以去血積。氣海，中極，直達子宮。調氣而行血。其他如三里，行間，曲泉，俱有破血行血之效。若虛性經閉，其根本爲血液缺乏。無瘀可破。無積可通。法宜補之，益之，則水到渠成。血液充而經自下。故灸膈俞，肝俞，關元，三陰交等穴。補血液益下元。脾胃二俞，則培養中土。滋其化源。經閉之由於脾胃虛弱者。尤爲主要穴也。

經期腹痛

症狀 經期腹痛。有經前腹痛。經來腹痛。經前與經來而少腹作痛者。大多拒按。或經水成塊。脈多沉實。經後而少腹作痛者。則多爲空虛之痛。痛而喜按。脈多虛細而弱。

病因 凡經前經來而腹痛者。多屬血瘀氣滯。經盡之後其痛即止。經後而腹痛者，多屬氣血虛弱。然其原因頗爲複雜。如屬於血瘀氣滯者，則有因胞宮陰寒自盛。經水不得陽氣之溫化而暢行。遂致少腹綿綿作痛。經水濇少。甚則四肢厥冷。或行經之期。感受風寒。或內傷生冷。氣血凝泣。不得暢行。而腹痛惡寒。或熱客胞宮。以致行經發劇烈之疼痛。所下經血臭穢異常。他如經期不愼。誤犯房事。或誤食酸鹹過度。皆足以使血凝氣滯。而造成經前經來之腹痛也。若經後腹痛。則由榮血衰少。供不應求。月經臨期。勉强下血。以致血管中之血液缺乏。遂成空虛之痛。痛多喜按。來亦少。或經後血室空虛。寒邪客之以致腹痛。然更有先天不足。發育不全。室女初次經來。即患經痛。以後每行必痛。經期尙準者。此陰道狹窄。經水不得暢行。鍼藥所難醫治。必待育之後。自行痊癒也。

治理 血瘀氣滯者。地機，血海，氣海，中極，足三里，合谷，交信。經後腹痛由於寒客胞宮者，關元．氣海，灸之。由於血虛者，依照經閉門，虛性經閉條治之。

經前與經來腹痛。由於血瘀氣滯。治宜行血調氣。故取地機血海交信等穴，以行血。而治瘀積。氣海，中極，以鼓下焦之氣。合谷，三里，以宣氣滯。因於寒者，則灸以温之。因於熱者，鍼以泄之。經後腹痛之由於寒客胞宮者。則灸關元氣海二穴以散寒邪。

經漏

症狀 經來不斷。淋瀝無時。所下不多。或時行時止。或少腹綿綿作痛。神疲肢倦。飲食減少。脈沉細或數。

病因 經漏者。淋瀝不斷也。此症多由孱弱之人。氣虛不能攝血。衝任不固。以致月事淋瀝不斷。色多淡而不鮮。或因行經未淨而行房事。致傷胞宮而成。則多少腹疼痛。此外如寒熱邪氣客於胞巾。或憂思鬱結氣滯不宣。皆足致此。臨症時當細辨之。

治療 氣虛不能攝血者。關元，氣海，百會，腎兪，命門，俱用灸法。

治理 氣海，關元，益氣而固血。腎兪，命門補益下焦之元氣。百會則從高而升舉之。故能治淋瀝不斷。經期行房與氣滯不宣者。依照經來腹痛條治療之。寒熱之邪客於胞中者，依照經來腹痛條治療之。寒熱之邪客於胞中者，依照經水先期血熱條與經水後期虛寒條治療之。

血崩

症狀 突然下血不止。病人頓成貧血狀態。全身皮膚成蒼白色。口唇爪甲尤甚。心虛忐忑。

四肢發麻。眩暈耳鳴。甚則不省人事。脈芤或沉或伏。

病因 血大至謂之崩。是急病也。其原因亦有多端。素問曰。陰虛陽搏謂之崩。張石頑曰。崩之爲患。或脾胃虛損。不能攝血。或肝經有火，迫血妄行，或怒動肝火。血熱沸騰。或脾經鬱結。血不歸經。凡此皆足造或血崩。此外復有悲哀過度。尤爲血崩之大因。蓋吾人平日暇逸，氣和平而血安靜，若猝遇不如意事，而起悲哀，則氣機鬱結，神經乃起變化，以致血行之秩序淩亂，甚則血管破裂而成血崩之患。雖然。血崩之原因固多。當血崩不止。生命之處在指顧間。危險殊甚。若不亟爲制止。而欲探本求原，未有不誤事也。故不論其病原如何。當以止血爲要務。遏止急流。庶可救急於當時。然後因症施治。以善其後。

治療 血崩不止，關元，中極，百會，三陰交，隱白，大敦，以上俱灸，用直接灸法，不論壯數以血止爲度。

治理 關元中極，益下元而固血。百會固清止血。三陰交養血。隱白，大敦，爲治血崩之特效穴。直接灸之可以立止。其原理如何。莫能解之。舊說所謂大敦屬肝，隱白屬脾，肝藏血，脾統血，故二穴能治血崩。然其確實之理由。或有不然者。缺之以遺知者。

帶下

白帶赤帶

症狀　女子下部流出粘液。似水似膿。或稀或稠。色白者名白帶。色赤者名赤帶。赤白相間者爲赤白帶。或子宮疼痛。尿意頻仍。或穢臭不堪。失於調治。則變爲久病。粘液愈多。體質衰弱。皮膚黃白。全身倦怠。食慾不振。腹痛頭眩。因之孕育無望。或月經不調。且易致血崩。及全身衰弱症。

原因　諺云。十女九帶。可知婦女多帶病矣。王孟英曰。帶下爲女子生而即有。津津常潤。本非病也。但過多則爲病矣。夫所謂帶下者。謂其綿綿如帶而下也。前賢言此有主冷入胞宮者。巢元方，孫思邈，嚴用和，婁全和善，諸人是也。有主濕熱者。劉河間，張潔古，諸人是也。有主脾虛氣虛者。趙養葵，薛立齋，諸人是也。有主痰濕者，朱丹溪是也。有主脾腎虛者，張景岳是也。立說多端。總而括之。不外寒熱二端而已。其病灶則在子宮也。張子和曰。赤白痢者。是邪熱客於大腸。赤白帶者是邪熱客於胞宮。英國合信氏曰。子宮流白帶。與肺傷風則流清涕，大腸病則下痢，其理相同。蓋傷風流涕爲鼻膜分泌出之粘液。下痢爲大腸分泌出之粘液。帶下則爲子宮分泌出之粘液也。子宮蓄熱。或子宮有寒。皆能分泌多量之粘液。或黃或白。其色不一。夾血者則爲赤血。屬熱者少腹隱隱作痛。所下之物或夾穢臭。陰道灼熱。因其子宮炎腫故也。屬寒者則不痛不穢臭。所下之物。白色爲多。惟帶下。除上列原因外。更有思想無窮。慾火中燒。或手淫太過。房事不節。以致損傷子宮而成本症。帶下由此而成者。更爲多數矣。

治理　帶脈專治帶下。歸來中極位近子宮。能直達病灶。驅除障礙。三陰交鍼之則清熱養陰。灸則能溫煖下焦。用之以爲各穴之佐使。屬熱則鍼瀉以清熱。屬寒則艾灸以除寒。赤帶係子宮炎腫。粘滯夾血而下。故針血海以清血。三焦俞少陽俞以清下焦之火。若帶病久延體質漸衰。食減面黃者。則當加鍼灸腎俞命門關元脾俞以補脾腎而固下元。

附不孕之治療法

生育一事。男女雙方均有密切之關係。苟雙方發育健全而無疾病。則兩性相交。未能不生育者。反之。若雙方有疾病。或生理異常。則不能成孕矣。夫生理之異常。屬女性者，則有騾，紋，鼓，角，脈，五不孕。及子宮歪斜之類。屬男性則有發育不全。陽物短少。精宮不正等。凡此種種。皆非鍼藥所能療。其因於疾病者。則可得而治矣。然其原因頗多。女子則月經不調。氣血虧損。子宮虛寒。皆不受孕。男子則陽痿不舉。精薄，精冷。或早泄等。

亦不能生育也。

月經不調　視其或先或後。辨其虛實寒熱。遵照經病門中各條治療之。

氣血虧損　宜取膈俞，氣海，肝俞，心俞，三陰交，鍼而灸之，以益其氣血，

子宮虛寒　宜取關元，中極，腎俞，三陰交，以振下焦陽氣。而養眞元。幷宜多灸之。

陽痿不舉（或早泄）。腎俞，命門，關元，宜多灸之。取其能補精氣。而振腎陽。精足陽充。則陽興矣。

精薄精冷　依照女子子宮虛寒不孕條治療之。尤宜節制性交。庶克有效。

頭部門

頭　痛

症狀　外感頭痛。多屬三陽經絡。太陽頭痛在正中與項部。少陽頭痛多在兩側。陽明頭痛多在額部。內傷頭痛多見氣怯神衰，遇勞即發。或頭痛如破。或時常牽引作痛。昏瞶不安。

病因　外邪襲入三陽經絡。頭部血管或充血或鬱血。皆致頭痛。以頭部屬三陽經也。然有因風，因寒，因濕，因熱，因暑等之差別。感受風寒而痛者。則多兼惡風惡寒。因於濕

者則頭痛而重，或倦怠，無力，口糊。因於熱者只見發熱，心煩，口渴。因暑者或有汗或無汗，身惡熱。如血分不足，陰火攻沖，則痛連魚尾，善驚惕或五心煩熱。因七情惱怒，肝胆火鬱上沖而痛者，則頭痛如破。或痛引脇下。因痰飲而痛者，則昏重而痛。憒憒欲嘔。頭痛自有多因。不可不辨也。

治療

腦頂痛上星，風池，百會。正頭痛上星。神庭，前頂，百會。額角眉稜骨痛，攢竹，合谷，列缺，眉心。偏頭痛。頭維，太陽，風池，臨泣，

治理

以上各穴。皆根據病灶而取。頭痛之屬實熱者。鍼以瀉之。屬虛屬寒者。鍼而灸之。更宜究其病因何屬，而加用其他穴俞。如因外感風寒者。當加鍼風門，風府，大椎等穴，以驅風寒。因濕者。則加取中脘，三里，陰陵，等穴以化濕。因暑熱者。則加鍼委中，尺澤，合谷，曲池，間使，等穴以清暑熱。內傷血分不足，陰火上沖者。加後谿，間使，三陰交，肝俞，腎俞，等穴以養陰退熱。肝胆之火上沖者。加肝俞，期門，行間，等穴以泄肝。因痰飲者。則加豊隆，肺俞，三里，等穴以化痰飲。此皆貴乎醫者臨症時。隨機而應變之。

附頭風　雷頭風

頭風與頭痛。并非二症。凡頭痛之久而不愈。起伏不常。時發時愈者。乃頭風也。故其症狀與治法與頭痛一也。惟有因痰飲停留胃脘。其人嘔吐痰多。發作無時。甚則停痰上攻。

口吐清涎。暈眩不省人事。飲食不進者。則爲醉頭風。若頭痛而起核塊者爲雷頭風。多由痰濁阻滯。若頭中如雷之鳴者。風客所致也。治療之法。醉頭風宜取豐隆，肺兪，三里，中脘，等穴以化痰濁。佐風池，腦空，頭維，合谷，等穴。以治頭痛。雷頭風宜取百會，風池，風府等以驅風而治頭痛。因痰者佐以化痰之穴。更宜審其寒熱。於核塊之上屬寒者，則灸之。屬熱者，刺出血。則收效更易也。

眩暈

症狀 眩謂眼黑。暈爲頭旋。俗稱頭旋眼花是也。由於內風者，多兼耳鳴，心悸。或夜間盜汗。五心常熱。屬外風者則多兼寒熱骨節疼痛。或頭眩而兼頭痛額痛。

病因 經云。諸風掉眩。皆屬於肝。故眩暈之病。多屬於肝腎陰虛。不能涵陽。而虛陽上越。致成頭旋眼花。五心發熱。等症。其因於外風者。間亦有之。蓋風邪外襲。激動痰涎上干而成眩暈。然屬內風者爲多也。

治療 屬內風者，百會，頭維，太陽，攢竹，上星，肝兪，腎兪，湧泉，行間，三陰交，屬外風者，風池，風府，頭維，攢竹，豐隆，三里，中脘，

治理 內風眩暈，原肝腎陰虛。而虛陽上越。法當滋壙肝腎。故取肝腎二兪及湧泉行間，三

陰交等穴。以益肝腎而納虛陽。佐百會攢竹等穴，以治頭部之眩暈。標本兩顧。庶克有效。外風則取風池，風府，以驅風邪。頭維攢竹以治頭暈額痛。復佐豐隆三里中脘等穴以化痰濁。風邪解痰濁平。則眩暈自已。

附大頭瘟蝦蟆瘟

大頭瘟　此症多由風熱之邪。襲入三陽經絡。初起於鼻額延至面目。紅腫如火灼熱。面有光澤。或壯熱氣粗。口乾舌燥。咽喉腫痛不利。或寒熱往來。甚則大便不通。若不急治。腫處必致腐化成膿。更有傳染之可能。

蝦蟆瘟　則腫於頸項部。亦屬風熱爲病。其彙見之症狀。與大頭瘟相類。亦能傳染。治此二症。急宜於太陽穴之紫絡。用三稜鍼刺去惡血。委中尺澤之靜脈，及少商，商陽，中冲，少冲，少澤，等穴。均刺出血。以清熱而鮮毒。復鍼合谷。曲池。等穴以退熱而消腫。如大便不通者。更宜鍼中脘，足三里，支溝等穴以通大便。

目疾門

目赤　兩目紅赤。或色似胭脂。或赤絲亂脈。或赤脈貫睛。怕日羞明。甚則淚下。此症之因。多屬風熱上乘。或火鬱於上。以致目球充血。故目赤而疼痛。若因於肝熱上淩者。則多赤而不甚痛也。

鍼灸治療講義（續）

治療 太陽，睛明，攢竹，頭維，屬風熱火鬱者，加風池委中，合谷，以疏風而清熱。屬肝熱者加鍼臨泣，行間肝俞等穴。以泄肝熱。

目腫脹 此症之起因有二。一爲外因。一爲內因。外因者。乃感受外界風熱之邪而成者也。其症眼胞瘇痕。輕則如杯。重則如蝦式。必然多淚而殊痛不甚治之易愈。內因者。多由龍雷之火。自上攻擊。其球必疼，而脾方急硬。重則疼滯閉塞 血灌睛中，頗爲難治而變症不測也。

治療 外因，刺風池，頭維，合谷，以驅風熱之邪。刺瞳子髎，及太陽穴（靜脉刺出血）以泄局部之熱而治眼胞內膜充血。內因亦宜刺太陽，攢竹，睛明，頭臨泣，等穴以清熱而退腫。復宜鍼肝俞，足臨泣，光明，行間，湧泉等穴以引上逆龍雷之火。然每多不治也。

青盲雀目 青盲者瞳孔如常。無損無缺。略無變態。惟視物不見。其原因多由七情內傷。損其精血。以致目失所養。最爲難治。若高年及病後，或心腎不充，而成斯症者。雖治不愈。雀目俗稱雀盲，亦稱雞盲，目科爲之高風內障，其狀至晚不見。至曉復明。乃由血虛所致。內經曰，目得血而能視。血虛則不能視也。

治療 青盲與雀目。均由陰血虧虛而成。治當滋補肝腎之陰。故宜取肝俞，命門，三陰交，以益肝腎之陰。陰充目得所養而光自復。復取瞳子髎，攢竹，以恢復視神經之功用。

目昏　初起時。但昏如雲霧中行。漸覺空中有黑花。又漸則視物成二件。久則光不收。遂成廢疾。此症多由血液虛少。光華虧損而成。如七情太過六慾之傷。以致肝血不足。則成此症。亦有目疾失治。耗其目光而昏者。則難醫治也。

治療　依照青盲與雀目條治療之。因三者皆屬肝陰不足，而成之症也。

翳膜　此症先感視物不明。繼則生膜如蠅翅。其象各有不同。故名稱多端。有所謂圓翳，冰翳，滑翳，澁翳，散翳，浮翳，沉翳，偃月翳，劍脊翳，棗花翳，白翳，黃心黑花翳等等。圓翳者黑睛上一點圓。先患一眼繼傳兩目。日中看之差小。陰處看之則大。或明或暗。視物不明。冰翳如冰凍堅實。陰處及日中看之。其形相同。疼而淚出。滑翳如水銀珠子。微含黃色。不痛無淚。遮繞瞳神。澁翳微如赤色。或聚或散。澁痛無淚。散翳形如鱗點。乍青乍白。疼痛流淚。浮翳上如冰光。白色環繞。瞳神不癢不痛。沉翳白藏在黑珠下。向目細視方明。疼痛夜重。偃月翳風輪上半。氣論交際。隱隱白片。薄薄蓋下。其色粉青。劍脊翳亦稱黃翳。色白或如糙米色者。或微焦黃者。狀如劍脊。棗花翳薄甚而白。起於風輪。從白膜之內。四圍環布而來。白翳黃心。四邊皆白。中心一點黃。大小皆頭微赤。團圍在黑珠上。黑花翳凝結青色。大小皆形皆澁。頻頻下淚。此皆翳膜之名稱。與症狀之大略也。欲知其詳。則當讀專書也。其原因多由肝氣盛而發在表也。亦有因勞慾過度。或涼藥過多而成者。

治療　取晴明，四白，太陽，攢竹，等穴以退翳膜。取肝俞行間光明。以泄肝。更可刺少商出血。用血點目。以退臀膜。陽氣衰少者。鍼而灸之。

目淚 目淚之症有二。一爲迎風流淚。一爲目淚自流。迎風而流淚者多患於老年婦人。蓋年老則淚線硬化。一遇風寒。伸縮力減退。則淚外流。且婦人善哭泣。以致淚線弛張。亦成斯症。目淚自流者，多由盛受熱邪或肝熱上激淚線。分泌目淚過多。而向外溢也。

治療 迎風流淚。宜鍼灸太陽。及鍼頭維，攢竹，以恢復其功用。并直接灸大小骨空。每有特效。目淚自流取太陽風池頭維後谿睛明等穴。以泄熱。肝熱者加肝俞臨泣以泄肝。

耳疾

耳聾 此症有二。一爲耳聾。一爲重聽。耳聾則兩耳無所聞。重聽則較耳聾爲輕。但聞之不眞也。按腎開竅於耳。少陽之脈絡耳。故肝胆之火上逆，則爲耳聾。腎氣虛弱則爲重聽。亦有風熱之邪襲虛而成耳暴聾者。

治療 耳門，翳風，聽宮，耳聾者加肝俞，行間俠谿，臨泣等穴以泄肝胆之火。重聽者則肝俞，腎俞，大谿，以補益肝腎。耳暴聾者加風池，合谷，等穴以疏散風熱之邪。

耳鳴 耳鳴有虛實二種。耳中如蟬噪不休。以手按之愈鳴者屬實。乃肝胆之火上逆也。若時鳴時止，以手按之則不鳴，或少減者。屬虛。乃肝腎之陰不足也。虛者依照重聽條治療之。實者依照耳聾條治療之。

鼻疾

鼻塞 鼻爲肺之竅。風冷傷肺。津腋凝滯。則鼻塞不通。或風熱襲肺。鼻膜炎腫。亦成鼻塞之病。

治療 宜取迎香，通天，以宣鼻塞。復取風府合谷上星以疎解風邪。

鼻流清涕或濁涕 鼻流清涕不止。名曰鼻鼽。多由感受風寒。鼻膜分泌粘液過多。而向外流溢也。鼻流濁涕名曰鼻淵。亦曰漏腦。鼻涕時下如白帶。有時或黃或紅作腦髓狀。氣甚腥臭。亦由風寒化熱。鼻膜因炎腫而成此症也。

治療 鼻鼽宜取上星，風池，大椎，鍼而灸之。以驅風寒。鼻淵宜於以上各穴、單用鍼法以驅風熱，復加鍼迎香，百會，合谷，以泄熱而去鼻膜之炎腫。

牙齒門

牙痛 齒爲骨之餘。而屬腎。其部位則屬陽明。故陽明鬱熱。或腎陰虛而虛陽上亢。則爲齒痛。或風熱外襲。亦成此症。然屬陽明鬱熱者。則舌黃，口渴，紅腫疼痛，多兼發熱。虛陽上亢者，則不腫不渴，舌多無苔。若因風熱者，則多發熱而兼惡風寒。其有因於虫痛者，則齒上有蛀孔也。

治療 合谷。頰車。刺病灶之局部。以止痛。上牙痛則加鍼人中。下牙痛加鍼承漿。陽明有熱者則加鍼內庭以泄之。虛陽上亢者。加鍼呂細以清之。屬風熱者。加列缺以驅風熱。

口舌門

口乾脣腫 脣屬脾胃。脾開竅於口。故口乾脣腫。皆屬脾胃有熱。若脣腫而起白皮皴裂。如蠶繭者。名曰繭脣。亦屬心脾之火上逆也。

治療 宜取合谷。二間。足三里。三陰交。少商。商陽。刺出血以清脾胃之熱。繭脣加刺大陵。神門。尺澤。等穴以清心熱。

舌瘡舌出血 舌瘡者。舌疼痛而有瘡。甚者發生糜爛。舌出血者。舌破而有血流出。按心開竅於舌。故舌病屬心。心經火盛則舌瘡糜爛。或舌破而出血也。

治療 取金津。玉液。刺出血。以清心火。復鍼合谷。委中。人中。太沖。內關。等穴以泄熱。

重舌木舌 重舌者。舌下燃癰如舌形。木舌則舌癰滿口。而語蹇。亦屬心經鬱熱而發於外也。均是急症。宜速治之。

治療 宜速以三針鍼。於舌上兩邊刺出血。以清熱退瘴。（舌正中不可刺）復刺金津。玉液。十宣等穴出血以泄熱。

咽喉門

喉痺 喉裏壅塞。痺痛痰多。不能咽物。甚則水漿不得下也。其原因甚多。有由於風熱者。則兼壯熱惡寒。有由於熱毒者。則兼面黃目赤目暗上視。有由於陰毒者。則喉間腫如紫李。微見黑色。惡寒身瞤。腰痛肢痠。更有由於飲酒過度而成。或七情所傷而成喉癰喉痺等。非數言可盡。然多屬痰火。及風熱抑遏而已。

治療 宜刺少商。合谷。頰車。關沖。等穴以開鬱泄熱。復鍼尺澤。神門。湧泉。豐隆。三里等穴。以清熱而化痰。

喉風 咽喉壅痛。痰涎壅塞。口噤不開。不能言語。或面赤腮壅。滴水難下。多由痰火而成。惟所起之根源。有所不同。如忿怒失常。而動肝火。勞傷過度而動心火。膏粱炙煿而動胃火。謳謌憂惱而動肺火。房勞不節而動腎火。凡此種種皆足以使火上痰升。而成喉風。其名稱亦有多端。有所謂鎖喉風。啞瘴喉風。弄舌喉風。纏喉風。飧食喉風。撮口喉風。陰毒喉風。走馬喉風。纏舌喉風。連珠喉風。落架喉風等。不勝備舉也

治療 宜急刺少商。商陽。關冲。出血。以清熱開鬱。再鍼合谷。尺澤。魚際。神門。內關

○豐隆○以清熱化痰○

喉癰喉痛 普通之喉癰或喉痛○皆屬風熱○宜取少商○合谷○液門○等穴以疏散之○

乳蛾 乳蛾生於帝丁之旁○形如乳頭○紅腫疼痛○妨碍飲食○有單蛾雙蛾之別○單蛾生於一邊○雙蛾生於兩邊○其因有二○一屬實火○二屬虛火○實屬火者則起於猝暴○兼有形寒發熱○頭痛等症○虛火則發生緩慢而無寒熱之見象也○

治療 宜刺金津○玉液○廉泉等穴○以清熱退腫○復佐合谷○少商○以泄熱○

小兒疳症

疳症多因小兒氣血虛憊○腸胃受傷所致○有因孩提闕乳○早食粥飯○或乳食不節而成者○有恣食甘肥香炒生冷而成者○其症多見頭皮光急○毛髮焦稀○顋縮鼻乾○口饞唇白○兩眼昏爛○揉鼻○撏眉○脊聳體黃○門牙咬甲○焦渴自汗○尿濁○瀉酸○腹脹鳴○癖積○潮熱○嗜啖瓜果○鹹酸炭米泥土等物○此皆疳症之現狀也○張石頑謂疳者○藏府虫疳也○良以此症原由寄生虫○潛居藏府而成○又謂疳者乾也○因脾胃津液乾涸爲患○在小兒爲五疳○在大人爲五癆○蓋小兒之疳症○即大人之癆病也○名稱頗多○姑舉其要○以資參考○

肝疳 面目爪甲皆青○眼生眵淚○隱澀難睜○搖頭揉目○耳瘡流膿○腹大而露青筋○身體瘦

弱。糞青如苔。

心疳　身體壯熱面赤。唇紅。口舌生瘡。胸膈煩悶。五心煩熱。盜汗發渴。

脾疳　面色發黃。肌肉消瘦。心下痞硬。發熱喜睡。好食泥土。頭大頸細。有時吐瀉。大便腥粘。

肺疳　面白氣逆。咳嗽。毛髮焦枯。肌膚乾燥。增寒發熱。常流清涕。鼻頰生瘡。

腎疳　面目黧黑。齒齦出血。口中氣臭。足冷如冰。腹痛泄瀉。啼哭不已。

無辜疳　腦後項邊有核如彈丸。按之轉動。軟而不痛。其中有虫如米粉。身熱羸瘦。或便利膿血。

丁奚疳　手足極細。腹大臍突。面白潮熱往來。顱顋開解。頸項小而身黃瘦。

脊疳　身熱羸瘦。煩渴下利。拍背有聲若鼓鳴。脊骨如鋸齒。十指皆瘡。頻嚙爪甲。

蛔疳　皺眉多啼。嘔吐清沫。中脘作痛。唇口或紅或白。腹痕露筋。肛門濕癢。

哺露疳　虛熱往來。頭骨分開。翻胃吐虫。煩渴嘔噦。此外更有腦疳生瘡。謂之腦疳。潮熱。五心煩熱。盜汗嗽喘。謂之疳癆。手足虛浮者。謂之疳腫。然皆同一疳症。以其症狀稍有差異而別其名稱也。

治療　四縫穴。用粗針刺之。擠去白色之水液。至見血乃已。或用斜交叉灸法。或於中食二指割脂。按此症頗爲難治。藥物治療。不易見功。惟此三法擇一用之。頗有捷效。其理則不可解。惟痞症之輕較者。則用四縫穴。重者則宜用斜交叉灸。或割脂法。

胸腹門

胸痛 多由傷寒表邪未解。下之太早。內陷胸中。或六淫之邪傷肺。肺氣鬱結不宣。胸亦爲之作痛。惟痰凝氣結。或血積於內。亦成胸痛。惟多隱隱作痛。其痛緩。其來漸。久久不癒。飲食減少。此內傷胸痛也。

治療 外感胸痛。表邪內陷者。支溝。間使。行間。內關。針之以開泄表邪。六淫傷肺者。氣戶。肺兪。中府。列缺。少商。針之以宣肺氣。內傷胸痛。期門。天突。中脘。膻中。以調氣。痰凝者加足三里豐隆以化痰。血積者加膈兪。行間以行血。

胸中痞滿。此症心下阻滿。而無實質可指。多由脾胃虛弱。運化不及。以致痰凝食滯。或憂思鬱結。氣滯不宣。致成胸中痞滿不舒也。

治療 陰陵。中脘。足三里。承山。內關鍼而灸之。以宣展氣機而助運化。

脇痛 古人謂肝胆藏於內。外應乎脇。且厥陰少陽二經。均行脇部。所以脇痛無不屬於胆肝之病。然有內傷外感之不同。內傷者如暴怒感觸。悲哀氣結。或飲食失節。冷熱欠調。或痰積流注於脇。與血相結。皆能爲痛。惟因於怒氣或悲哀而作痛者。則痛而且膨。得噯則緩。其痛有時而息。因痰積者則痛無已時。或脇下高起作痛。此內因爲脇痛。然多兼寒熱頭痛等症。此外更有跌仆鬥毆。內傷乎血。積於肝經。則脇部亦作痛。惟痛而不膨。按之則劇。綿綿無已時。

治療 一切脇痛。以期門。章門。陽陵泉。爲主穴。如由於暴怒。或悲哀過度者。加針灸膻中。氣海。以調氣。痰積流注者。加中脘。足三里。以化痰行積。血積者加鍼膈兪。行間。太冲。以行血。風寒襲入少陽。參閱傷寒少陽病條。

中脘痕痛 此症多由中州陽氣衰微。脾胃虛弱。以致氣滯不運。或食滯不化。或痰濕互阻。更有七情內傷。木不條達。或肝氣橫決。而影響於脾胃。亦或中脘痕病之症。

治療 中脘。建里。內關。足三里。針而灸之。以旋運中宮。開宣氣鬱。惟由肝氣失於條達。或橫逆者。則宜加鍼期門。行間。以泄肝。

腹痛 腹部疼痛。其症甚多。古人謂臍以上屬火屬實。臍以下屬寒屬虛。然亦不能執一而論也。究腹痛之原因。有外感寒邪而痛。有脾虛氣滯而痛。有食滯而痛。有血凝而痛。他如濕熱陰寒等。皆足以致腹痛也。凡外感寒邪。多食生冷。以犯腸胃而痛者。其腹柔輭而不拒按。脾胃虛弱。冷氣凝滯不通。因而致痛者。其痛綿綿不已。喜熱手按揉。面白神疲。小便清利。飲熱惡寒。或得食稍安。脈多微弱。如口腹不謹。強食過飽。或食後坐臥。以致停滯不化。則胸腹痕滿。痛不欲食。噯氣作酸。或痛而欲利。利後稍減。脈多滑寔。若惱怒太過。憂思鬱結。或跌仆傷損。以致血液瘀滯而痛者。則不脹不滿。飲水作呃。遇夜更痛。痛于一處。定而不移。如痢疾腹痛。霍亂吐瀉而腹痛。則多濕熱或陰寒之阻滯也。各詳本門。玆不再贅。

治療　中脘。天樞。氣海。足三里。虛寒者灸之。實熱者針之。脾胃虛弱者。加鍼灸脾俞。胃俞。三陰交。以溫補之。食滯不化者。加鍼內庭。大腸俞。以化積滯。血凝作痛者。加針肝俞。膈俞。行間。以行血破瘀。或於痛處針而灸之。其瘀自散。

肝胃氣痛　此症多由脾胃虛弱。肝氣乘之。以致當脘瘨痛。或口泛清涎。或嘔吐頻作。飲食不進。甚則二便不通。手足厥冷。脈沉或伏。時發時痛。每多爲痼疾。

治療　宜針期門。行間。陽陵。以疏泄肝氣。中脘。氣海。以調脾胃之氣。內關。足三里。行氣而止嘔逆。若疼痛過劇。而致脉伏支冷。二便不通者。則可於尺澤。委中。各部靜脈刺出血。

腰背門

腰痛　腰者腎主之。腰痛屬腎病。故入房過度。損其眞氣。腎藏虛弱。則腰部作痛。惟多腰支痿弱。隱隱作痛。身體疲倦。腳膝痠耎。此外更有風濕寒濕。濕熱。閃氣。瘀血。痰積等之不同。風濕者腰部重痛不能轉側或痛無定處。牽引腿足。或兼寒熱。多由感受風濕之邪而成之也。寒濕者其腰如冰。拘緊疼痛。得熱則減。得寒則增。或兼頭痛身痛等症。多由感受陰寒雨濕之邪而成者也。濕熱者腰部疼痛沉重。小便赤澀。或兼發熱口渴等症。多由感受濕熱之邪而成者也。閃氣者。閃挫跌仆。勞動損傷。忽然腰部疼痛不可俯仰。瘀血者。日輕夜重。痛有定處。不能轉側。痰積痛部重滯。一片作痛。或一片如冰。喜得熱按。凡此種種。皆腰痛之原因也。

治療 環跳。委中。承山。腎虛者則針灸腎俞以益腎。風濕者加針灸風市。陽陵。以逐風濕。寒濕或濕熱者。加針三里。陰陵。以化濕。濕熱則針。寒熱則灸。瘀血及痰積者則於痛處針而灸之。以行血滯而化痰積。

腰痠 腰痛有風寒濕熱之異。腰痠悉屬房勞腎虛。惟有峻補。依照腎虛腰痛條治之。

脊膂强痛 督脈之經。與膀胱之經。均取道脊膂。著風寒等邪之侵襲。或經氣凝滯。則脊膂乃作强痛。或打撲損傷。從高墜下。惡血內留。則疼痛不可忍。或不能轉側也。

治療 人中。委中。白環。風府。以宣通督脈膀胱二經之氣。而驅風寒之邪。惡血內留者。加鍼肝膈二俞以行血破瘀。

背痛 背部屬太陽經。如風寒濕等邪襲入太陽。或經氣滯則背部作痛經云背者胸中之府。肺中有邪。則背部亦能作痛。若背部一片作冷而痛。此多由痰飲內伏。或寒邪凝結也。

治療 大杼。膏肓。崑崙。肺俞。風門。人中。以疏太陽之氣。且直達病灶。而通治一切背痛。其有兼見他症者。則加取適當之穴治之。若背部一片冷痛者。更可於痛處針而灸之。則直搗其巢。驅其障礙。收效益速也。

手足病門

四肢之病不外乎腫痛痿麻。不能伸屈行動等。多由風寒濕侵襲經絡。或痰飲流入四肢。或血凝氣滯。或挈重傷筋。跌仆損傷。或血液虧損不榮經絡等等。治療之法。則視其病處之部位屬於何經。而針之。灸之。如久年宿恙。或痿麻重而疼痛少者。宜灸。新病邪犯或疼痛甚劇者宜針。腫而不痛不熱者宜灸。腫而熱痛者宜鍼。屬虛則灸之。屬實則鍼之。此治手足各病之大法也。明乎此庶無誤治之弊矣。

肘臂或麻木　前廉或外廉者。肩髃。曲池。合谷。陽谿。三里。列缺。外關。後廉或內廉者。大陵。內關。尺澤。陽谷。曲澤。肩外俞。肩中俞。

手不能舉　肩髃。曲池。不能向前或向後。巨骨。肩貞。

肘臂强直不能伸屈　尺澤。曲池。手三里。手腕不能伸屈。大陵。陽谿。陽池。

五指麻木或不能伸屈　合谷透勞宮法。中渚。後谿。

兩手厥冷　曲池。太淵。

手臂紅腫　合谷。曲池。手三里。中渚。尺澤。肩背腫者加鍼肩髃。

手掌腫痛　勞宮曲澤。

腿痛　環跳。風市。居髎。如紅腫而痛者加鍼委中。血海。

腿膝無力　風市。陰市。絕骨。條口。足三里。

膝痛　陽陵泉。內外犢鼻。膝關。鶴頂如紅腫而痛者。加針委中行間。

脚胕痛　陽陵。絕骨。條口。三里。三陰交。陰陵。

脚轉筋　然谷。承山。金門。絕骨。陽陵。

足不能步或不能伸屈　環跳。白環俞。陽陵。絕骨。足三里。曲泉。陽輔。

足跗腫痛　解谿。崐崙。太谿。商丘。行間。

足心腫脹或脚跟痛　湧泉。崑崙。僕參。

足冷如冰　腎俞灸再鍼厲兌。

鍼灸治療講義續編完

鍼灸治療講義　續編

一四

莆田国医专科学校
针灸学讲义

提　要

一、作者小传

邱茂良（1912—2002），男，中国共产党党员，针灸专家，澄江针灸学派代表人物之一。

1912年8月，邱茂良出生于浙江省龙游县寺下村，他自幼学习古文，待成年后立志学习岐黄之道，1928年考入浙江兰溪中医专门学校，后师从张山雷先生，得其真传，1932年毕业后返乡行医。

1934年，邱茂良只身来到江苏无锡的中国针灸学研究社，拜于针灸名家承淡安先生门下，得其帮助颇多，在承淡安先生的热情挽留下，邱茂良毕业后在针灸学研究社负责教学工作，并协助承淡安先生创办针灸学校。1937年，淞沪会战爆发，无锡的中国针灸学研究社及针灸学校被迫停办，邱茂良应邀赴浙江台州中医学校，负责中医内科、妇科及针灸科的教学工作。1940年，因日本侵华战事进一步扩大，台州中医学校又被迫停办，邱茂良遂返回故乡浙江龙游，继续行医。

抗日战争胜利后，承淡安先生于1948年在江苏苏州恢复中国针灸学研究社，邱茂良应邀前往，继续协助恩师进行针灸研究与教学工作。

1954年，应江苏省卫生厅之聘，邱茂良随承淡安赴南京，筹办江苏省中医院和江苏省中医进修学校（南京中医药大学前身），于1956年在国内首创针灸病房，并于1958年在国内首先建立针灸推拿医院。为提高中医针灸研究与教学质量，在1954年江苏省中医院开办伊始，邱茂良与南京市结核病疗养院积极展开合作，制订了针灸治疗肺结核病的科研方案，主持并亲自参加了这项工作，开创了针灸科研的先河。为了进一步观察针刺治疗中风的疗效机制，自1982年以来，邱茂良开展了“针刺对中风患者脑血流图与血液流变学等治疗前后的变化观察”的研究，并领导全科人员，开展了针刺治疗急性细菌性痢疾的临床研究，在此基础上，又进行了“针刺治疗急性病毒性肝炎的研究”（卫生部课题）。以上研究均取得了较突出的成绩，说明针灸不但能治慢性病，而且能治急性病、传染病，拓展了针灸治疗疾病的范围。

在江苏省中医院及江苏省中医进修学校工作期间，邱茂良历任主治医师、针灸科主任、主任医师、教授、针灸系主任等，并任第五届、第六届全国政协委员，国家科委中医组成员，国家重点学术学科带头人，卫生部医学科学委员会委员，全国针灸学会副会长，全国高等中医药教材编审委员会副主任委员，中国国际针灸考试委员会委员，世界针灸学会联合会顾问等职务。

1984年，邱茂良加入中国共产党。

2002年2月，邱茂良逝世。其一生撰写针灸著作多本，有《内科针灸治疗学》《针灸纂要》《中国针灸治疗学》《针灸荟萃》《针灸防治肝炎》《针灸治法与处方》等，计300多万字，发表论文30余篇，培养了大量中医针灸人才，对后世影响深远。

二、版本说明

该书为民国三十四年（1945）五月重订版，由邱茂良编写，莆田国医专科学校将其作为针灸教材使用。

三、内容与特色

该书共2册，335页，其内容主要来自于承淡安《中国针灸学讲义》中《针灸治疗学讲义》《灸科学讲义》之内容。第一章为绪论，第二章为分门取穴，之后便不再分章，而是参考《针灸治疗学讲义》，将疾病分为伤寒门、温热、暑病、霍乱、中风、惊风、痉厥、癫狂痫、疟疾、泻痢、咳嗽、痰饮、哮喘、虚劳、吐衄、呕吐、噎膈、臌胀门、癥瘕门、五积门、三消、黄疸门、汗病门、痞痳门、疝气门、遗精门、淋浊门、癃闭门、便血门、妇女门和经病、带下、脚气、痿痹门、头部门、目疾门、耳疾门、鼻疾门、牙齿门、口舌门、咽喉门、小儿疳证、胸腹门、腰背门、手足病门等44节，并详细阐述了相关疾病的症状、病因、治疗、治理等。第二册的最后记述了牛痘接种法、针药并用治疗真性霍乱法等流行病的防治措施，并从起源、选材等方面对中医艾灸疗法做了简单的介绍。

现将该书特色介绍如下。

（一）辨证归类，分门取穴

作者强调“药物治病有寒热补泻之别，针灸亦然也，针灸取穴，无异于汤液之拟药”。对于腧穴的分类，该书不同于现代教材所使用的分经取穴，而是从临床治疗的角度出发，先将疾病按病因分为气、血、虚、实、寒、热、风、湿八门（八门中气、血、虚、实、寒、热六门为一类，风与湿本属六气分门，但六气中寒、热、燥、火四气的主治穴位可归于前面的寒、热、虚、实四门中，故六气只介绍性质较为独特的风、湿二门），再分别介绍与各门相对应的穴位，具有多种治疗作用的穴位可在多个门中出现，如曲池能行气，故归于气门，又可活血，故归于血门，还能泻大肠、退热，故归于实门与热门。在讲解穴位时，该书主要介绍其主治功效与定位。此举有利于在治疗疾病时快速选取具有对应疗效的穴位，以便于制定针灸取穴处方，具有较强的实用性。

（二）取穴精简，针灸并重

在介绍疾病时，该书先对疾病的名称、病因、机制等进行详细分析，多引用《黄帝内经》《伤寒论》《金匮要略》等中医经典中的理论，再分别介绍该疾病不同证型的症状、病因病机、治疗选穴及治疗原理，尤其对其病因与治疗原理分析最为详尽，为疾病的诊断和治疗提供了充分的依据。在治疗取穴上，该书选取具有最佳治疗效果的腧穴，取穴数量尽可能少，在保证治疗效果的同时，减轻患者所受的痛苦，从而使患者更容易接受针灸治疗。此外，需要灸法治疗的疾病，该书会在治疗内容中明确标注，并在治疗原理部分做出讲解，体现了该书对艾灸治疗效果的重视。

（三）结合时势，防治疫病

该书的最后附有牛痘接种法与真性霍乱治法。前者从新旧种痘法的由来、科学原理、具体操作以及种痘后各时期的生理病理反应等方面阐述了牛痘接种方法；后者则介绍了锋针放血法、毫针刺法结合中药汤剂对霍乱的治疗。该书指出锋针放血之目的在于使血液流通，促进抵抗力恢复，肯定了毫针刺法对霍乱呕吐、腹泻、转筋等症状的疗效，并强调穴位对锋针放血疗效的影响——“放血不在多寡，在乎紧要之穴”，纠正了放血越多疗效越好的错误认识。考虑到当时中国霍乱流行，而天花亦为常见传染病，对此类疾病的预防及处理是基层医生所必备的技能，故作者将此两种疾病的防治收入该书中，具有现实的临床指导意义。

（四）附注

该书的内容虽大部分出自《中国针灸学讲义》，但在一些细节上又与之有所不同。如：该书将《中国针灸学讲义》中的“三消·汗门”一分为二，分为三消和汗病两门分别论述；将呕吐类疾病单作一门；将大、小便困难统一归类到癃闭门；将月经病与妇科病归为一门，将带下病独立为一门等。在讲述中风病辨证时，该书除列有中经络、中脏腑外，还列有中血脉一类辨证，这一点与现代所使用的教材有所不同。

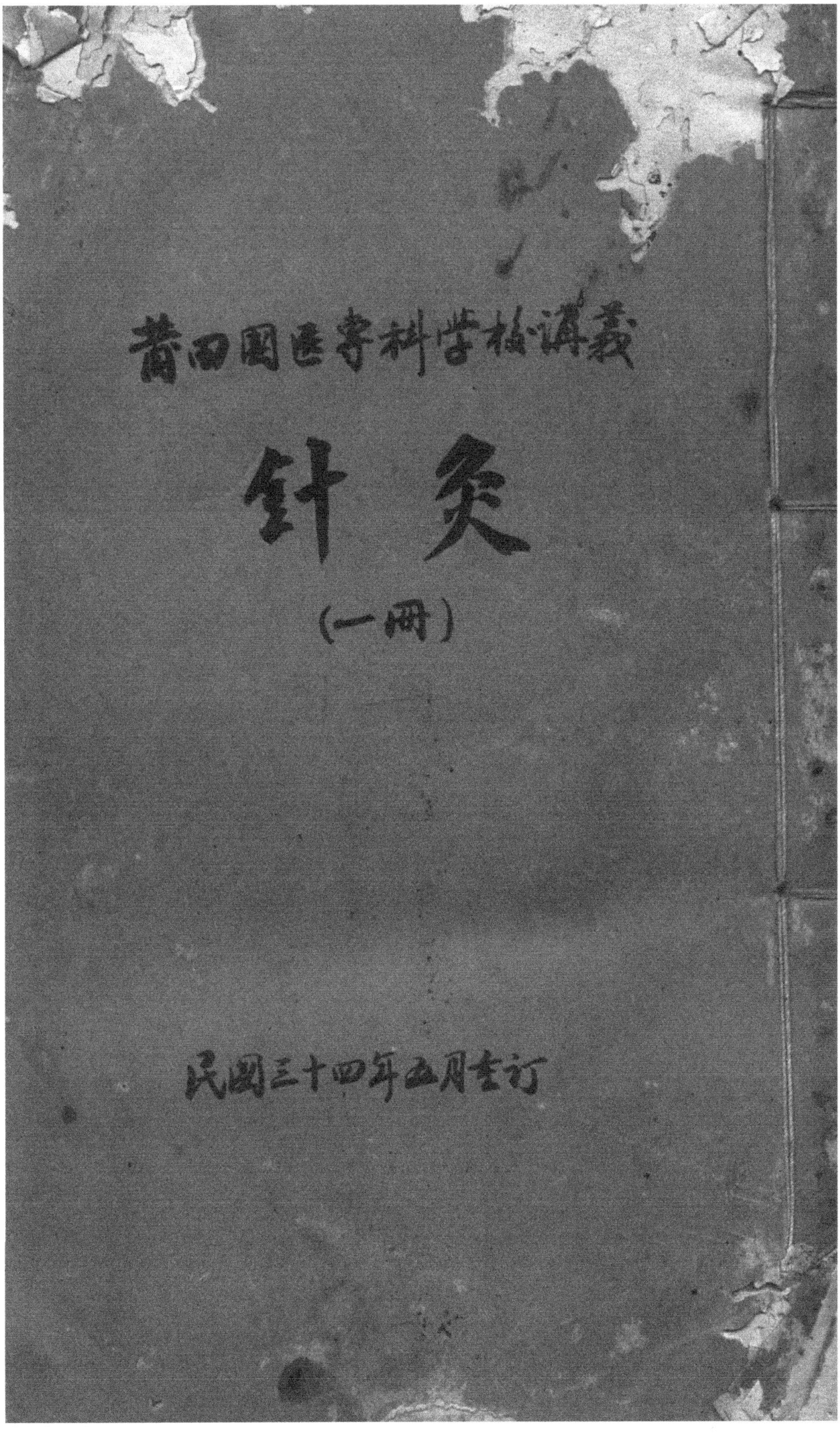
莆田國医專科学校講義
针灸
（一冊）
民國三十四年五月壹訂

莆田縣國医專校鍼灸治療學講義

本 龍游邵茂良稿

第一章 緒論

疾病為人生所難免，救治之道全賴乎醫，所以治療疾病乃醫學之上乘也。業之精者可以療疾苦，濟生民，故范文正有言曰：不為良相，便為良醫。良相良醫固所以濟生民也，然業而不精，則反為殺人之利器，比比皆是，尤有甚焉，此所謂庸醫殺人者也。是又嘗聞古人有云：医學一道，君子不為，蓋醫者操生命之权，被治得失，生死繫之，非醫學之不足貴，乃醫學之可危也。然則吾儕既從事研習醫學，俾將來壽世壽民，非有深刻研究，曷由能學並從事療手研究醫學首貴從生理病理診斷各科入手而治療一科尤不可缺考國医治療疾病之方法頗多如推拿祝由鍼灸湯藥等共有十多科皆有所長而其最便利敏捷效宏收偉者莫鍼灸若也蓋鍼灸治病認症既明取穴準確竟能以一鍼一艾之微起沉疴痼疾於頃俄之間又扁鵲之刺維会元化之鍼腦空後世視為奇績傳為美談者也且湯藥治病偶爾不慎略有差誤則輕病轉重重病轉危世之為藥誤者多矣鍼灸治病取穴不準則惟無效而已絕無增病之弊也觀乎此則鍼灸學術之貴重可概見矣第以後學之士以其文理深奧手術頗難於是研究者日益少斯道遂日

後醫。刻茲歐風東漸。西學盛興。國人喜新厭故。不特不將固有之國粹發揚而光大之。且有倡言廢除者。良可悲也。試觀德日諸邦。爲西學最發達之地。近尤潛心研究漢醫之鍼灸學。足見此道於治療上之有價值矣。而反視我國。則以敝屣目之。此無異舍珠玉而求敗絮也。茲以古人所言。參以拙見。撰成此篇。與諸同學共研究之。則互相切磋。不特有益于學問之進步。且於鍼灸學前途。有厚望焉。

第二章　分門取穴

疾病之生。不離氣血。故湯液治病。有入血分之藥。有入氣分之藥。

病之變化多端。則又不離寒熱虛實四則。寒則溫之。熱則清之。虛則補之。實則瀉之。此為治病之不二法門。故藥物治病有寒熱補瀉之別。鍼灸亦然也。鍼灸之取穴無異湯液之擬藥。爰將普通常用之穴分別氣血寒熱虛實六門言其主要功用。俾臨症時易於採取焉。

氣門

少商 宣泄肺氣在大指內側去爪甲如韮叶、中府 理肺利氣、在乳頭直上三寸旁開一寸、雲門 開胸降氣在中府上一寸六分、經渠 降肺氣治氣逆、在腕後五分、商陽 泄大腸之氣、兼泄肺氣、在食指內側、去爪角如韮葉、合谷 宣泄肺氣之鬱結、在虎口歧骨間、曲池 行氣、在肘外輔骨之陷中、內庭 疏通腸胃之氣、在次趾中趾之間、豐隆泄濕肺氣化痰治哮喘，在外踝上八寸、足三里升氣降氣調中氣、在膝眼下三寸、隱白升陽氣治嘔逆，在大趾內側去爪角如韭叶、公孫治脾胃之氣上逆而止嘔吐，在大趾本節後一寸、風門驅風治嘔逆上氣喘卧不安，在第二椎下，旁開一寸五分、肺俞專治肺病、宣泄肺氣、治咳嗽嘔喘，在第三椎下、旁開一寸五分、厥陰俞治胸中膈氣嘔吐，在第四椎下、旁開一寸五分、肝俞專治肝病、能泄肝氣、治肝氣之橫逆，在第九椎下、旁開一寸五分、膽俞泄肝膽之氣上逆治翻胃食不下、在第十椎下、旁開一寸五分、大腸俞能疏腸通中氣化，在第十六椎下、旁開一寸五分、膀胱俞能疏通膀胱之氣化、而通調小便、在第十九椎下、旁開一寸五分、照海能引氣下行、在內踝下五分、俞府開肺氣、治欬逆上氣嘔吐不食，在璇璣旁二寸、內關能調肺胃之氣、治嘔逆上氣，在大陵上二寸、陽陵泉行氣導滯，在膝下一寸，外尖骨前之陷凹處、足臨泣泄肝氣、治胸滿氣喘，在足小趾次趾本節後，氣海通治一切氣病、振陽氣、利氣、在臍下一寸五分、建里調理中焦之氣、治心痛上氣嘔逆不食，在中脘下一寸。中脘專理陽胃

益三里以足

刺毒眼

補合谷瀉三陰交脉即时下脘

之氣、而助消化、在臍上四寸、下脘功用同上、在建里下一寸、上脘功用同上、在臍上五寸、巨闕治咳逆上氣、胸滿氣痛、在臍上六寸、膻中治一切氣病、氣喘、短氣、喘哮、咳逆、噎氣、翻胃、隔食、在兩乳之中間、天突治氣上逆、咳嗽哮喘、在結喉下二寸、大椎調和胃氣、在第一椎上、

血門

尺澤止血、治吐血、在肘中約紋之中心、魚際治吐血、咳血、在大指本節後赤白肉際、太淵治咳嗽咳血、在寸口前橫紋上、少商刺出血、能使氣血流通、商陽刺出血、功用同上、二間能治鼻衄、在食指第三節之前內側、合谷治牙衄、在虎口歧骨間、曲池行血、治婦人經水不行、在屈肘橫紋頭、迎香治鼻衄血、在鼻孔旁五分、天樞治嘔血、女人月水不調、漏下或血結成塊、在臍旁二寸、足三里破瘀血、治吐血、咳血、在膝眼下三寸、內庭治齒衄鼻衄、在次趾中趾之間、三陰交通經行瘀、清血、生血涼血、在內踝上三寸、地機治月事不調、在膝五寸內側、血

海功用同上、在膝臏上二寸、腹哀治大便膿血、在中脘旁四寸、少冲剌出血、能行通氣血、在小指內廉之端、去爪甲如韭叶、少澤剌出血、功用同上、在小指外側爪甲旁、風門治鼻衄不止、在第二椎旁一寸五分、肺俞治咳嗽吐血、在第三椎下旁開一寸五分、心俞治嘔血咳血、在第五椎下旁開一寸五分、肝俞治嘔血咳血、在第九椎下旁開一寸五分、膈俞通治一切血痛、凡屬血症、均宜取之、在第七椎下旁開一寸五分、委中清血、解血中之毒、在膝膕窩之正中、合陽治女子漏血不止、在委中下二寸、照海灸之治月事不行、在內踝骨下四分、交信功用與合陽同、在內踝上二寸、大陵治喘咳嘔血、在手腕横紋之陷中、中衝剌出血、能通行氣血、在中指之端去爪甲如韭叶、關冲功用同上、在無名指外側去爪甲如韭叶、大敦治血崩、漏下不

止、在大趾爪甲後叢毛中、

行間 行瘀、破血結、在大趾次趾合縫後五分、

太沖 通經行瘀養血涼血、在行間後寸半、

曲泉 清血涼血養血、在屈膝橫紋陷中、

中極 治婦人血崩血不止、或月事不通、或產後惡露不行、血結成塊、在臍下四寸、

關元 功用同上、在中極上一寸、

氣海 功用同上、在臍下寸半、

陰交 功用同上、在臍下一寸、

虛門 虛則補之

太淵 生津液潤肺、

天樞 灸之治虛損勞弱、

足三里 補脾胃益氣血、

上巨虛 益胃

隱白 補脾益氣

公孫 補中運脾陽、

三陰交 補三陰之虛損益精生氣血、灸之則補陽氣、

漏谷 益精、治失精、在三陰

向伏在內四

下一寸

交上三寸、地機 補脾、益陰精、在膝下五寸內側、火冲 養津液、肺俞 補肺、治虛勞、心俞 補氣血之不足、膈俞 養血生血、肝俞 益肝、補氣血、魄户 治虛勞肺痿、在第三椎下旁開三寸、膏肓俞 補虛損、益精氣、治虛羸瘦損、夢遺失精、在第四椎下旁下三寸、脾俞 補脾胃、助消化、在第十一椎下旁開寸半、胃俞 功用同上、在十二椎下旁開寸半、腎俞 益精、補腎陰、壯腎陽、在十四椎下旁開寸半、關元俞 補虛、腸胃虛實泄瀉、在十七椎下、旁開寸半、中膂俞 補腎陰、治腎虛消渴、在二十椎下旁開寸半、湧泉 補腎益精滋陰退虛熱、在足掌心中、太谿 益腎滋陰、在內踝後五分、交信 補腎滋陰、在內踝二寸、復溜 功用同上、在內踝上二寸、間使 治陰虛盜汗、支溝 生津液潤大便、在陽池後三寸、行間 益肝滋陰、在大趾次趾合縫後五分、太冲 養肝陰、在行間後寸半、曲泉養肝補血、在膝內側、屈膝橫紋與陷中、中極治下元虛冷、在臍下四寸、曲骨補真氣益精、在中極下一寸、關元固下元益精氣、治諸虛百損、在中極上一寸、氣海固下元、益陽氣、補腎陰、在臍下寸半、神闕灸之益陽氣、治陽氣之欲脫、在臍中、中脘補胃、助消化、在臍上四寸、上脘功用同上、在中脘上一寸、下脘功用同上、在中脘下二寸、命門補腎益精、治虛滑、退骨蒸癆熱、在十四推下、

實門 實則瀉之

神門在腕後豌豆骨之下陷中、少冲小指內側、通里俱瀉心、在腕側後一寸、湧泉在足掌心、然谷在公孫後一寸、太谿俱瀉腎、在內踝後五分、公孫大趾本節下一寸、商邱在內踝骨下微前陷凹、陰陵泉

俱瀉脾、在膝下大陵在手腕横勞宮在掌內關在大陵上曲澤在
內輔骨下陷中、紋之陷中、心、二寸、肘
內廉下之中衝俱瀉心包、中府在乳上三寸少商魚際尺澤
陷凹中、中指之端、外關一寸、
列缺俱瀉行間太衝在大趾曲泉俱瀉肝、在曲膝商陽二間
歸、節寸半、之横紋端、
合谷曲池瀉大內庭足三里俱瀉少澤少海俱瀉小腸、在
腸、胃、尺骨之端、去
肘尖五委中瀉膀關冲外關腕後支溝俱瀉三焦、竅陰在第四
分陷中、胱、二寸、腕後三寸、趾外側、
爪甲足臨泣在足小趾次趾本節後、陽陵泉俱瀉膽、在膝下一寸
角、去俠谿一寸五分、外尖骨前之陷凹處、
膻中氣海俱瀉血海膈俞俱瀉關元瀉膀天樞泄胃腸、通腸
氣、血、胱、逐穢、

中脘瀉府濁導滯、豐隆瀉痰濁、通大便、上脘瀉胸膈、期門瀉肝、

寒門　寒則溫之

中脘溫中煖府治腸胃有寒、及腹一切寒冷、氣海治腹中一切冷、溫中下二焦、關元溫下焦暖子宮振陽氣、

章門治臟寒積聚、在臍旁季肋端、心俞振陽氣、溫氣血、神闕溫暖胃腸而回陽、三里治胃寒腹中寒冷、

三陰交溫中下焦、治血寒一切寒冷、公孫理心腹寒、陰陵泉理脾寒、溫中焦、隱白溫脾壯陽理中下焦寒、

曲泉理血寒、腹中寒冷、然谷溫下元助腎火、命門　腎俞功用仝上　大椎發表寒、後谿

同上、陶道同上　大敦溫肝治寒疝、

熱門 熱則清之

少商 尺澤 魚際 肺俞俱清肺熱 列缺 經渠退表熱 商陽 二間清陽明經熱、退身熱、合谷清氣分及頭面諸竅之熱、曲池退身熱、清氣血表諸熱、天樞清腸胃之熱、足三里清胃腑熱、豐隆降胃熱、化熱痰、解谿清胃熱、在足腕上繫鞋帶處、內庭功用仝上 衝陽鍼出血能退熱、在足跗上五寸、足背最高之部、厲兌清胃熱、大都清脾熱、三陰交清血熱、平肝熱、陰陵泉清脾熱、胸中熱、及血海清血熱、神門 通里 少府俱清心熱、少衝刺出血、清血熱、少澤功用同上 後谿清裡熱、大杼驅表熱、風門清胸背之熱、心俞清心

熱、瀉五臟之熱、腸俞清血熱、肝俞清肝熱主瀉五臟之熱。脾俞功用仝上、腎俞功用同上、小腸

俞清腸中之熱、中膂俞清腎熱。委中刺出血、清血中之熱毒、主瀉四肢之熱、湧泉清腎熱、治

病後餘熱不解、及熱厥、太谿清熱養陰、曲澤清心包之熱、治身熱煩渴、間使清心包解

胸中熱、內關功用同上、勞宮清心包、退身熱、中衝刺出血、清血熱、關衝功用同上、外關治一切外感身

熱、支溝清三焦之熱、絲竹空清頭目熱、在眉毛捎外端陷中。陽陵泉降肝膽熱、懸鐘清三

陽及腦熱、在外踝上三寸。足臨泣清肝膽熱、竅陰功用同上、行間清肝腎之熱、上脘清心胃熱、

中脘清胃熱、命門清虛熱、陶道解表熱、退身熱、大椎功用同上、百會清頭部熱、及腦熱、

金津玉液 出血清泄胃熱而生津液舌下紫絡、

六氣病分門取穴

六氣者。風寒溼熱燥火是也。以其能病人。故曰六淫。又曰外邪。六氣之中。寒氣則於寒門中酌量取穴治療之。熱氣則於熱門中求之。燥與火可於熱門與虛門清熱生津諸穴治療之。惟風與濕則不能概括於四門中。茲再彙集治風治溼諸穴。分別二門。

風門

魚際 解外感風寒之邪、列缺 解外風、治頭風、合谷 解表驅風寒、頭維 驅風治頭痛、大杼 解表驅風 風門

能治一切風病、肺俞驅風、治風寒咳嗽、風池治頭風、外感風邪、環跳搜經絡之風、治冷風溼痹、在髀樞之宛陷中、肩
髃搜周身四肢經絡之風、曲池搜周身風邪　風市治腰腿之風、在膝上外廉兩筋中、陽陵泉舒筋絡、搜四肢
之風、風府專治風病、凡外感風邪、及驚風中風等均能治之、百會治頭風及暴中風、水溝治暴中風及頭面風邪、在鼻下溝之正中、
委中治腰腿風、三里搜四肢風、

濕門

足三里燥溼祛溼、上巨虛祛溼、在三里下三寸、下巨虛功用同上、在三里下五寸、三陰交化濕行濕
陰陵泉滲濕利小便、脾俞化寒濕、醒脾快胃、胃俞功用同上、委中利濕、承山化脾胃之濕而

助消化、在委中下八寸腨肉之間　陽陵泉 行濕　崑崙 功用仝上、　太谿 利濕　然谷 功用仝上、　復溜 化濕　內關 利濕、治濕痰滯於歸胃、　懸鐘 祛濕、　水分 利小便滲濕而治水腫、　中脘 化脾胃之濕、　天樞 功用同上　至陽 化腸胃之濕、

第一節　傷寒門

難經曰。傷寒有五。曰中風。曰傷寒。曰濕溫。曰溫熱。曰溫病。故傷寒者。概括外感諸症而言也。凡疾病之由外受者。謂外感。外感之邪。由皮毛而腠理。而後傳入經絡臟腑。引起人身之內臟。血液神經。等起變化。此傷寒之所由作也。漢時張仲景。將傷寒之症狀。分屬

於太陽。陽明。少陽。太陰。少陰。厥陰。六經論治。三陽症中。則有表症腑症。三陰症中。則有寒化熱化。六經之中。復有合病併病傳變等等。分條縷析。於所著傷寒論中。言之極詳。爲後世醫家治療傷寒之正宗。惟全書洋洋數萬言。非短期間所能研究。茲挈六經之提綱。舍其湯藥之方劑。參入鍼灸之治法。分別言之。欲得其詳者。非讀傷寒論全書不可也。

太陽

症狀　頭項強痛。惡寒。脈浮。如兼體痛嘔逆。無汗。脈緊者。爲傷寒。如兼發熱。汗出惡風。脈緩者爲中風。

病因　傷寒有廣義狹義二種。廣義之傷寒。概括外感諸病而言。狹義之傷寒。即本條太陽病之傷寒症也。外感之邪侵入人身之表部。名太陽病。爲風襲入化病之第一期也。人身感受外界之寒邪。血管收縮。故脉浮緊。血液凝固。故頭項強痛。寒邪外來。周身之毛孔閉塞。故無汗。肺氣不宣。故嘔逆。毛孔閉塞。體溫不能外達。故惡寒。如感受風邪。則風屬溫化。能使神經興奮。促進汗腺之排泄機能。故汗出。汗腺弛張。毛孔不閉。故惡風。體溫因汗出而外達。故發熱。

治療　風府針瀉　合谷同上　頭維同上　風門針灸

治理　風寒之邪。侵襲肌表。治宜解表。故鍼風府門驅逐風寒。合谷疏表發汗。風府頭維。治頭項之強痛。以其能直達病灶。而疏通該部之凝固也。諸穴合針。則有疏解表邪。和營諧衛之功。

太陽腑病

症狀　太陽病發汗後。脉浮。發熱。渴欲飲水。水入則吐。少腹硬痛。小便不利。此為蓄水症。若少腹硬痛。脉微而沉。小便自利。其人如狂。此為蓄血症。

病因　太陽之腑為膀胱。俗稱尿胞。為貯尿之囊。其底旁左右。各有輸尿管一條。通於腎臟。人身飲入之水。由腎臟分泌後。再由輸尿管而入膀胱。貯蓄既滿。則由膀胱之排尿口從尿道泄出。若病邪入膀胱。則排尿口因病邪之刺激。而括約閉鎖。是以小便不利。愈積愈多。因而脹滿。故少腹發硬而痛。同時腎臟因膀胱不能排泄。其分泌機能亦受障礙。既不能分泌。自不能吸收。故雖渴欲飲水。而水入即吐也。若蓄血症。則因病邪入於血管。腎臟分泌不能得力。則熱邪并入血中。自膀胱而出。若一時盡下。則病自解。無容醫治。故傷寒論有太陽病不解。熱結膀胱。其人如狂。血自下。

下則癃之明文。若結於膀胱而不下。或下而不盡。故雖小便通利。而少腹仍硬痛也。

治療

蓄水——大椎針 曲池同上 陰陵泉 足三里 小腸俞 中極 膀胱俞 以上均針。

蓄血——中極 三里 神門 內關 膀胱俞 以上均針。

治理

蓄水蓄血。原屬二症。症雖各異。然蓄於膀胱則一也。故皆宜鍼中極膀胱俞二穴。以行膀胱中所結之血與水也。足三里。宣洩膀胱之氣化。而使之下行也。蓄水者則佐陰陵與小腸俞通利小便。大椎、曲池退熱止渴。蓄血者則加鍼神門、內關、以二穴能安神定志。而清熱。以治其狂也。

陽明

症狀 壯熱煩躁不惡寒。大渴引飲。大汗出。脈洪大而數。唇口乾燥。此為陽明經病。如潮熱譫語。口臭氣粗。腹痛拒按。矢氣頻轉。大便秘結。小便短少。脈沈實有力。甚則沈伏。此為陽明府症。

病因 (經病)有由于太陽病。失于調治。轉屬陽明。或由體氣衰弱。風寒之邪。長驅直入而成。蓋風寒之邪。襲入人身。體溫不能外達。故發熱。久而不解。則體溫亢盛。故壯熱。表邪已罷。

故不惡寒。臟腑受高熱之薰灼。故煩躁。因其熱度過高。津液受其蒸迫。故大汗出。因大汗大熱。津液被奪。臟腑肌肉。失其滋潤。故唇舌乾燥。而口發渴。欲飲水以自救也。熱盛則心房張縮強而速。故脈亦洪大而數。

（病症）陽明之腑為胃腸。由熱邪深伏于腸胃。故肌膚反不覺大熱。而為發作有時之潮熱。胃中之迷走神經。受高熱之剌激。影響于腦。腦神經失其正常之知覺。故譫言妄語。神識模糊。熱則灼津。腸胃枯燥。失其蠕動之能力。不能滋潤糟粕以排泄之。結于腸中。而成燥屎。故大便不行。穢臭之氣。則由肛門泄出。故矢氣頻轉。因燥屎停滯腸中。故腹痛而拒按。津液為大熱所耗。腎臟無從吸收水分。分泌量減少。故小便短少也。

治療 二間 三間 合谷 曲池 內庭 解谿 中脘 足三里 支溝均針瀉 照海

治理 陽明經病。為熱邪蘊于腸胃。其主要症為熱。故取大腸經之二間三間曲池及胃經之內庭解谿等穴。以瀉其熱。此治經病之法也。腑病不但腸胃熱。且腸中有燥屎。則其主要症為燥屎。仲師有急下存津之法。故取支溝照海。以通大便。佐中脘足三里以疏通腸胃之氣。兼鍼經痛各穴以清熱此治府症之法也。

少陽

症狀

寒熱往來。胸脇苦滿。默默不欲食飲心煩喜嘔。口苦咽乾。頭痛在側。目眩耳聾。脈弦細。或弦數。

病因

或由太陽傳變而來。或由風寒直入而成。太陽之邪在表。故曰表症。陽明之邪在裏。故曰裏症。少陽之邪。既不在表。又不在裏。而在於胸膜肋膜及横膈膜等處。軀壳之內。臟腑之外。介乎表裏之間。故曰半表半裏症。邪在表則惡寒。

在裏則發熱。少陽之邪。在半表半裏。故有表症之惡寒。復有裏症之發熱。而成寒熱往來之現象。因其邪在胸膜肋膜橫膈等處。附近之肝脾膵三臟。亦因之而腫大。氣血不能暢行。故胸脇部自覺滿悶。同時胃之消化機能。亦受病邪之影響。故默默不欲食。橫膈膜痙攣。故欲嘔。少陽之腑為胆。胆得熱則分泌亢進。胆汁上溢。故口苦。胸脇部發熱。故心煩而喉乾。病邪上激頭部血管。鬱血。故頭痛。耳部之聽神經。與目部之視神經。因受邪之影響。而發生變化。故目眩耳聾。

治療 臨泣 厥陰 期門 中渚 間使

治理 臨泣為少陽之俞。能治胃滿目眩。厥陰為少陽之井。能治耳聾口乾心煩。中渚泄少陽之氣。間使除寒熱。期門直泄胸脇中之邪。以其位居乳下。故能直達病灶。而清胆中之熱。

按傷寒三陽經中。太陽陽明各有經病腑病。前人區別甚詳。惟少陽腑症獨缺。謝利恒先生謂目眩口苦。係胆火上炎。胸脇苦滿。係胆火擾胃。寒熱往來。係三焦不和。是少陽見症之目眩口苦胸滿嘔吐。寒熱往來五症。俱屬於腑。惟耳聾脇痛。為經絡病。經病腑病。往往齊見而混合。故小柴胡湯一方。亦經腑合治而不分。並非少陽無腑病也。

又按俞根初先生通俗傷寒論。則謂寒熱往來。耳聾脇痛為經病。目眩咽乾。口苦善嘔。膈中氣塞為腑病。二說雖略有不同。而經腑每多合病。不必為之強分也。本篇少陽條。於經腑合而言之。而治療條中。所取各穴。亦已概括經病腑病之治法矣。

太陰

症狀　腹滿而吐。食不下。時腹自痛。自利不渴。脈遲或細。舌苔白。

是為寒化。兼壯熱。煩渴舌苔焦黃。脈洪數者為熱化。

病因

凡病邪侵入人身。正氣出而抵抗。正邪相搏而發生種種現象。是謂病証。然人之體質有強弱。年齡有盛衰。年富質強者。正氣之力有餘。與病邪相抵抗。則成機能亢進之現象。是謂陽症。即熱化也。年老質衰者。正氣之力不足。與病邪抵抗。則顯機能衰減之現象。是為陰症。即寒化也。故受病之原因雖同。而為寒化熱化。則每因病者體質之強弱為各異也。夫太陰者脾臟也。古人以上列諸症為脾病。實則即腸胃病也。寒化症乃由體質孱弱。冷氣內侵。或飲食生冷。以致腸胃受寒。飲食留滯于中不能消化。故腹脹滿而痛。而飲食不進也。因其為寒化。故口不渴。血液寒則凝泣。血行緩慢。故脈遲或細。若夫熱化。則體溫增高。故壯熱水分因熱而消耗。故口渴舌焦。此寒化熱化之別也。至於吐利。為寒化熱化皆有之症。蓋腸胃得寒則血管收縮。失其吸收作用。故上逆而為吐。下注而為利。得熱則蠕動亢進。血管不及吸收。故亦為吐利也。

治療

寒化　隱白　公孫　足三里　中脘　章門

熱化　少商　三陰交　隱白　大都　中脘　天樞

治理 隱白為太陰之井。故能治腹滿。公孫與三里。能引氣下行。以止嘔吐。佐章門直達病灶。則止嘔吐之功益偉。中脘促進腸胃之消化與分泌機能。而治自利。灸之則增加溫度以驅寒。熱化則取少商以泄熱。三陰交清熱而養津液。隱白大都。止嘔而泄太陰之熱。中脘天樞。直泄腸胃之熱邪。而制止其蠕動之亢進。則無吐利之患矣

少陰

症狀 目瞑踡卧。聲低息微。不欲食。身重惡寒。四肢厥逆。腹痛泄瀉。自利清谷。口不渴。脈細緩。舌白。此為挾水而動之寒化

病因

症。若心煩不寐。肌膚灼燥。小便短數。脈虛數。舌光紅。少津液。此為挾火而動之熱化症。

腎虛之體。外邪侵襲腎經。腎陽虛者。則挾水而動。腎陰虛者。則挾火而動。挾水而動者。是為寒化。為全體機能衰減之病也。下焦虛寒。體溫減低。不能達於四肢。故惡寒而四肢厥逆。寒邪過盛。血流緩滯。心臟衰弱。故聲低息微。不欲言語。而脈細緩。四肢之神經與血管。得寒而收縮。故身疼而踡卧。腸胃不能消化。腎臟失于吸收。故泄瀉而自利清谷。挾火而動者。是為熱化。則因體溫亢進。津液大傷。故肌膚灼爍神經因熱而興奮。故心煩而不能安寐。津液少則血管空虛。體溫高則血行迅速。故脈虛數。

治療　寒化　腎俞　肓俞　關元　太谿　復溜各穴均灸

熱化　湧泉　照海　復溜　至陰　通谷　神門　大谿

治理　寒化屬腎陽虛。故灸腎俞以溫腎關元驅腸胃之寒。佐肓俞所以治腹痛也。太谿為少陰之俞。復溜為少陰之經。灸之能治身重惡寒。熱化。刺湧泉照海復溜太谿以泄少陰之熱。而生津液。至陰為膀胱之井。通谷為膀胱之滎。鍼之以泄膀胱之熱。少陰病而取膀胱之穴者。腎與膀胱相表裏故也。

症狀

厥陰

張目直視。煩躁不眠。熱甚不惡寒。口臭氣粗。四肢厥冷。心胸灼熱。熱深厥深。或下利膿血。或喉爛舌腐。脈弦數而洪。舌紅或紫或絳。此為純陽症。若四肢厥冷。爪甲青黑。腹中拘急。下利清谷。嘔吐酸苦。脈細遲或沉。此為純陰症。腹若中痛攣。四肢厥冷。吐利交作。心中煩熱。渴喜飲冷。飲下即吐。煩渴躁擾。脈象細弦。或細數不靜。舌或黃或白。舌質紅。似潤而齒乾。此為陰陽錯雜症。

病因

厥陰為六經之極裏。陰之盡。陽之生。故有純陽症。有純陰。又有陰陽錯雜症。純陽症由熱邪傳變而來。純陰症為寒邪直中而得。陰陽錯雜症為直中之寒邪與傳變之熱邪。互相錯亂而成。茲分別言之。

（純陽症）熱邪傳入厥陰。體溫極高。故熱甚而不惡寒。厥陰屬肝。肝熱上衝。故目開而直視。熱盛則氣血沸騰。故煩躁不眠。心胸灼熱。因其內有急劇之熱。氣血內趨。以事救濟。不能充達於四肢。故四肢反覺清冷。內熱愈盛。則厥冷亦愈甚。故曰熱深者厥亦深。喉舌為熱邪之薰灼。而喉爛舌腐熱邪入陽中。腸壁發炎。腸膜潰爛。故下利膿血。

（純陰寒）而邪直中厥陰。體溫之生成因之減少。不能達於四末。故四肢厥冷。與純陽症之因熱而厥者。適得其反。其辨別之法。先熱而後厥者為熱厥。不熱而厥者為寒厥。寒邪盛。則血行瘀滯。故爪甲青黑。腸胃得寒而不運化。故下利清谷。嘔吐酸水。

陰陽錯雜症。陰陽錯雜。寒熱互見。亦有陰症之吐利厥冷。腹中痛攣等症。復有陽症之心中煩熱。渴欲飲冷等症。然非純熱。故雖飲冷。而飲下即吐也。

治療

純陽症。 大敦 中封 期門 靈道 肝俞

純陰症。肝俞　行間　中脘　期門

處理

陰陽錯雜症。中封　靈道　關元　間使　肝俞

合理

純陽症為熱邪。故宜鍼以瀉之。大敦為厥陰之井。中封為厥陰之經。鍼之所以清泄厥陰之熱也。期門肝俞泄肝氣。靈道退身熱。純陰症為寒邪。故宜灸以溫之。灸肝俞行間期門者。驅厥陰之寒邪也。灸中脘關元為直接驅除腸胃之寒邪而治下利嘔吐腹部拘急等症。陰陽錯雜症為寒熱互見。故鍼中封靈道以泄熱。灸關元間使以驅寒。

第二節　溫熱

傷寒與温熱。皆外感病也。惟外邪之侵襲人身。因其所入之部位不同。或所受之氣邪各異。其所爲則異焉。夫傷寒爲感受外界之寒邪。由毛竅而入。漸次傳裏。初起必有惡寒。見症入陽明。始從熱化。故其發現大熱。時必在數日以後。其發也緩。而温熱則不然。蓋温熱之邪。從口鼻而入。初起少惡寒症狀。即有之亦甚微而易解。旋即大熱口渴。或神昏譫語相繼而來。其發也暴。此傷寒温熱辨別之大要也。兹復採戴北山廣温熱論中傷寒與温熱之辨別法五種撮要錄之如下。

一 辨氣 傷寒由外入內。室有病人無病氣。間有有病氣者。必待數日之後。轉入陽明經腑之時。若溫熱之氣。從中蒸發於外。病初即有病氣觸人。以人身臟府津液逢蒸而敗。(下畧)此節言傷寒無臭氣。溫病則有臭氣也。

二 辨色 風寒主收斂。面色多光潔。溫病主蒸散。面色多垢晦。或如油膩。或如烟薰。望之可憎者。皆溫熱之色也。

三 辨舌 風寒在表。舌多無苔。即有苔亦薄而滑。漸傳入裏。方由白而轉黃。轉燥。轉黑。溫熱頭痛發熱。舌上便有白苔。且厚而不滑。或色兼淡黃。或粗如積粉。傳入陽明。則兼二三色。或白苔且燥。又有至黑不燥者。則以兼色之故(下畧)

四　辨神　風寒中人。每知所苦。而神清。傳裏入胃。始有神昏譫語之時。温病初起。便令人神情異常。而不知所苦。大概煩燥者居多。或擾亂驚悸。及問何所苦。則不自知。即間有神清而能自主者。亦多夢寐不安。閉目若有所見。（下略）

五　辨脈　温熱之脈。傳變後與風寒頗同。初起時與風寒迥別。風寒初起。脈無不浮。温邪從中道而出。一二日脈多沈。

讀戴氏文。則温熱與傷寒之辨別。已甚明了。然所謂温熱者。乃一切温病熱病之總稱。病之屬於温熱者。則有風温、暑濕、濕毒、温疫、濕温、秋燥、冬温、温瘧等等。按其致病之原。有二。一曰外感温熱。一曰伏氣溫熱。外感溫熱者。即感受溫熱之邪。隨感隨發者是也。伏氣溫熱者。乃感受外邪。而不即病。潛伏人身。至相當時期而發。內經所謂冬傷於寒。春必病溫。冬不藏精。春必病溫等是也。夫病邪既襲人身。安可潛伏不動。相安無事。而經過此長時間始為病。貌視之。殊屬妄誕。然借證於西學。則知其為不謬。我中醫之所謂病邪。即西醫之所謂細菌。細菌侵襲人身。人身之體質強健。抵抗力強。則細菌亦末由施其技。而寄生于血液或藏府間。因而蕃殖。是謂潛伏期。發育既多。抵抗力不能支持。其病乃作。是謂發作期。伏氣溫熱之原。良有以也。

風温

症狀 微惡寒。發熱。頭痛。咳嗽。胸悶。自汗出。或見鼻衄。舌黃或白。脉浮數。

病因 經云。冬傷於寒。春必病温。良由內有伏邪。至春令時届温暖。因受外邪之引誘而發。此乃伏邪為病。其原理已述于前。亦有內無伏邪。因春時氣候温暖。人身之陽氣外泄。腠理漸疏。猝遇時感。致成此疾。是所謂風温者。乃風中夾熱氣。人感觸之由口鼻而入于肺。肺氣不宣。故胸悶不舒。病邪積蓄肺部。氣管因之不利。致發咳嗽。若熱度較高。鼻部

二廿二

血管乃充血而破裂。血液溢于外。故鼻衄。熱量充實肌膚。故發熱頭痛者。血中廢物內蘊腦部毛細管鬱血。故頭部覺痛也。

治療　魚際　經渠　尺澤　二間　針瀉

治理　魚際為太陰之滎。功能解表熱。經渠為肺之經。能治咳嗽而除寒熱。尺澤為肺之合。所以泄肺中風熱之邪。肺與大腸相表裏。故取大腸之滎穴二間。以泄熱。且此穴亦有宣泄肺氣之功。針之以為諸穴之佐使也。

暑溫

症狀 頭痛壯熱。煩渴引飲。咳嗽喘促。甚而神志不清。汗出如瀋。

脉象洪數或虛數舌光滑。

病因 溫病之發於立夏者名曰暑溫。蓋立夏暑熱當令。赤日懸空。酷熱如焚。人在氣交之中。感受暑熱之氣因而成病者。是謂暑溫。暑熱之邪。侵襲人身。由肺直入。體溫增高。故壯熱。熱邪蒸迫津液外出。故汗出如瀋。煩渴飲引者。大熱傷津也。咳嗽喘促者。熱聚于肺。肺氣膨脹。而從氣管以排泄也。熱邪激越。腦神經被刺激。故神志不清。熱盛則脉洪數津傷則脉虛細。舌光而色絳者。亦熱重津傷之故也。

治療　經渠　神門　湧泉　委中　陶道　支溝　神志不清者。如鍼人中。

治理　鍼經渠。取其能泄肺之熱邪。而治胸悶喘促也。湧泉能清熱而增津。委中刺血。以清血中暑熱之邪。支溝陶道退身熱。諸穴合針。則有清暑熱、增津液之功。神門一穴。則專治神志不清。鍼而瀉之。亦有退熱之效。如神志不清者。則加鍼人中穴以醒神昏。以為神門之佐使。則其功效益佳也。

溫毒

症狀　壯熱面赤。大渴引飲。口氣穢濁。咽痛。喉腫。目紅。氣出如火。

中心煩熱。神昏譫語。舌黃或紅。脈象洪數。

病因 温熱之邪蘊夾穢濁之毒釀之成病直干心包內臟而入血分。其熱尤甚于暑温。故不但壯熱煩渴。神昏譫語。更覺中心煩熱。呼出之氣如火也。咽喉受熱毒之薰灼。因而發炎而充血。故發生腫痛。熱毒上衝目部。血管充血。故目赤。此症為温熱病中最危最重之候。正如火之燎原。非大清其熱毒不足濟也。

治療 少商 商陽 中衝 關冲 少冲 少澤 委中俱刺出血。水溝 合谷 勞宮針瀉

治理 少商為肺經之井。商陽為大腸經之井。中衝為心包絡之井。關沖為三焦之井。少沖為心之井。少澤為小腸之井。刺出血。所以泄各經之熱毒也。委中出血。則清血分之熱。合谷泄氣分之熱。勞宮為心包絡之滎。鍼之以清心包之熱。支溝為三焦之經。能泄三焦之熱。熱毒退。神志清。諸恙自解。

秋燥

病狀 初起為風襲。發熱不汗。煩躁。咳嗽。胸悶。口渴。唇燥。舌無苔而燥。甚則喘促咳逆。咯血。胸脅乳掣引而痛。不能轉側。

病因 燥氣為病。多起秋令。蓋金風飄拂。燥烈之氣大行。人感之則成病。或暑熱內伏。復感外邪而發。凡燥氣傷人。首先犯肺。次傳于胃。燥邪傷肺。故咳喘胸悶。甚則喘促咳逆。肺熱過重。肺絡破裂。血從氣管上溢。故咯血。肺藏受病。而波及附近之脅肋膺乳等處。故亦掣掣引作痛也。

治療 少商　魚際　尺澤　內庭　金津　玉液　合谷

治理 少商為肺之井。鍼之則泄肺之燥熱。而並治脅肋等處之痛。魚際尺澤合谷清泄肺熱。尤能止咯血。內庭清陽明之熱。金津玉液則能生津止渴。各穴相合。大有清燥熱潤肺止血之效用。

症狀

太溫

身熱。微惡寒。自汗或不惡寒。頭痛咳嗽。煩熱而渴或咽痛。或面頰腫。甚則神昏譫語舌黑蓋燥。脈浮數。

病因

立冬以後。立春以前所發之溫病。即名冬溫。夫冬月嚴寒。理應無溫病。良由氣候反常。應寒而反溫。其不正之氣。中於人而發也。或平素嗜食渴熱、之品，致内有蓄熱，兼感外邪而發溫。邪在肺，則肺失清肅，溫邪鬱結于肺，故咳嗽咽痛；溫邪上越則面浮頰腫；溫邪在胃，則口渴引飲；熱盛犯腦，則神昏譫語；津液枯涸，則舌黑齒乾。冬溫見此，則為危篤之候，頗難調治，亟宜清熱、養津，幾可挽救。

治療 魚際 合谷 液門 內庭 復溜 神門 間使

治理 魚際、合谷清泄肺中溫邪，液門清熱而能消咽腫，復溜清熱而生津液，內庭則泄胃中之熱邪。如神昏譫語者，則鍼神門、間使以清之。若舌黑齒乾。速宜刺金津玉液。以復津液。不然。鮮不僨事也。

濕溫

症狀 初起微惡寒。繼則發熱。飲食少思。午前較輕。午後則劇。身痛頭重。脘腹胸脇痞滿。小便短赤。面色垢濁。渴不多飲。神志模糊。甚則言語譫妄。舌苔白厚膩垢濁。口糊。兩脈濡細或濡數。

病因 濕溫病多患于長夏秋初之時。蓋此時既多暑熱。每多淫雨。暑熱與雨濕交蒸。化生濕熱之邪。人感觸之輒病濕溫。或飲食厚味。腸胃吸收作用減退。因而生濕。複感外邪而成。夫濕溫之邪侵襲人身。則汗液停蓄而起鬱血。故初起有微惡寒。及身痛頭重等症。惟不若傷寒之惡寒。重也。濕熱之邪與體溫相鬱蒸。故繼則蒸蒸發熱。熱度有時而升降。有時減輕。有時加劇。濕熱留于腸胃。運化失職。故不思飲食。胃中之飲食腐敗發酵。故脘腹脹滿。津液停滯而為痰濁。積貯于肺。故胸脇不舒。凡腸胃之病。舌苔必厚。以其熱濁之熱上蒸也。故濕溫之舌苔亦厚臟。若舌質紅絳無苔。則為津液大傷。熱毒亢盛之症。濕溫見此。勢難樂觀。若神志模糊。言語譫妄者。則為熱毒犯腦。所屬重候。然有濕溫初起。即模糊譫語者。則為濕痰蒙蔽神經使然。與盛熱犯腦之症。不可一例觀也。

治療 間使　太淵　期門　章門　中脘　大椎　曲池　合谷

治理 大椎曲池退身熱。太淵合谷宣泄肺中之熱而化痰濁。期門章門治胸脇痞滿。中脘促進腸胃之消化與吸收。使濕邪不致傳留。間使不但能清熱。且有治神昏之功用。故神昏譫語者。更不可不針也。

温瘧

症狀 先熱後寒。熱重寒微。或但熱不寒。口渴引飲。骨節煩疼。時嘔。病以時作。起伏似瘧。舌苔黃或絳。脉弦數。

病因 古人謂此症由于冬時感受風之邪。潛伏人身。至夏月因暑熱之引誘而發。實則即感受温熱之邪。而成温熱性之瘧疾也。故其症狀與普通瘧疾相類。惟其純屬熱邪。故但熱不寒。或發輕微之寒。不若普通瘧疾之惡寒戰慄也。若大口渴引飲。舌乾或絳等等。皆為熱邪傷津之徵。時嘔者。

則爲熱邪犯胃也。

治療 後谿 大椎 間使

治理 大椎爲手足三陽之會。功能泄熱。後能除寒熱。間使後谿亦爲退熱之要穴。三穴合用則能清泄温熱之邪。且適治一切瘧疾頗具偉效。但治普通瘧疾。多加艾灸用于寒症。則單針以泄熱。不可灸也。

温疫

症狀 發熱惡寒。口渴心煩。頭暈咽痛。面色赤。舌上隱起紅點。胸悶身倦。甚則神昏譫語。舌黑唇焦。咽喉潰爛。爲流行性之温病。且為溫熱病中危亟之症也。

病因 疫。屬氣也。屬氣之結。或由天地之造成。或由人事之感搆。其發也每多各鄉各鎮。沿門闔户。相繼而發。病狀相同。如役使然。故稱疫病。溫疫者。乃溫熱性之疫病。其中于人也。由口鼻而入心肺。熱毒鴟張。血液沸騰。故初起即現發熱口渴心煩咽腫等症。變化迅速。若不亟治。津液枯燥。則舌黑唇焦。咽喉腫爛。神昏譫語等症。相繼而來。可危孰甚。

治療 十二井穴 十宣穴 俱刺出血。 大椎 合谷 神門 內關 尺澤

治理　十二井穴與十宣穴刺出血者。所以泄血分中之熱毒。以防其內陷也。大椎曲池合谷所以退身熱也。神門內關尺澤取其能清心肺之熱。而療神昏譫語也。

附白㾦

白㾦一症。每多發於濕溫病中。伏暑春溫冬溫等症間或有之。然不多見。蓋濕溫之邪。侵襲人身。最為纏綿難愈。故古人有濕為黏膩之邪。不易速療之說也。遷延日久。則因撤汗頻濡。皮膚鬆浮。若一經大汗。則汗孔之皮膚內含汗液。鼓起而為白㾦。色如晶瑩。小粒如粟。捫之纍纍。汗多㾦密。汗少㾦疏。無論其為多為少。皆為病邪欲解之佳象也。毋庸調治。兼有他症未罷者。則治他症。不須顧慮白㾦。茲特述其症狀。以為臨症時之參考也。

附瘢

瘢症多見于温毒温疫暑温等症中。良由熱盛或誤治而成。温熱之邪。混伏血液。血液不潔。得熱而沸騰。藉肌表以為透發之地。於是乎瘢點現焉。色鮮紅。有跡無形。多發于胸腹肢體。為熱毒之微者。若色紫者熱毒更盛也。若色黑。則為熱毒不治之症。古人謂瘢黑胃爛者是也。治瘢之法。則惟清泄血熱為不二法門。取穴宜委中尺澤十井穴等。均刺出血。庶乎血中之熱毒減而瘢亦退也。

第三節 暑病

暑為六氣之一。內經謂之暑。傷寒與金匱則謂之暍。暑為陽邪。熱病居多。夏至以先。天來大熱。故經以先夏至日為病溫。後夏至日為病暑。識以炎帝當令。天暑炎炎。熱氣蒸蒸。人感觸之。則成暑病。然則富貴之家。避暑于深堂水閣。濃樹深陰。似可不生暑病。殊不知大扇風車。任情恍性。過嗜陰涼。此所謂靜而得之者。為陰暑。貧賤之軀。則難避暑熱。日之時。農夫田野。經商長途。奔走勞役。不辭辛苦。暑病固所難免。此所謂動而得之者。為陽暑。他如口腹之不節。恣食生冷。或起居失調。夜臥當風。此皆暑病之起因也。考古人之言暑。又有中暑暑厥伏暑等稱。茲分論之。

中暑

症狀 身熱。或微惡寒。汗出而喘。煩渴多言。倦怠少氣。面垢齒燥。脈芤。兼風則發熱惡寒。身體疼重。兼濕則身熱疼痛胸悶頭重。

病因 夏月炎帝司令。暑熱高懸。爍石流金。吾人感之。輒成中暑。多由太陽而入陽明。其應。故初起時。或間太陽表症之惡寒。隨即轉陽明而發熱也。夫暑為熱邪。最易耗氣傷津氣。耗則倦怠。以氣津傷。故口渴齒燥。津氣兩傷。血管空虛。故脈芤兼風者。名暑風。風束於表。體溫不能外達。故惡寒較甚。兼濕者。名暑濕。濕邪內阻。氣機呆滯。故胸悶頭重也。

治療 少澤 合谷 曲池 內庭 行間

治理 少澤合谷泄暑熱、而定喘。曲池退身熱。內庭清陽明之熱、。行間清熱而養津液。兼風者加入風門以驅風。兼濕者。加鍼中脘、三里以化濕。

暑厥

症狀 四肢厥、逆。面垢齒燥。二便不通。神志昏迷。脈滑而數。舌光紅。或一厥而熱。便得汗解。或再三厥而熱。但頭汗者。此熱深厥亦深也。

病因 暑穢鬱蒸。人感觸之。則成暑厥。蓋暑屬熱邪。兼挾穢氣。直入人身内部。則氣血内亂。以事救急不能達于四支。故四肢厥逆。腸胃之蠕動力。與腎臟之分泌機能。受病邪之影響。失司其職。故二便不通。暑熱犯腦。則神志昏迷。若得汗出。則病邪由外透發。氣血外達。故四肢亦得不厥。若再三厥而熱者。則内熱深重故也。

治療 人中 關冲 少商 氣海 百會

治理 百會人中能治卒中急邪。不省人事。故本症用之。以治神志昏迷。關冲瀉三焦之暑熱。少商泄肺中之熱。氣海通調下焦之氣化。氣化行則二便自利也。

伏暑

症狀 發熱頭痛。脘悶。漸至唇燥齒乾。內熱煩渴。舌白或黃膩。或如霍亂吐瀉。或腹痛下痢。或寒熱似瘧。亦有暑毒深入熱結在裏。譫語煩渴。不欲近衣。小便赤濇。

病因 先受暑邪。潛伏于裏。繼為風寒所閉。不能外發。或秋或冬久而始病。有謂曝書曝衣。暑氣未消。隨即收藏。至秋冬近之而發。則近乎附會矣。伏暑亦為伏氣。其理可于溫熱門申言之，謂中暑熱雖著為熱邪，直內而發，故內熱煩渴，漸則津傷而成痿癱痙攣等症。如暑熱而夾濕者，阻滯腸胃，腸胃失運化之權，故如霍亂吐瀉，或為下痢；夾風者，則暑風相搏，故寒熱如瘧；若暑熱結于腸胃，則大便不行，小便短赤，其症狀病理與傷寒陽明府實症同，譫語煩渴，不欲近衣等症，皆為熱盛之徵也。

治療 湧泉 少澤 會陰 曲池 絕骨 行間 大椎 吐瀉，如霍亂者，照熱霍亂條鍼治之；寒熱如瘧者，照溫瘧條鍼治之；熱結在裏，大便不行者，從陽明府實條針治之。

治理　湧泉少澤。清暑熱而生津。合谷曲池。泄內熱而止煩渴。大椎逐身熱。行間絕骨。亦能清熱生津。而為各穴之佐使也。

第四節　霍亂

四時皆能生病。而夏秋為尤多。百病均可傷人。而霍亂為最烈。發多倉卒。變在須臾。治或差誤。禍發莫及。考古書之記載者甚多。內經有霍亂論。傷寒論有霍亂篇。後世諸子百家。頗多言及。可謂詳且備矣。按霍亂為腸胃病也。良由飲食不節。起居不時。穢濁雜邪。傷其正氣。擾亂中焦。腸胃之升降失調。揮霍撩亂而成此症。故有霍亂之名。金元諸大家。則有乾霍亂濕霍亂之分。有清王孟英氏。

復劉熱霍亂寒霍亂之說。茲申述之。

附寒熱霍亂之辨别法

霍亂之症有屬于寒有屬于熱。患之輕者。正氣未傷。邪未深入。神識尚清。不難因症辨别。患之重者。瘀毒深入。則脈伏音啞。舌蓋溷濁。揚手擲足。煩躁喜飲。肢體厥冷。吐瀉並作。目眶低陷。汗出如雨。寒症有此症象。熱症亦有此症象。若非于類似中而辨其寒熱。則毫厘千里。生死立判。可不危哉。如同是聲啞。屬熱者則氣粗語數。或其言語有壯厲之氣。屬寒則語遲氣微。有懶語呻吟之態。同是擲手擲足。屬熱者則坦腹仰卧。兩足排開。手不近身。惡近衣被。

轉側便利。屬寒者。則無多踡臥。膝腿偎依。手或按腹臂或附臁。喜近衣被。身體重着。同是舌苔滑潤。屬寒者則浮白而腐。屬熱者則糙而纖黃或舌底尖邊現絳色。同是煩燥欲飲。屬熱則喜飲冷。飲熱則胸中似梗。入口即吐。飲冷則胸膈頗暢。嘔亦遲慢。屬寒則喜飲熱。飲冷則胸格似痛。作嘔大吐。飲熱則胸中暢適而不作嘔。同是吐瀉。屬熱者。則腹痛必痛多拒按。所出之物。酸穢異常。而出勢迅速。屬寒則腹痛喜按。所出之物。不甚穢臭。而出勢亦稍緩。寒熱之辨。大畧如此。

寒霍亂

症狀　腸胃絞痛。或吐或瀉。或吐瀉交作。四肢厥冷。肝出而冷。面唇色青。膚枯螺癟。瀉喜熱飲。甚則目陷轉筋。兩目失神。音啞脈伏。舌白或黑而潤。

病因　恣食生冷之物品。飽受寒冷之風露。以致腸胃受寒而成。蓋腸胃司消化食物。分泌水液之職。若遇寒冷之侵襲。則不消化。不分泌。致成上吐下瀉之霍亂病。若但吐不瀉。則病灶偏于胃。若但瀉不吐。則病灶偏于腸。四肢厥冷者。寒邪在內。體溫降低。不能充達于四肢也。汗出而冷者。表部神經失括約機能。水分由汗線而排泄。所謂陽虛則自汗也。水分由汗吐下三者之消失。無以滋潤各組織。毛細管乾枯。故膚枯螺癟。眼球筋乾枯收縮。故目陷失神。聲帶缺乏津液之滋潤。故聲啞。轉筋者。肌肉痙攣而筋絡抽痛也。渴者亦水分消失之故。然為寒邪。故喜熱飲。脈伏者。水分消失過多。血液濃厚。血行障礙。故脈停止也。

治療

神闕灸　中脘　合谷　太冲　委中　以上俱針

吐者加針　內關　內庭　足三里　瀉者加灸　天樞

章門　陰陵　崑崙

轉筋　加鍼　承山　絕骨　太冲

治理　灸神闕能除胃腸之寒。而振陽氣。中脘促進胃腸消化。與分泌機能。益胃氣而散寒邪。合谷疏腸胃之氣。而調理中宮。委中太冲取其能清血也。吐則加針内關。取其能宣泄胸膈之氣。足三里引胃氣下行使不上逆。且有升清降濁之功。内庭泄腸胃之穢濁。瀉則加灸天樞章門。取其能除胃腸之寒也。陰陵泉崑崙去脾胃之濕。而治瀉泄也。

熱霍亂

症狀　發熱煩渴。氣喘胸悶。上吐下瀉。螺癟。支冷。燥渴不安。神識昏迷。頭痛腹痛。舌黃糙。或紅。脈沉。或伏。或代。

病因

本症原因。多由飲食雜進。腸胃運化失職。食物停滯于中。醞釀腐敗。更受外界之暑熱。清濁混淆。亂于腸胃而成。或體質懦弱。抵抗力衰弱。因受他人傳染而成。其見症與寒霍亂相似。已辨別于前。其所以發現種種症狀者。亦無非大吐大瀉。水分消失所致。惟其因于暑熱。故治法當用清泄。與寒霍亂不同也。若至目陷螺癟。顴汗肢冷。脈伏等症。則為至危之候。再進一層。則全身厥冷而死。故見以上各症。不分寒熱。皆為吐下後。內藏衰弱。陽氣欲脫之候。急當灸其神闕。以復其陽。庶可挽救。其灸法。先將食鹽填滿臍孔。再將艾團置臍孔上灸之。以肢温汗止脈起為度。

治療 少商 關冲 委中刺出血 合谷 大都 曲池 陰陵 中脘 絕骨。素髎 承山

治理 少商 關冲 委中三穴刺出血。清血中之熱毒也。合谷大都曲池。清太陰陽明之熱。陰陵分利小便而清暑熱。中脘通調腸胃之氣。且能治腹痛。素髎穴善治霍亂。其理殊難究。測絕骨承山。能清熱。復為治轉筋之特效穴。

乾霍亂

症狀 腹中絞痛。欲吐不得吐。欲瀉不得瀉。爪甲青紫。煩燥不安。

甚則四肢厥冷。舌黃或白。脈多沉伏。

病因 暑熱穢濁之氣交蒸。蒙閉中焦。邪蘊于胃。縱橫肆虐。賁門幽門因受刺激而閉鎖。故欲吐不得。欲瀉不能。而腹中絞痛煩燥不安之症狀見。是較之吐瀉之濕霍亂其危益甚。因病毒深入血分。血液中含毒素。血不清潔。故變其正常之色。或青。或紫。氣機失宣。血行瘀滯。故脈沉伏而四肢厥冷。此症俗名絞腸痧。若不亟治。必脹滿而死。

治療 人中 少商 十宣灸 委中刺出血 合谷 曲池

素髎 太冲 內庭 中脘 間使

治理　此症在藥物治療上。大多採用吐法。頗有效驗。蓋緣吐可以宣泄氣機也。若針灸治療。則但取人中少商十宣委中等穴刺出血。可以泄腸胃暑熱穢濁之氣。而清血中之毒。取合谷曲池中脘內庭。冀泄腸胃之氣結。而泄暑熱之邪。間使絕骨等穴佐使各穴清暑熱解穢濁者也。

第五節　中風

中風症。素問為厥。巔疾。亦曰大厥。其原文曰。血之與氣。交并于上。則為大厥。厥則暴死。氣復反則生。不反則死。又曰。厥成為巔疾。且漢時張仲景。始有中風之名。更有中經絡。中血脈。中藏府之別。以分病之深淺。後世諸家。復有內風外風真中類中之分。外感風邪之中于人而病者。為外風。為真中。肝風內動。非中外風而成者。則為內風。為類中。于是乎。諸子百家。有言中風盡屬外風者。有言屬內風者。亦有言北方多真中風。南方多類中風者。其論病理也。有言痰者。有言氣者。有言火者。言說多端。實難枚舉。雖各有見地。未免使後學有莫誰適從之慨。茲據西學解剖所得。方知此病屬于腦。謂係腦充血。或貧血。良以腦為神經之總樞。吾人之知覺與運動。全賴乎神經。若腦已起變化。則神經亦隨之。故有卒然昏仆不省人事。身足不用等等見症。然究內經命名厥巔疾者。頗有深義。

巔者。巔頂也。蓋謂巔頂之疾。雖未明言腦病。然已指腦之部位而言矣。但西學所言係腦病。乃不過由病者之檢驗而得其所以致腦病者。則又不能脫離古人所言內風外風也。茲據金匱之說分中經絡。中血脉。中藏府。復加類中。則為四條而言之。

中經絡

症狀 形寒發熱。身重疼痛。肌膚不仁。筋骨不用。頭痛項強角弓反張。病起于卒暴。而脈弦浮。舌苔薄白。

病因 風為陽邪。人身腠理不固者。則從皮毛而入經絡。刺激神經。神經受重大之刺激。直奔腦底。故卒然昏厥。同時全身之神經。均受其影響。如運動性神經失其功用。則筋骨不用。知覺性神經失其功用。則肌膚不仁。致于項強角弓反張者。內經則曰督脉為病脊強反張。考中醫之所謂督脉實即脊髓神經發源于腦由脊骨而下行。腦既受病。則影脊髓神經而發生緊張。或攣急。故項強或反張如角弓之狀。頭痛者。則因腦藏于頭故也。

治療　合谷　曲池　陽輔　陽陵　內庭　風府　肝俞

治理　合谷解寒熱而驅風。風府不特能驅風。而又直刺脊髓神經以治項強反張。肝主筋。筋會陽陵。故鍼肝俞陽陵。以治筋骨不用。陽輔為其佐使也。内經曰。中于面則下陽明。中于項。則下少陽。中于背則下太陽。天風之中人。三陽經絡當其衝。故所取各穴。多屬三陽經之穴。而内庭所以泄陽明也。

中血脈

症狀 口眼歪斜。或半身不遂。或手足拘攣。或左癱右瘓。脈弦或滑。舌白或紅。

病因 中風之較輕者。為中經絡。較重者為中血脈。最重者。為中藏府。古人立此名目。蓋所以別病邪之深淺也。然其病因病理。初無無致。本系之種種見症。亦屬神經爲病。蓋人身運動神經。分左右兩邊。散佈周身。若一邊神經爲病。則為半身不遂。之症。病于左者。名之曰癱。病于右者。名之曰瘓。所謂瘓癱者。實即半身不遂。不過辨別左右之名稱。

治療

口眼歪斜。　地倉　頰車　斜左者。鍼右。斜右者鍼左。或直接灸亦可。

半身不遂。　百會　合谷　曲池　肩髃　手三里　崑崙　絶骨　陽陵　足三里　肝俞

左癱右瘓。　治法同上

足拘攣或麻木　行間　坵墟　崑崙　陽輔　陽陵　足

三里

手拘攣或麻木　手三里　肩髃　曲池　曲澤　間使

後谿　合谷

治理

以上各條。皆根據其病灶而取穴。無甚深意。蓋病某部而鍼刺某部。如手部麻木拘攣。則于手部取穴治之。足部拘攣麻木。則於足部取穴治之。能直達病灶。而恢復神經之功用。故收效偉捷。喎口眼歪斜。斜左鍼右。斜右鍼左者。則因斜左者。右邊之神經弛緩也。故宜取右邊頰車地倉二穴。輕鍼刺輕度以刺激之。而使其恢復原狀。歪右者則反之。惟不宜鍼灸太過。不然。則反向鍼灸之一邊歪斜矣。

中臟腑

症狀

口噤不開。痰涎上壅。喉中雷鳴。不省人事。四支癱瘓。不知疼痛。言語蹇澀。便溺不覺。嘘或有或無。

病因

此為中風之重症。多由其人飲食不節。起居失宜。或奉養過厚。及有酒煙等嗜好。以致生痰生濕。體氣不充。或體胖之人形豐質脆。每多痰濕。外邪乘虛直入臟腑經絡。夾固有之痰濕。上冲于腦。故卒然昏仆。不省人事。喉間痰聲漉漉。有若雷鳴。便溺不覺。乃因膀胱括約筋弛緩。以致尿自遺出此為中風不良之現象。言語蹇澀。乃舌部神經痙攣。舌根強直掉動不靈之故也。四肢癱瘓。不知疼痛。亦神經失去功用也。

治療

口噤不開　頰車灸百會灸人中灸

痰涎上壅　關元灸十數壯或氣海灸十數壯百會灸三數十壯

四肢不遂不知疼痛　神道灸百壯至二三百壯

言語蹇澀　啞門針　關沖針

治理

百會為中風之要穴。蓋中風為腦病。百會位居腦部。直達病所。頗有特效。人中則于昏厥時刺之。立能清醒故亦為中風之要穴口噤不開者原屬上下牀骨相接處之筋拘攣。適當頰車之部位。故頰車灸之有特效。痰涎上壅原屬下元虧損。故直灸氣海關元。以固元氣而引痰濁下行。啞門部位附近舌本。故能治舌强不語。神道關冲為啞門之佐使。而能治言語蹇澀也。

類中風

症狀 舌瘖神昏痰壅氣逆。口開目合。髮直頭搖。脈沉或伏。

病因 此症非由風邪外襲。多由腎虛多慾之人。陰分太衰。不能涵陽。以致肝陽暴發。氣血上升。痰濁壅滯。驟然昏仆。以其形似中風。故曰類中風。口開目合。髮直頭搖。乃肝風內動元氣欲脫之勢。近今所謂神經之發虛性之興奮也。中風見此皆為難治。若老人精神虛竭。心臟衰弱。驟然厥脫而成類中者。則非鍼藥所能挽救矣。

治療

按照中藏府條施治。然亦十中難救一二。

附中風之預兆及不治症

凡陰虛陽旺。或形豐質弱之人。易患中風。如其人覺坐卧不安。或頭痛眩暈。或噁心嘔吐。或怔忡手振。或口苦舌乾。或便秘溺赤。或四支麻木。乃中風之預兆。亟宜從事預防。若病發時而見瞳孔放

四十三

大。面色皖白。口噤遺尿。目停口開。汗出清冷。痰聲如鋸等症。蕙見

一二。均屬不治。

第六節 驚風

驚風之名。創于金元。實即金匱之痙病也。蓋因小兒卒受驚恐。易成痙病。故名曰驚風。然其原因頗多。有因外感風邪者。有因内傷飲食者。若夫受驚而成。僅其一種耳。驚風之中。復有急慢之别。急驚多屬外感實邪。慢驚則屬内傷虛症。發作時症狀略似。而虛實懸殊。治法迥異。苟非明辨。誤人多矣。

急驚風

症狀　身熱。面紅。煩哭。手足抽搐不定。口中氣熱。喉有痰聲。大便燥結。小便黄赤。脈弦滑數。舌苔黄或糙。鼻樑筋現青紫。虎口脈紋紅紫。甚則竄視。口噤。角弓反張。不哭。脈伏。

病因　本症屬腦神經病。其原因頗多。約言之可分三種。一為外感。小兒肌肉之組織不堅。外衛不固。故易受外邪。因而發熱。小兒之神經柔嫩。熱度稍高。則起强度之興奮。而成抽搐反張等症。且小兒有疾。不能自述其病苦。故古人有啞科之稱。醫者不加細察。每易誤治。如外感風寒。久而不解。勢必化熱。或誤用辛熱之劑。則內熱熾盛。而影響于神經。

此古人所謂熱盛生風。風生則痰動。熱痰客于胸膈間。風火相搏。故抽搐痰動者是也。二為飲食內傷。王孟英小兒之疾熱與痰二端而已。蓋純陽之體。日擁懷中。衣服加溫。又襁褓之類。皆用火烘。內外俱熱。熱盛生風。火風相煽。乳食不歇。則必生痰。痰得火煉。則堅如膠漆。而乳仍不斷。則新舊之痰日積。必致痰滿喉哭。又強之食乳。以止其哭。從此胸高氣塞。目瞪手搐。以成驚風。三為受驚。小兒心氣未足。若耳聞異聲。如雷霆巨聲。或目驚異物。頓生驚恐。以其臟腑未實。神經易致緊張。故成抽搐反張等症。此皆急驚

之原因也

治療　少商　曲池　人中　大椎　湧泉　中脘　委中　微刺

治理　驚風之原因雖多。然總不外乎停痰、宿食、鬱熱三者。其所謂各症亦無非神經起變化。故鍼少商曲池以清熱。大椎清熱而鎮靜神經。以治角弓反張。委中湧泉清熱而能引熱下行。使不致于抽搐。中脘泄化痰食而泄府熱。因小兒身體短小。故宜微刺之。

慢驚風

症狀　面色淡白。山根露筋。神昏氣促。四肢抽搐。或清冷。或倦怠

病因

少神。口吐沫。目直視。小便清長。大便溏薄。或完谷不化。惡寒潮熱。喉中痰響。脈虛細。舌淡白。

錢仲陽曰。小兒慢驚因病後或吐瀉。或藥餌傷損脾胃。肢體逆冷。口鼻氣微。足逆冷。昏睡露睛。此脾虛生風無陽之症也。因吐瀉脾肺俱虛。肝木所乘。或急驚屢用瀉熱。則脾損陽消。遂成慢驚。錢氏為兒科聖手。其學說頗可取法。蓋吐瀉與病後及藥餌損傷三者。皆能使脾胃虛弱。則化力呆滯。飲食減少。化生之津液不足以營養全身。于是乎血管中之養料缺乏。而成貧血症。故病兒面色㿠白。山根露節。胃腸臟因少血而衰弱。故脾急少神。脈緩而細弱。大便滑瀉。飲乳見谷不化者。皆因脾胃虛弱。不消化不吸收之故也。神經因缺乏營養。而發虛性之興奮。故四肢抽搐振動。然其為虛性之興奮。故不若急驚之劇烈也。

治療

大椎　天樞　關元　神闕　各穴均灸

治理

大椎為治驚風之要穴。取其能鎮靜神經也。灸天樞關元溫補腸胃之虛寒。而助運化。以治泄瀉。灸神闕所以振陽氣而強心。此穴為治慢驚之妙穴。每見危重之慢驚症。氣微欲脫之時。單灸此穴而得甦者。舍此而外。別無良圖也。

第七節　痙厥

痙

症狀

初起惡風發熱。頭痛項強。或嗆咳。或小便頻數。或嘔噁胸悶。舌白滑。或膩。脈浮而急數。稍甚則項脊強痛。身體反張。臥不著席。頭汗便溏。神昏譫語。欲起不得起。欲臥不得臥。舌苔或黃或絳。再甚則角弓反張。手足抽掣。少腹結塊。大便堅實。口噤目赤。金匱云。太陽病發熱無汗。反惡寒者。名曰剛痙。發熱汗出而不惡寒者。名曰柔痙。此言其初起之痙象也。又曰。病者身熱足寒。頸項強。惡寒。時熱。面赤目赤。

獨頭動搖。卒口噤。背反張者。痙病也。此痙病之本證也。又曰噤病。病胸滿口噤。臥不着席。腳拘攣。必齘齒。此痙病之已甚也。痙病症狀不外乎此。

病因

痙者頸項強直之義也。凡病而見頸項強直者。皆得以痙名之。故其原因頗多。有因外感而成者。如傷風而發熱重複感寒而致痙。而內經所謂諸病項強。皆屬于風者此也。如感風濕之邪而致痙者。經所謂諸痙項強。皆屬于濕是也。金匱云發汗多因致痙。又曰風病下之則痙。又曰瘡家不可發汗。汗出則痙。又曰太陽發汗太過因致痙。此為誤汗誤下以致痙。其他更有瘋犬痙、風痙、痧痙。妊娠痙。產後痙。種種。名目繁多。不勝枚舉。然總括之。則不外乎兩類。一為感受外部而成。一為諸病誤治而得。其所以發現種種症狀者。則又不外乎腦。內經曰。督脈為病。脊强及折。夫督脈即人身之脊髓神經。是痙病屬腦之明證也。故西醫名之為腦脊髓膜炎。蓋其以局部病狀而取名也。外感之邪卒入人身體質孱弱者。抵抗力衰弱。神經不勝其刺激。發生痙攣。起强直之狀態。故或角弓反張。臥不着席。此外感成痙者也。若諸病誤治。如誤汗誤下。或過汗。以致津液虧損神經失所營養，或誤治而致內熱大盛，神經錯亂，故為抽掣瘈瘲，神昏譫語，古人所謂熱盛生風者此也。他如熱實發熱，頭痛連腦，喘咳等症，則為痙病之前驅期，若能亟行醫治，則可免于成痙也。

治療

少商出血　曲池　人中　中脘　委中　湧泉　合谷

風府　風門　大椎　身柱　至陽　命門　肝俞

膈俞　百會　前驅期　百會　風府　風門　合谷

肺俞

治理

少商為肺之井穴，外感之邪，從口鼻入，必先傷肺，故刺之以宣肺氣解外邪。曲池清熱而止抽掣。人中合谷開口噤而清神昏。委中清熱而止項脊強直。中脘清府熱而下燥結。湧泉引熱下行。使不犯腦。他如百會大椎等穴。則直刺病灶之局部。其功效較他穴為尤着。痙病之原因雖多。其為腦神經病則一。症狀亦相類。故但立一法。足以通治之。如其見症略有不同者。是又貴乎醫者臨症時隨機應變耳。痙病然。他病亦然也。

厥

厥症有二。四逆謂之厥。忽然暈仆不省人事。亦謂之厥。故張介賓曰。厥症起于足者。厥發之始也。甚至卒倒暴厥。忽不知人。輕則漸蘇。重則即死。最為急候。後世不知詳察。但以手足寒熱為厥。又以腳氣為厥。謬之甚也。雖仲景有寒厥熱厥之分。亦以手足為限。蓋彼自辨傷寒之寒熱耳。非內經之所謂厥也。張氏之言。蓋亦分厥為四逆暈厥二種。四逆之厥。有寒厥熱厥。暈厥之症則有痰厥食厥氣厥等等之不同也。

痰厥

症狀　殭仆卒倒。面白神昏。目閉不語。口吐涎沫。四肢厥冷。脈多沉滑。

病因　此症多由其人素多痰濁。然痰多亦不致遂成暈厥。良由痰多之人。體質之不堅實可知。易招外界之感觸。如六淫之侵。七情暴發。而引動其固有之痰濁。蒙蔽腦經。故有昏仆卒倒之種種危象。是以痰厥一症。主因在痰。然必有其他感觸為其誘因也。

治療　中脘　豐隆　合谷　針　靈台　灸

治理　痰濁之生。多由于脾胃不運化。以致津液停留而成。中脘能斡旋中州。使津液不致停留。以絕痰濁之來源。此為根本療法也。豐隆為泄降痰濁之猛將。合谷醒神昏。古人以痰厥為痰迷心竅。故灸鳩尾以散心肺中之痰濁。

食厥

症狀

面黃噯氣。發熱口渴。時時痙厥。昏不能言。手不能舉。胃脘高起。脈多滑。

病因

此症多由醉飽多度。或感風寒。或著體怒而成。古人所謂胃氣不行。陰陽痞膈。升降不通而成暈厥者也。尤多見于小兒。良以小兒脾胃不強。消化力弱。易于食傷。痰滯鬱于中焦。化為濁痰。挾發熱。口渴。胃脘高起。胃中熱濕之氣薰蒸神經。興奮太過。而發生痙厥等症。

治療　中脘　足三里　内庭　中衝

治理　食厥之起。原屬食滯。故鍼中脘足三里。助脾胃之消化。而去食滯。因食滯而發熱。屬陽明經。故鍼陽明經之滎穴内庭。以退身熱。刺中衝以醒昏厥。並能于胃脘部按摩數百轉。則其效益佳。

氣厥

症狀　面色晄白。氣促不語。神志雖清。而不能自主。卒然暈倒。四肢厥冷。口出冷氣。

病因　此症多由氣量狹窄之人。中懷悒鬱。對情志不宣。氣機鬱塞而成。或大怒大恐大驚過悲等等而發。蓋因情太過。神經受重大之刺激。而起變化。故輕者神志恍惚。不能自主。重者則卒倒神昏等危候見矣。

治療 膻中　建里　內關　氣海

治理 氣會膻中。故鍼膻中以調氣。氣海能治一切氣病。勝玉歌曰。諸般氣症從何治。氣海鍼之灸亦宜。故二穴為治氣厥之要穴也。建里內關。能宣泄胸中鬱結。蓋氣厥者莫不感胸若悶也。

寒厥

症狀　手足逆冷。身寒面赤。爪甲冰而青紫。不渴而吐。下利清谷。腹痛或不痛。脈沉遲細。舌苔淡白。

病因　此條與下條之厥。乃四肢逆。非昏厥也。本症之原因。多由寒邪内盛。體溫降低。致身手足清冷。腸胃受寒。故吐下兼見。古人所謂陰盛陽虛者是也。

治療　神闕　氣海　關元　俱灸。

治理　灸神闕氣海關元三穴。以復陽氣。陽氣充則陰寒自除。而手足亦溫。奚且三穴均在腹部。能直驅腸胃之寒邪。而恢復其機能。斯吐下亦止。

熱厥

症狀 身熱手足厥逆。煩渴昏冒不省人事。譫語自汗溺赤脉數或伏舌紅而乾。

病因 本症由于熱邪內盛。故煩而渴。熱邪犯腦。故神昏不省人事。津液為熱邪之蒸迫。故自汗。津液大傷。故舌紅而乾。手足厥逆。皆熱盛之徵也。此所謂陽盛陰衰者是也。

治療 行間 湧泉 復溜 曲池 合谷

治理 熱厥為熱邪內盛。故鍼厥陰之榮穴行間以泄之。湧泉復溜清熱而生津。曲池合谷退身熱。而醒神昏。熱退津復。手足自溫諸恙亦解。

第八節 癲狂

癲之與狂。皆為神經錯亂之病。古來醫籍多分二症。良由狂則舉動剛暴。癲則不若狂之躁亂也。故有陰癲陽狂之稱。究二症之原因。古人則謂怒動肝火。痰迷心竅而發癲狂。惟近今之說者。則謂二者症狀雖有差異。皆為腦神經病也。其所以為癲為狂者。則因腦神經受病邪之刺激。人身之正氣足者。反應力強。故其現象亦劇暴。則為狂症。反之。則正氣弱者。則反應力亦弱。故其現象亦柔和。此為癲症。觀測之。則狂病重而癲病輕。實則癲病更深于狂也。

故狂病發為易瘳。癲病則難醫治。且有狂病不愈。久則成癲。可見癲者為狂病更進一步也。

狂

症狀 喜怒無常。歌哭無時。妄言妄罵。自高自尊。少卧不飢。兩脈多洪大。甚則登高而歌。棄衣而走。踰牆上屋。

病因 經曰狂始生。先自悲也。喜忘多怒善恐者。得之憂饑。狂始發。少卧不飢。自高賢也。自辯智也。自尊貴也。善罵詈日夜無休。狂言善驚。善笑好歌樂得之大恐。又曰多食。善見鬼神。善笑而不發于外者。得之有所大喜。由此以觀則癲狂皆由七情過度而成。蓋七情太過。腦神經受重大之刺激。因而錯亂。以致發生喜怒不常。歌哭無時。行動乖妄。種種無意識之舉動。此外更有傷寒陽明熱盛發狂。即因胃熱發狂也。胃熱何以發狂。良由胃中有迷走神經。若胃熱過盛。則能直接影響于迷走神經。由迷走神經傳遞于腦。而致發狂。惟胃熱發狂。則多一發即止。且不若癲狂之狂症。難治而易于再發也。

治療

十三鬼穴

傷寒陽明熱盛發狂　曲池　大椎　絕骨　湧泉　期門

治理 十三鬼穴即人中、少商、隱白、大陵、申脈、風府、頰車、承漿、勞宮、上星、男子會陰、女子玉門竅、曲池、舌中縫、間使、後谿。針之頗有效驗。其理由殊難解釋。若因胃熱發狂，故鍼曲池以清陽明之熱，大椎退身熱，湧泉清內熱，行間期門泄氣血之熱。而鎮靜神經。

癲

症狀 或笑或歌或悲或泣，語言顛倒，穢潔不知，精神恍惚，食不知飽，飢不知食，好靜多睡，如醉如痴，經年不痊。

病因 此症亦由用情太過，中懷悒鬱，或所希不遂，如貪名者求名。好利者圖利。或情場失意。或時勢迫逼。終則不能償其所願。中心鬱憤。久則耗液灼津。古人謂五志之火內燔。陰分虧損。以致肝木生風。而為癲疾。蓋人身之滋養料缺之。神經失所濡養。不能如常人靈動活潑。故如醉如癡。精神恍惚。甚者腦經錯亂。行動舉止。不能自主。故或喜或歌。或悲或泣。妄言妄動。古人謂之魂不守舍也。癲疾之由。由于情慾不遂。故治此症。首重心理。療護。宜先怡其耳目。暢其心志。解其所欲。然後如法施治。則事半而功倍矣。

治療

依照狂症針十三穴鬼穴。或加灸心俞三四壯至十壯

治理 癲狂之病理相同。故治法亦無異。本症之如灸心俞者。取其能振心陽而安神定志也。癲疾之起而未久者。針之頗效。已屢試之。惟久年痼疾。或發或愈。則根深蒂固。勢難為力矣。

癇

症狀 發時卒然昏仆。瘈瘲抽搐。目上視。口眼喎斜。口吐白沫。忽作五畜之鳴。昏不知人。移時即醒。或一日數發。或數日一發。

病因 癇症古人每與癲並稱。亦有謂癇即癲者。巢氏病源則謂十歲以上為癲。十歲以下為癇。金引徐嗣伯風眩論云。痰熱相感而動風。風火相亂則悶瞀。故謂之風眩。大人曰癲。小人則為癇。其實則一也。云云。惟癲疾則經年累月纏綿難愈。癇症則忽發忽醒。或一日數發。或數日一發。發則神昏。醒則動作如常。二者之病狀。毫不相同。是不能混合言之也。考癇疾之作。多起于病後虛怯。必腎陰虛。肝風胆火倏逆痰涎上壅而成。近賢王慎軒氏。則謂小兒癇疾。多係遺傳性。或由其父母嗜酒。或妊娠之時。其父母受精神之感動也。皆足為小兒癇病之素因也。先業師張山雷氏。嘗謂癇症之發。多由氣上不下。聚于巔頂。冲激腦經而成。唐宋以後。有五癇之分。曰羊癇、牛癇、馬癇、猪癇、鷄癇、等稱。蓋其以所作聲。及發作之形狀。稍有不同。而分別言之也。無甚意義。故不採取。

治療　大椎　間使　後谿　鳩尾　百會　神門　心俞　風府　豐隆　中脘

治理　豐隆泄降痰濁。中脘化痰而降氣。百會風府大椎直刺神經之總樞。而恢復其功用。間使後谿神門等穴。瀉心經之邪。為治神志病之要穴。鳩尾一穴。專治癇癲。且頗有效。其理殊難推測。殆因癲癇有關于心。而此穴附近于心故也。

第九節 瘧

經曰。夏傷于暑。秋為痎瘧。又曰。汗出遇風。及得之以冷浴。又曰。陽勝則熱。陰勝則寒。陰陽相搏而瘧以作。此內經之論瘧也。後世諸家亦多言之。然皆以風寒暑濕之邪。及痰食阻滯等等為瘧疾之原因而立。今之西醫學說。謂瘧疾之原因。係一種胞子微蟲。名麻拉利亞者。蕃殖于蚊體腸壁。並集合于蚊之唾腺。侵入人身血液內。而發生本症。故夏秋間小溪池沼之所。敗荷腐草之地。以及不清潔之水等處。蚊之蕃殖最盛。故瘧疾之發生。亦恆以此時為多。瘧菌侵入血液。新舊生滅。舊蟲滅而遺子。瘧止期也。子孵化而生新感瘧發期也。然嘗見殷實之家。有夏秋不受一蚊之嘬刺者。何以亦犯瘧疾乎。故專以瘧蚊概論一切瘧疾。似亦未盡然也。考中醫言瘧名目繁多。不勝枚舉。要不外乎寒熱之輕重。起發之遲早。而别其名稱。其主要者。則為寒瘧、熱瘧、間日瘧、瘧母四種。

熱瘧

症狀 熱多寒少。或但熱不寒。發時骨節煩疼。肌肉消爍。汗出頭痛如破。煩渴而嘔。脈弦數。舌苔黄膩。

病因 瘧疾雖四時皆有。而夏秋為多。良由夏秋則天之暑氣下。地之濕氣上。暑濕交蒸。醞釀。人感觸之。即成瘧疾。或貪涼而沐浴當風。发酸不出。饕餮而飽食鮮腥。胃積難消。凡此種種。皆瘧疾之主要原因也。致于所以成熱瘧者。則為感受暑熱之邪。古人謂暑邪內伏。陰氣先傷。陽氣獨發。故熱多寒少。或但熱不寒也。

治療　太谿　間使　陶道　後谿　俱針瀉

治理　陶道為治瘧疾之特效穴。太谿間使後谿清暑熱之邪。暑熱清則煩渴頭痛等症亦解。

寒瘧

症狀　發時多寒少熱。腰背頭項疼痛。始則戰慄鼓頷。繼乃發熱。

逾數時汗出。或不汗出而解。脉多弦滑。舌苔白。

病因 夏月乘凉沐浴。感受寒邪。伏于太陰。不能外出而與陽爭。故多寒少熱。北人謂為脾寒病者此也。以其屬寒邪。故發時多惡寒、少熱。或竟無熱。戰慄鼓頷者。惡寒重也。

治療 大椎　間使　復溜　陶道

治理 大椎陶道。屬于督脉。古人謂督脉主一身之陽氣。鍼之瀉之。則能退熱。補之灸之。則能除寒。故能治惡寒發熱之瘧疾。且據內經邪入風府循膂而下之說。則二穴正所以泄其邪也。惟瘧疾病灶。究在何處。尚無確定之論。二說雖可通。然終嫌無確實之証據。故大椎陶道二穴。何以能治瘧疾。其理殊難究測。而予治療上實有偉效。普通瘧疾。于未發前一二小時。或針或灸。未有不癒者。近賢王慎軒氏謂風府脊骨骶骨。皆是神經之要處。則瘧疾當屬神經系統之病。更引金匱瘧脈自弦之說。謂弦脈為脈管壁纖維神經拘急之脈象。又謂砒霜金雞納為瘧母之特效藥。皆有興奮神經之功用等說。以証明瘧疾屬神經系病之原理。然則大椎陶道等穴。亦為刺激神經之要處。與砒霜金雞納同一作用耶。惟王氏之說是否確實。則尤有可疑也。

間日瘧

症狀 寒熱往來。發有定時。頭痛胸悶納少。小溲渾黃。脈弦。隔一日作者。謂之間日瘧。隔二日或三日作者。謂之三陰瘧。

病因 中醫謂瘧邪伏于淺者。則日作。稍深則間日作。若深入三陰則間二三日一發。謂瘧邪從衛氣而出入。邪在淺而出入易。故日作。邪在深則出入難。故間日或二三日而作。故日作者病輕。間日者較重。二三日發者。則更重矣。西學則謂瘧菌侵入血球。生殖蕃息。待育蟲充滿。毀三種生長之期。各有不侔。故有一日瘧、間日瘧、三日瘧之別。西學之說原由檢驗而得。自不能謂其不確。惟中醫言邪氣之藏于淺深者。固未可非。嘗見病瘧者。初起大都日作。繼則間日治療。尚易。若久延不癒。則正氣日虧。乃成二三日一發之三陰瘧。調治頗難。此非病邪深淺之明証乎。

治療 與上同。惟宜每日針灸一次。連治三次。無不癒者。若三陰久瘧。則加灸脾俞。以久瘧則面黃。食減。故宜脾俞以益脾。

瘧母

症狀 面色無華。寒熱日作。或時作時止。或不作。以食痞悶有塊。結于右脇。硬痛。此症先由瘧而來。故瘧母脈弦細。舌苔淡黄。或光剝。

病因 金匱云。瘧疾一月不瘥。此為結癥瘕。名曰瘧母。後世諸家則謂瘧邪夾痰血瘀濕。結于脇下伏于肝經而成。實則脾臟腫大也。良由瘧疾發熱之時。脾臟先起充血。次則細胞增生。此時脾腫大。達平常之數倍。若延遷不治。則漸結漸固。觸挑硬化而成癥瘕。名曰瘧母。脾臟腫大。則消化力減退。故少食。瘧邪久留。血液日耗。赤血球減少。故面色無華彩也。

治療 章門針灸 脾俞針灸 有寒熱者。則加鍼灸大椎間使。

治理　臟會章門。故章門專主各臟之病。且其部位附近脾臟。鍼而灸之。能直達病灶。而散其血結。使其軟化。脾俞促進脾臟之運化。而補血液。此治痞母之良法也。

第十節　瀉利

內經曰。春傷於風。夏生飧泄。又曰。邪氣留連。則為洞泄。又謂濕勝則濡泄。此言泄瀉之病源也。又曰飲食不節。起居不時者。陰受之。又謂陰受之則入五臟。入五臟則䐜滿閉塞。下為飧泄。久為腸澼。此言痢之病因也。夫瀉與痢。皆腸胃病。或因外感而成。或由內傷飲食而成。古人早已言之。惟二者之症狀則不相同。瀉則大便時行而通利所下之物或為稀水澄澈清冷或稀黏粘糞或完穀不化有寒熱之分病者則大便時行所出不多裏急後重滯而難下故又名滯下而所出之物皆屬垢膩或作白色或赤色或赤白兼作故有白痢赤痢赤白痢之分且二症之治法亦大有別焉

症狀 腸鳴腹痛大便泄瀉所下之物澄澈清冷或完穀不化小便短少四肢厥冷體重無力脈多遲緩舌多白膩

病因 吾人飲食入胃則由腸胃消化之吸收而取其精華而排泄其糟粕比無病之人也若腸胃失司其職則泄瀉之病成矣夫寒瀉為腸胃受寒由寒邪自外侵襲或多食生冷

以使腸胃虛寒不能熟腐水穀腸壁之吸收管因受寒邪而鬆未吸收失常遂使水分逕流故或下稀水澄澈清冷或容穀不化水分多數由大便故小便短少更有五更泄瀉者晝則大便如常惟至五更天將明時則洞泄數次古人謂之腎泄良由腎司利尿之職腎陽衰微小便不利則水停腸中而泄瀉故曰腎泄柯韻伯曰夫雞鳴至平旦天之陰陰中之陽也因陽氣當至而不至虛邪得以留而不去故作瀉于黎明西醫則謂之腸癆謂此症有結核菌潛居腸內晝則消化力強該菌不得逞勢若五更時則人寐

已熟入身各臟腑中安穩腸中凝固之力亦衰敗漸萌的
歸其咎而為泄瀉也

治療 中脘 氣海 天樞 神闕 俱灸 腎泄加灸腎俞命門

治理 神闕中脘氣海天樞四穴均在腹部灸之能除腸胃之寒
邪而具溫中逐寒調氣止瀉之效腎泄則加灸命門腎俞
以溫補腎陽腎陽能則泄瀉癒矣

熱瀉

症狀 暴注下迫泄瀉黃糜或氣穢肛門灼熱口渴煩熱腹部疼痛
或嘔噁頻作小便短赤苔黃脈數

病因 寒濕傷臟受寒邪多食生冷而成熱瀉多由于暑熱鬱于腸胃故恒患于夏秋之時因腸壁之神經受熱邪之刺激而興奮蠕動亢進遂使水分長驅直下而為泄瀉熱邪鬱蒸腸胃中之谷食因而發酵腐敗故所下之物穢臭不堪而肛門亦覺灼熱腹部因之痛水分因泄瀉而消失故口渴更有泄瀉青色者則因于膽熱分泌胆汁過多故泄下青色之糞水而以小兒多見之

治療 太白 太谿 曲池 三里 陰陵泉 曲澤 胆熱泄青者加胆俞足臨泣陽陵泉

治理 古人治泄瀉屬脾盖脾臓而爲消化器官也故鍼太白以泄其熱曲池足三里以泄腸胃之熱邪曲澤太谿清暑熱而治煩熱口渴陰陵泉不特能清熱且有通利小便之功使水分與熱邪由小便而分利之服熱色青則鍼胆俞足臨泣陽陵以泄之

白痢

症狀 腹痛下痢青白粘膩欲行不暢舌淡苔白或膩脈沉或細

病因 痢疾多患于夏秋之間良由此時暑濕熱三氣盛行人感受之蘊于腸胃則成痢或多食生冷油膩及腐敗之物傳

留腸胃而成張景岳謂痢疾是夏熱貪涼過食生冷至大火西流新涼得氣則伏陰內動而為下痢蓋飲食失宜阻礙腸胃之消化因而積滯其中或暑濕之邪或生冷飲食之刺激而分泌多量之粘液或夾脂油而出故所下青白粘膩黏液膠滯腸中故欲行不暢肛門重墜此所謂氣滯不化也因其黏液不得暢行積滯不去故腹中作痛所謂痛則不通者是也

治療　合谷　關元　脾俞　天樞　因于暑濕者則鍼之　寒濕者則灸之

治理　合谷疏通大腸之氣滯肛門重墜者用之頗有效蓋古人

所謂調氣則後重自除也關元天樞亦所以調腸胃之氣化而宣積滯灸之可除寒濕之邪鍼之可泄暑熱之氣脾俞取其能醒脾快胃也

赤白痢

症狀 腹痛下痢裏急後重赤白相雜腥穢不堪肛門灼熱日數十行口渴舌紅苔紅膩脉弦數或滑

病因 古人謂溫熱蘊于陽明熱勝于濕傷陽明血分則為赤痢濕勝于熱傷陽明氣分則為白痢濕熱俱盛則氣血兩傷而為赤白痢夫濕熱之邪集于腸胃腸胃因之發炎炎處

滲出粘液甚則腸胃血管破裂故所下赤白兼作直腸發炎腫故後重裏雖急于欲便而肛門重墜不得暢行垢濁不能儘量排泄故日數十行若腸膜潰爛所下之物或如敗醬或如屋漏水如魚腦如猪肝者皆不治之症也

治療　小腸俞　中膂俞　足三里　合谷　外關　腹哀　復溜

治理　小腸　中膂二俞為治赤白痢之要穴蓋其部位附近直腸鍼之能直達病灶而泄濕熱之邪合谷足三里泄陽明之熱而疏通腸胃之氣腹哀治腹痛下痢以其部位近腸

胃也、内關被濁則清濁混淆爲下痢如魚腦敗醬者則因熱毒蘊結胃敗故不治

休息痢

症狀　下痢腹中微覺隱痛每感起居飲食失調或過勞而發作發作止經不癒面黃食少神倦乏疲

病因　此症多由痢疾調治失宜或失于通利或固濇太早以致餘邪逗留腸中若飲食調和起居失宜則腸胃之抵抗力强可以不發若飲食失調或稍似勞動則抵抗力衰減餘邪得以肆虐即發生下痢每月經年累月時發時癒如休

息然故名休息痢久痢則脾胃虛弱故食少而面黃也

治療 神闕 天樞 關元 小腸俞 脾俞 各穴俱灸

治理 久痢則脾虛故宜灸脾俞以益脾神闕天樞關元小腸俞四穴均所以調腸胃之氣而促進其消化機能以外更有百會一穴善治久痢蓋久痢則清陽之氣下陷灸百會則升下陷之清陽若與以上各穴同灸正與東垣之補中益氣法同一意義也

噤口痢

症狀 症悶嘔逆痢下不止心煩發熱飲食不下舌苔黃或燥脈

弦數。

病因　噤口者。飲食不下也。其症有二。有初起而噤口者有久痢而噤口者。夫飲食不進。則生化之源告匱。又復下利奪其津液則此症之危也可知。其初起即噤口者。則因暑濕與熱邪。蘊阻胃中。以致消化機能失職故飲食不下。嘔逆頻作。然此乃病毒犯胃。去其腐邪。則胃納漸甦。飲食自進。若久痢噤口不食。則為胃氣將絕之候。勢難藥救也。

治療　初起即噤口者依照赤白痢條針之。久痢噤口者依照休息痢條灸之。然多不救也。

第十一節 咳嗽

咳為有聲而無痰。嗽是有聲而有痰。二者雖有別，然多合言之。夫咳嗽肺病也。其原因多端。素問云。五藏六府皆令人咳。非獨肺也。蓋肺主一身之氣。為諸氣出入之道路。故咳嗽雖不盡屬肺。而必借道于肺以出之。夫咳嗽之發生。如風寒燥濕等邪之外襲。痰飲之阻滯等等。以致肺中有所積蓄。乃作咳嗽以排泄之。故咳嗽乃排泄肺中積蓄物之一種作用。非病態也。可知治咳嗽當驅除其積蓄物。而咳嗽自已也。尋常之咳嗽。不外風寒痰熱痰飲乾咳四種。茲分條言之于下。更有虛勞咳嗽。則列入虛損門中。

風寒咳嗽

症狀　形寒頭痛。或頭暈。鼻流清涕。咳吐痰濁。白膩而爽。或咳或嘔。或咳引胷下痛。或咳而喘滿。脈象浮滑。舌苔薄白或膩。

病因　此症由風寒自外襲入。傷及肺氣而成。古人謂肺之合皮毛。又謂肺主皮毛。蓋皮毛亦為呼吸器。肺時在翕張。皮毛之孔。亦時在翕張。以其微而不之覺也。若風寒束于肌表。毛孔閉塞。則肺氣不宣。故發生咳嗽喘滿等症。此為咳嗽症之最輕淺者。

治療　列缺　風府　肺俞　合谷　天突　兼嘔者加針太淵

經渠 兼喘者加針 三間 商陽 大都 兼咳引脅痛者再鍼 行間 期門

治理

本症由于風寒外束。治宜疏散表邪。故取合谷列缺風府解表而驅風寒也。佐天突以宣肺氣。咳嗽無不關于肺。故肺俞為治咳嗽之要穴。咳而嘔者。病仍屬肺。故取太淵列缺以止嘔。脅痛屬肝。故取行間期門二穴以泄之。且期門位居脅部。能直達病灶。故治脅痛之功效特佳。兼喘滿者。則取三間商陽大都泄肺氣而止喘。

痰熱咳嗽

症狀 身熱咳逆不暢。咯痰濃厚。口乾胸悶。舌紅苔黄。脉象浮數。

病因 此症多由風熱襲肺。肺中津液。為風熱之邪所爍。鍛煉成痰。積蓄于肺。而為咳嗽。厚膩之痰。黏滯肺管。故咳而不爽。胸悶者。痰濁阻滯也。口乾者。肺有熱也。

治療 經渠　尺澤　魚際　解谿　陶道　豐隆

治理 經渠為肺之經穴。能治咳逆。尺澤為肺之合穴。能泄熱。魚際退身熱。解谿豐隆泄痰熱。陶道疏散風熱之邪。各穴相合。則有疏表熱。化痰濁之功。故能治痰熱咳嗽也。

痰飲咳嗽

症狀 形寒嘔逆。每屆清晨或初更。則作咳甚劇。咯痰即膩。或稀薄白沫。胸悶。或脅痛。甚則不能平臥。或胸背之間一片作冷。舌多白膩。脈濡滑或沉濡而細。

病因 此症多由飲食生冷。或感受寒邪而發。古人所謂形寒飲冷則傷肺者是也。然必因平素脾陽不振。或老人元陽衰者。不能運化津液。以致停蓄為痰飲。每受外邪或生冷食物之引誘。則潰入肺絡。乃為咳嗽。清晨初更。則臟府安靜。脾胃運化之力益衰。故咳亦愈劇也。

治療 肺俞 膏肓 足三里 脾俞 俱灸

治理 肺俞膏肓位居背部。灸則直達肺臟。去其邪而化痰飲。灸脾俞所以振脾陽而助運化。灸足三里則降氣逆。若老人久年之痰飲咳嗽。每多下元虧損。則宜加灸氣海關元。以攝納下焦之氣。

乾咳嗽

病狀 咳而無痰。聲不連續。內熱口渴。甚則胸脇引痛。脈象多弦數。舌多絳無苔。

病因 此症多由感受外界之燥氣。尤多患于秋令。蓋秋時燥氣盛行。感觸之直入肺臟。肺失清肅而成。或多食辛熱。嗜好煙酒。致肺有鬱熱消爍肺液而成。際修圓。蓋肺為臟腑之華蓋。臟腑之火。不得水制。上刑肺金致肺燥乾咳。者聲無痰。與寒飲作咳者不同也。

治療　少商。列缺　肺俞　關冲　足三里　魚際

治理　魚際泄肺熱。少商關冲清肺熱。而生津。列缺肺俞止咳逆。足三里降氣。諸穴同用。大有清熱潤燥降氣止咳之功。故能治乾咳也。

肺痿

症狀　咳聲不揚。咳痰黏子上行。行動微喘。氣即喘促。衝擊連聲。

病因

疲始一應。口渴。甚則半身痿癈。或手足痿耎。

金匱謂肺痿之起。或從汗出。或從嘔吐。或從消渴。小便利數。或從便難。又被快藥下利。重亡津液。故得之。喻嘉言曰，肺痿其積漸已非一日。其熱不止一端。總由胃中津液不輸于肺。肺失所養。轉枯轉燥。然後成之。于是肺火日熾。肺熱日深。肺中小管日窒。欬聲以漸不揚。胸中脂膜日乾。欬痰難於上行。觀此。則肺痿原由肺中津液枯燥。以致肺葉日漸乾癟。其所以半身痿癈。手足痿耎者。亦為津液虧損。筋失所養而成也。

治療　膏肓　肺俞　足三里　少商　列缺　魚際　太淵
中府　曲池

治理　肺痿由於肺熱傷津。故宜取少商列缺魚際太淵等穴。清肺熱而生津。膏肓肺俞為治咳之要穴。中府能清肺熱而治喘促。足三里則降氣。曲池清熱生津。若至半身痿廢手足痿耎。則為難治。可遵照中風門半身不遂及手足不用條鍼治之。

肺癰

症狀　咳嗽。吐痰。腥臭。胸中隱痛。鼻息不聞香臭。自汗喘急。臥則喘鳴不休。晝夜咯吐膿血。色如敗滷。穢臭異常。正氣大敗。而不知痛。坐不得臥。飲食難進。爪甲紫而帶彎。手掌如枯樹皮。面艷顴紅。聲啞鼻煽等症。

病因　肺癰之成。多由感受風寒。未經發越。停留肺中。蘊發為熱或兼濕熱痰涎垢膩。蒸淫肺竅。以致咳吐膿血。或如敗滷等者。則不可挽救也。

治療　魚際　少商　尺澤　豐隆　足三里　風門　肺俞　合谷

治理　魚際少商尺澤。清泄肺熱。豐隆足三里。降氣而化痰濁。風

風門肺俞合谷諸穴。皆泄肺氣而治喘息。初起者。鍼之可以收效。久則不能為力矣

第十二節 痰飲

痰與飲。二症也。稠膩者謂之痰。稀薄者謂之飲。二者皆津液所化也。人而無病。則能營養人身。有病則為痰飲。反足以為害矣。夫痰多藏于腸胃與肺中。故每因咳吐下而出。飲者流溢周身。無處不到。蓋痰飲雖皆屬津液所化。而其變化之原因。略有不同也。痰者乃胃中食物之精華。或肺中津液。薰蒸而成。考吾人飲食入胃。化為乳糜。其精華則由腸胃之吸收管吸收之。傳達于淋巴管以入

血管而為血。若腸胃之吸收作用減退。則津液停滯腸胃而為痰。若肺為風寒之侵襲。或大熱之煎熬。則津液停滯于肺而為肺中之痰。此痰濁之所由生也。飲者為胃中水液所化。或血中水分變成。吾人飲入之水。本由胃中吸收運化周身而為汗為尿。若吸收作用減退。則水分停滯而為飲。且血中本有水。若一部分之鼓動力輸送力減退。則停滯而為飲。停于內則為臟腑之飲。溢于外則為肌膚之飲。故飲者能流溢周身。無處不到。此飲症之所由成也。古人論痰。則有濕痰燥痰風痰熱痰寒痰之分。飲症則有痰飲懸飲溢飲支飲伏飲之別。症狀不同。治法各異。是不可不辨也。

濕痰

症狀　肢體沉重。腹痞脘悶。脈爽滑。面黃。舌淡而膩。痰多易咯口不渴。

病因　此症多飲食失調。如多食油膩厚味。或感受外界之濕邪。以致脾陽衰憊。不能運化津液。停留于胃。蘊蒸成痰。故腹痞脘悶。肢體沉重等症作矣。

治療　脾俞　膻中　中脘　豐隆　足三里　各穴俱灸

治理　古人謂脾胃為生痰之源。故取脾俞中脘二穴。促進脾胃之運化。使津液不致積蓄為痰。灸之則具化濕之功。豐隆身化痰濁。膻中宣通氣機。諸穴合用。則有健脾胃運機樞化濕痰之功。

燥痰

症狀 喉癢而咳。咳則痰少而濃厚。氣短促。面恍白。咳而不爽。

病因 痰有厚薄之分。濃厚者爲稠痰。較薄者爲稀痰。大約痰之屬風屬濕屬寒者。多稀薄。屬火屬燥屬熱者多稠膩。人之精血充足。則化力厚而成稠痰。人之精血衰弱。則化力薄而成稀痰。故暴病多稠。久病多稀。本條之燥痰。乃燥氣傷肺。鑠津成痰。故濃厚黏膩。膠滞肺管。故咳嗽不爽。呼吸斷促也。

治療 依照咳嗽門痰熱咳嗽條鍼治之。

風痰

症狀 神機驟然蒙閉。神昏厥逆。四肢抽搐。痰聲如鋸。胸脅滿悶。脈弦面青。兩目怒視。

病因 此症多由肥盛之人。肌肉不堅津液不化。古人謂肥人多痰濕。或平素嗜好烟酒。以致痰濁阻滯。陰分日衰不能濟陽。則肝風內動。挾痰濁而犯腦。致成神昏抽搐等症。故名風痰。非外感之風邪也。

治療　大敦　行間　中脘　膻中　列缺　關元　百會　人中

治理　大敦行間潛熄肝風。中脘泄化痰濁。列缺膻中宣肺氣而開痰濁之鬱壅。以治胸脅滿悶。人中百會醒神昏而止抽搐。關元攝納下焦之氣。諸穴合用則具潛陽熄風抑肝滌痰之效。

熱痰

症狀　頰熱口渴。神昏好睡。咯痰濃黃。脈洪面赤。舌黃膩。鼓神識不靈。

病因　此症由于熱邪蹯踞肺胃。津液為熱邪之鬱蒸。因而成痰。

故厚膩而色黃。頓熱口渴。若神昏好睡。神識不靈。古人則謂痰熱蒙蔽清竅。實則腦神經受痰熱之薰灼而失其靈動活潑也。

治療　經渠　陽谿　豐隆　間使　委中　靈道　神門

治理　經渠泄肺熱。豐隆化痰濁。委中陽谿間使清熱而治煩熱口渴。靈道神門清熱而醒神昏。

寒痰

症狀　咳痰稀薄。脈沉。面目清黑。小便短少。手足清冷氷腹拘急

舌潤有青紫色。

病因　古人謂命門真陽衰微。不能蒸化津液。上泛則爲痰。夫命門即腎。功主分泌水液。若失其功用。則水液停留。故少腹拘急。小便短少。腎不分泌。則腸胃之吸收層。亦失吸收之功能。致水液停留。而爲寒痰。所謂水泛爲痰者此也。手足清冷者。陽氣衰也。

治療　命門　腎俞　膻中　肺俞　足三里　俱灸

治理　命門腎俞、位居腎臟之外。灸之則直達腎臟。促進其分泌機能。所謂壯腎陽以制水也。膻中肺俞。則溫化肺胃之寒痰。足三里引氣下行。灸之且能運化水液。使不致停蓄爲痰也。

痰飲

症狀 素盛今瘦。咳逆稀痰。腸間水聲漉漉。頭目暈眩。足下覺冷。甚或小便不利。肌肉浮腫。脈多弦滑。舌白或紅潤。

病由 金匱有四飲之名。曰痰飲、懸飲、溢飲、支飲。惟痰飲屬痰。雖則屬痰。而所致之痰。必是粘液。或雜以纖細痰屑之稀痰而已。非厚膩之痰可比也。痰飲症。古人謂為素肥今瘦。夫昔肥而今瘦者。良由飲食所化之津液。不能運化。停留腹部腔隙。以成痰飲。故腸間漉漉有聲。體中津液。因痰飲之消失。不能榮養肌肉。以致日形瘦削。故昔肥而今瘦也。若小便不利。則水飲無從排泄。勢必溢于肉身。故為浮腫。阻滯于肺。則為咳逆也。

治療　天樞　中脘　命門　膏肓　氣海　俱灸

治理　天樞中脘氣海。運行腸胃之水飲。使不停留。命門溫補腎陽。以通利小便。使停留之水分由小便而排泄之。膏肓行肺中之痰飲。而治咳逆也。

懸飲

症狀　咳唾白沫。脅下引痛。脈多弦細。舌多白膩。甚或經年累月不瘉。呼吸氣短。雙目仰視。

病因

水飲能流溢人身。古人以其停留于何部。而異其命名。並示後學以辨別之法也。懸飲者。多起于病後虛弱。渴多飲水。或暴飲過多。因中宮陽氣衰微。不能蒸化分播。以致水停脇下。金匱謂水在于肝。脇下支滿。嚏而痛。蓋肝藏為水氣窒礙。故咳吐引痛。水飲留于脇下。懸而不降。不由小便而排泄。故曰懸飲。若未經泰瘉。呼吸氣短。雙目仰視。則為難治。

治療

大椎　陶道俱灸　肝俞鍼灸　肺俞灸　期門　章門針

治理 肝俞行肝藏停留之水飲。期門章門治脅下引痛。且直達病灶。能運行脅下之水飲。大椎陶道肺俞灸之則振陽氣。化水飲。而治咳唾白沫。

溢飲

症狀 肢節痠痛。筋骨煩疼。喘逆。咳嗽。喘息。不得卧。脈浮弦。

病因 金匱云。水飲流行。歸于四肢。當汗出而不汗出。身體疼痛。謂之溢飲。此症之成。多由其人虛冷多濕者。飲水過多。含濕更甚。脾因濕而失其運化之力。以致水飲停留。外不能由毛竅排泄為汗。內不能由膀胱輸出。而為小便。是以洋

溢四肢。故肢節腫痛筋骨煩疼。水飲入肺。則咳嗽喘息倚

留于胃則為嘔逆。因其為水飲洋溢。而發生諸病。故名溢飲。

治療 水分 關元 神闕 肺俞 中脘 足三里 俱灸

治理 水分專治水病。以其能分利水液也。關元神闕中脘能運行水液而促進脾胃運化之機能。足三里降氣逆。以治喘急嘔逆。命門促進腎臟分泌。使水飲從小便輸出。則無洋溢之慮矣。

支飲

症狀 頭暈嘔吐痞滿。欬逆氣短。倚息不能臥。脈弦細。舌淡而潤。

病因 金匱云咳逆。倚短氣不得臥。其形如腫。謂之支溢。支飲之原因。必其人平素肺臟衰弱。有咳嗽之疾。間作間息。或感風寒咳嗽。痰涎較多。若因其微而忽之。久則增劇。而成支飲。或由脾胃虛寒。水飲停留。支結于肺胃心下之處。故成嘔吐痞滿咳逆等症。

治療 依照溢飲條針治之。

伏飲

症狀 胸滿嘔逆。喘咳腰背痛。心下痞。振振惡寒。身瞤劇。脈伏或滑。

病因 伏者潛而藏之之意。蓋水飲伏于人身而為病也。張石頑曰。凡水飲蓄而不散。謂之留飲。留飲者。留而不去也。留飲去而不盡者。皆名伏飲。伏者伏而不動也。飲之所以伏者。必由脾腎陽虛。不能蒸散。伏于肺胃。則為咳逆嘔吐。心下痞滿等症。伏于腰背筋骨肌肉等處。則為腰背疼痛身瞤劇等症。此外更有癖飲、飲澼、流飲、酒客、名等。癖者是素有痰疾。間作間息。以成癖也。澼者是水積腸中之意。流者是水飲流行也。酒客者以嗜好飲酒。每多飲病也。然其見症治法已概括各條中。故不另述。

治療

膻中。中脘。關元。腎俞。脾俞。膏肓俱灸

治理　膻中中脘去肺胃之伏飲。腎俞脾俞治腰背之痰痛。而振脾腎之陽。蒸化伏藏之水飲。膏肓治喘咳而化痰飲。伏飲去則諸恙悉解。

第十三節　哮喘

熱哮

症狀　身熱口渴。喘咳不得卧。聲如曳鋸。而脈滑數。

病因　哮與喘之症也。哮者喉中有痰聲其病因偏于痰。故金匱言哮。謂咳而上氣。喉中如水雞聲。喘則為呼吸之氣急促其病因偏于氣。故治哮者宜治痰。治喘則宜理氣也。然哮症之中。復有寒熱之別。熱哮由于痰熱內鬱。留于肺絡。氣為痰阻。故呼吸有聲如曳鋸。喘咳者。痰滯氣逆也。身熱口渴。痰熱熾也。

治療　天突　膻中　合谷　列缺　足三里　太冲　豐隆　俱針

治理　熱哮由于痰熱內鬱。故刺天突膻中以宣肺氣而治咳逆。復取足三里豐隆之泄降痰熱。合谷列缺清泄肺熱。太冲能治諸逆上冲。諸穴合用則有化痰濁泄肺熱降氣逆之功。故能治熱哮也。

冷哮

冷哮

症狀 形寒肢冷。咳嗽痰多。喉中有聲脈細弦或細滑舌潤不渴。

病因 此症多由素有痰飲之人。留積胸中。每遇風寒而發。蓋風寒外束。肺氣先傷。陽氣不得外泄。引動痰飲上逆。故咳嗽痰多。痰飲壅滯氣道。故呼吸時。喉中有聲也。

治療 靈台、俞府、乳根、膻中、天突、豐隆、

治理 冷哮原因。內有痰飲。兼感風寒而發。治宜疎解風寒。溫宣肺氣而化痰飲。故灸靈台以解表寒。灸膻中以宣肺。天突乳根俞府豐隆以化痰飲。表解飲除。則肺氣寧矣。

實喘

症狀　胸高氣粗。呼吸促急。兩肩聳動。聲達戶外。兩脈滑實。

病因　素問曰諸病喘滿。皆屬于熱。又謂邪氣入于六腑。則身熱不時卧。上為喘呼。李士材云喘者促促氣急。又謂張口抬肩。搖身擷肚。此皆指實喘而言也。夫實喘之原因。由于感受外邪。壅塞肺竅。氣道為之阻塞。故胸高氣粗。肺氣急于向外排泄。故呼吸促急。而兩肩聳動也。聲達戶外者。呼吸之氣粗而急。然與哮症之痰聲有別也。

治療　肺俞　合谷　魚際　足三里　期門　内關　俱針

治理　喘症有虛實之分。實者宜瀉之。故取肺俞合谷魚際以泄肺氣。期門內關以泄胸中之邪，足三里降氣，若喘症而至面浚鼻冷。則不治。然速灸關元氣海。各數十百壯。或可救。

虛喘

症狀　喘時聲低息短，吸不歸根。若斷若續。動則更甚。心悸怔忡。兩脈虛細。

病因　虛喘由于腎元虧損。丹田之氣不能攝納。氣浮于上而成。多患于老人。以其為氣不足。故雖喘而聲低氣短。與實喘不同也。古人云。呼出心與肺。吸入腎與肝。腎虧則吸不歸根。故若斷若續也。心悸怔忡者。乃心下惕惕然跳，築築然動。本無所驚。而心動不寧。亦由心臟衰弱。腎氣上逆而然也。

治療　關元　腎俞　氣海　足三里　俱灸

治理　關元氣海攝納氣之上浮。而補丹田之氣。足三里引氣下行。腎俞益腎元虧損。腎氣充實。丹田氣足。則無上逆之患矣。

第十四節　虛勞門

陽虛

症狀　怯寒少氣。自汗喘乏。食減無味。腹脹飧泄。或精氣清冷。陽痿不舉。目眩肢疲。膝下清冷。水泛為痰。面唇晄白。舌白無華。脈多沈細耎弱或大而無力。

病因 經曰陽虛生外寒。乃心臟機能衰弱，輸血力弱，皮下血管貧血。故見惡寒少氣等症。脾陽不振，則化力呆滯。吸收減退。故腹脹泄瀉。腎陽衰弱。則精冷陽痿。支瘦脚冷。故治陽虛者宜補脾腎之火也。

治療 命門 腎俞 脾俞 關元 神闕 各穴俱灸

治理 灸命門腎俞壯腎陽也。腎陽充。則膝冷陽痿等症悉解。脾俞溫養脾臟。復佐關元神闕以振下焦之元陽而強心脾陽。振則化力強。心陽振則輸血力足。斯惡寒少氣自汗泄瀉等症亦愈矣。

陰虛

症狀 怔忡盜汗。潮熱。或五心煩熱口乾不寐。男子遺精。女子經閉。或面赤唇紅。咳嗽痰多。脈多數而無力。

病理 經云。陰虛生内熱。多由熱病後。及少年色慾過度。損及肝腎。精陰枯涸。不能涵陽。以至陽氣偏旺。而生内熱。致于遺精不寐等症。亦由陰虛陽旺。君相之火不藏也。面赤唇紅等症，則由陰虛于下。而陽浮于上也。

治療 大椎 陶道 肺俞 膏肓 足三里 陰郄 後谿 肝俞 腎俞

治理 大椎陶道潛陽退熱。肺俞膏肓足三里治咳嗽而益虛。肝俞腎俞益肝腎之陰以涵陽。陰郄復溜清虛熱而治盜汗。熱輕可鍼而灸之。熱重者慎勿灸也。

五癆

症狀 潮熱盜汗。咳嗽痰多。初起多稀薄。久則漸形濃厚。胸部或背部一處作痛或側面而臥。此肺癆也。若面色蒼白盜汗者為心癆。食少肌消而脹泄者為脾癆。兩脇引胸而不能行者為肝癆。

病因 精氣內奪則為虛損。由虛而漸以成癆。故癆者精氣虛憊之極也。越人謂自上損下者。一損肺。二損心。三損脾。四損肝。五損腎。自下損上者。一損腎。二損肝。三損肺。四損心。五損脾。五臟俱損。乃成五癆。夫五勞雖屬五臟。然有連帶之關係。故中醫之論勞病。每連類及之。如咳嗽吐血。久而不愈。上損于肺。肺之呼吸系病。不能呼炭納養。體內之新陳代謝。因而失職。影響脾胃之消化。以及心之循環。腦之神經。腎之內分泌。各臟無不受其累。此所謂自上損下也。又有少年斲傷。損及腎臟精液枯涸。遂生虛熱。引起肝陽。肝旺乘脾。消化失職。血無資生。則心之循環。無由供給。神經及各組織均失營養。至末期可逐累及肺。此所謂自下損上也。古人又謂上損及中。過脾不治。蓋肺病第一期。病專在肺。咳嗽痰多。逮及神經攢環謂之第二期。潮熱盜汗顴紅。至影響及消化機。飲食不進。則為末期。已屬不治。又謂下損及中。過胃不治。蓋胃陰虛。而生內熱。以至飲食不進者。亦為不治也。雖西醫論勞病則謂為結核菌為患。然必因臟器先病。失卻抵抗能力。故適合于結核菌之滋長發育也。

治療　四花　腰眼　肺癆加肺俞膏肓足三里　心勞加陰郄後谿　脾勞加脾俞胃俞　肝勞加肝俞章門　腎勞加

精宮三陰交（精宮在第十四椎下左右各開三寸按即膀胱經志室穴）

治理

四花腰眼專治五勞及一切虛損。肺勞則加肺俞膏肓三足里以治咳嗽而降氣。心勞則加陰郄後谿養陰退熱。而治盜汗。脾勞則加脾俞胃俞。補益脾胃而治泄瀉。肝勞則加肝俞以益肝。章門以治脅痛。腎勞則加腎俞精宮三陰交。以補益腎臟。而治遺精癆病之初起者。若治得法。尚可挽救。若久遲不治。則非鍼藥所能為力也。

第十五節　吐衄門

吐血

症狀　吐血或從吐出。或從嘔出。傾盤盈碗。或鮮紅帶紫黑。大塊。吐後不即凝結。面色㿠白。脈多虛芤。

病因、吐血出于胃。方書所謂嘔血是也。其原因多由胃熱逼血妄行。因而上溢。或暴怒火逆傷肝。古人謂怒則氣上。以致血向上逆。或肝火昌熾。鼓激胃中之血上溢。故從嘔吐而出。或飲酒過多。傷胃而吐血。然皆屬胃中之血。有謂肝心脾皆能吐者非也。失血過多。則或貧血之現象。故面色㿠白而脾虛乱也。

治療　魚際　尺澤　足三里　膈俞　中脘　內庭　嘔吐加肝俞　行間

治理　吐血出于胃。故針足三里　內庭　以泄降胃氣之上逆。蓋氣逆然後血逆也。鍼膈俞以寧血。魚際　尺澤能止血。中脘清胃熱而降衝氣。嘔血屬肝火。故取肝俞以抑肝。行間以泄肝。然肝氣上逆。而嘔血者。多兼胸脇脹痛。則宜加鍼期門　陽陵以治之。

咳血

症狀　因咳嗽而見血。或乾咳。或痰中雜血。咳嗽氣喘急。然所出之血。不如吐血之多也。脈多微弱。

病因 咳血出于肺方書所謂臟血是也。其原因多由于外感風熱。鬱于肺而嗆咳。傷絡。故血從咳嗽而出。或陰虛火動上逆而咳血。或肥盛酒客。積痰中有血。凡此皆肺中之血也。惟咳血久而成癆。或因虛癆而咳血者。則肌肉消瘦四肢倦怠。五心煩熱。咽乾顴赤潮熱盜汗等。當依照虛癆條治療之。

治療 肺俞 百勞 足三里 膈俞 陰虛火動者加三陰交 肝俞 然

中帶血者。加豐隆 中脘。 風熱襲肺者加風門 列缺

治理 咳血屬肺，故肺俞、百勞為治咳血之要穴。足三里降氣，陰虛火動者，則加鍼肝俞、三陰交以養陰。酒傷瘀中夾血者，則加中脘、豐隆以降氣化痰。風熱傷肺者，故加鍼風門、列缺以宣泄風熱之邪。

衄血

症狀 衄血：鼻衄、眼衄、耳衄、牙衄、皮膚出血。

鼻衄即鼻中流血，亦名紅汗。耳衄、牙衄即耳中與牙齒出血也。眼衄目中出血也。皮膚出血又名肌衄。

病因 衄者血從經絡滲出，而行于清道也。良由風熱壅盛而發，或烟酒惱怒刺激而出。古人謂陽絡損則血外溢，血熱溢則為衄血也。

治療

（鼻衄血）合谷　太陽　大椎　魚際　列缺　少商　上星　鼻衄原因由風熱襲肺。肺火上炎而成。故針合谷　大椎　上星疏散風熱。魚際　列缺清肺熱。太陽位在鼻旁。故能治鼻衄也　少商能清肺且為鼻衄之效穴。

（眼衄血）睛明　太陽　行間　曲泉　眼衄及積熱傷肝。或誤爆擾動陰血。以致血從目出。故宜針行間曲泉以清泄肝熱　睛明　太陽以其部位近目。故能泄局部之熱。而止血也。

（耳衄）竅陰（刺出血）　俠谿　陽陵泉　行間　翳風　此症多由飲酒

過多或多怒之人。肝膽之火上激。以致血從耳出。故鍼竅陰|俠谿|陽陵|行間以泄肝膽之熱。翳風以泄病灶局部之熱而止血。

(肌衄)膈俞|血海|此症亦血熱沸騰。而從血竅溢出。故取膈俞|血海|以清血熱而止其血也。

(牙衄)合谷|內庭|手三里|足三里。牙衄乃陽明蘊熱上乘。故鍼合谷|內庭|手三里以瀉陽明之熱。足三里清熱而引熱下行。

上

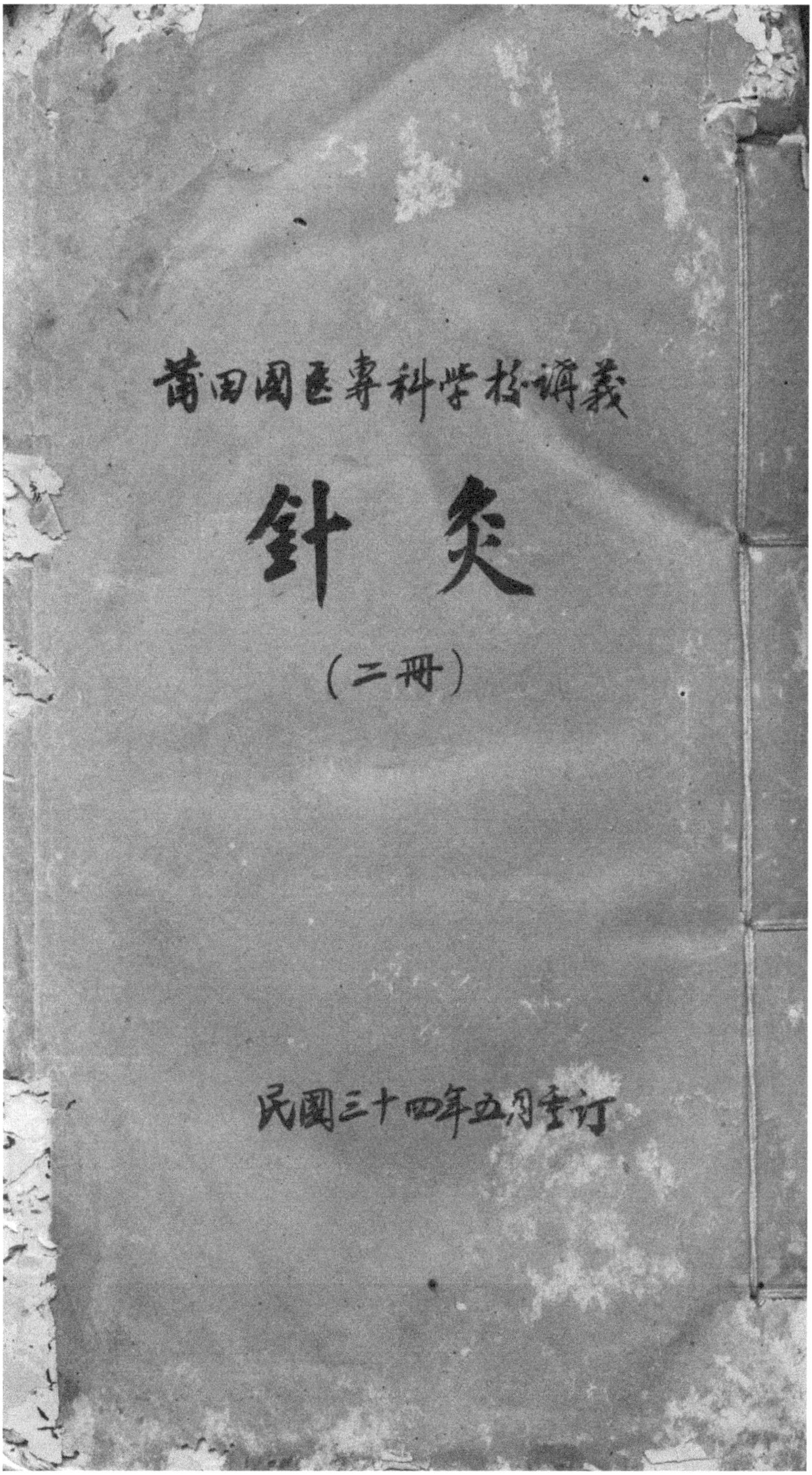
莆田國医專科學校講義

針灸

（二冊）

民國三十四年五月重订

第十六節 嘔吐

實熱嘔吐

症狀 口渴發熱。食入則吐。所出之物。多兼穢臭或苦或酸。頭目暈眩。舌黃脈數。

病因 嘔者有聲而有物。吐者有物而無聲。二者雖畧有不同。然皆胃病也。嘔吐之屬于熱者。由胃有鬱熱。火勢上炎。胃氣不能下降。而或怒激肝氣。肝木橫逆。或肝胆風熱上炎。皆致嘔吐。經曰。諸逆衝上。皆屬于火。諸熱吐酸。皆屬于熱是也。夫吐出之物。或苦或酸者。則因胃酸與胆汁夾熱而分泌過多上溢也。

治療 内庭、合谷、内關、中脘、上脘、足三里、肝胆之氣上逆者。加陽陵泉、太冲。

治理 實熱嘔吐。由于胃熱。故鍼内庭、足三里、以清熱。而降氣。嘔吐之病灶在胃。故鍼中脘、上脘、以直泄胃中之熱。而止嘔吐。合谷、内關、宣泄胸部之氣而清熱。肝胆之火上亢者。則加鍼太冲、陽陵以泄之。若輕症之嘔吐。則單鍼三里。留撚、稍久。其效頗捷。

虛寒嘔吐

症狀 嘔吐稀涎，面青肢冷。胃脘不舒。口鼻氣冷。不渴。苔白。脈細。

病因 嘔吐之屬于虛寒者。乃由脾胃之陽不振。運化失職。或飲食生冷。以致寒濕濁邪。留滯中宮。乃上逆而作嘔吐。故覺胃脘不舒。四肢厥冷也。

治療 中脘、內關、氣海、胃俞、三陰交、膻中、脾俞、足三里，俱灸。

治理 嘔吐皆由氣上逆。故以足三里為要穴。內關、膻中，宣泄胸中之氣。脾俞胃俞，振脾胃之陽。而化寒濕濁邪。三陰交能濕脾化濕。氣海理腸胃之氣。氣調則無上逆為吐之患矣。

乾嘔

症狀 乾嘔不止。有聲無物。與噦相似。惟不若噦聲之惡濁而長也。但覺胸膈不舒。口渴或不渴。甚則四肢厥冷。脈絕。

病因 乾嘔亦屬胃病。蓋由清濁之氣。升降失常。阻非于胸膈之間。乃脾胃虛弱。運化失職。氣機失調而成。亦有因于胃熱者。濁熱之氣上攻。則兼發熱口渴。

治療 中脘 足三里 内關 脾俞 胃俞 章門 俱灸。胃熱者。改灸為針。加針內庭 厲兑

治理 屬虛寒者。則單用灸法。以溫補脾胃。如脾胃俞 中脘 章門等穴是也。餘如三里 内關 亦無非降氣行氣。而與升清降

濁之功。因胃熱者。則以泄之。後加内庭、厲兌以清陽明之熱。

第十七節　噎膈

寒膈

症狀　脘腹脹滿。嘔吐清水。四肢厥冷。食不得入。或食雖可入而良久反出。面色㿠白。兩脈遲細。

病因　膈者。膈塞不通。飲食不下也。若食入反出。謂之反胃。二者皆膈間受病。故通名為膈也。寒膈由于中宮陽氣衰微。寒邪凝聚。脾氣不能升。胃氣不能降。故飲食不下。反胃亦由脾胃虛寒。運行失職。不能熟腐水谷。變化精微。故食雖可入。良久復出也。王太僕曰。食入反出。是無火也。古人謂朝食暮吐。暮食朝吐。是胃虛寒也。

治療 膻中灸 膈俞灸 中脘 足三里 公孫 脾俞 胃俞 針灸

治理 膻中 膈俞 寬展胸膈之氣。足三里 公孫 降氣逆。中脘 脾胃俞。振脾胃之陽而理寒邪。

熱膈

症狀 胃脘熱甚。口苦舌燥。煩渴不安。嘔吐酸臭。食入即吐。或前後閉澀。脈多大而有力。

病因 素問曰。三陽結。謂之膈。所謂三陽者。即腸胃膀胱也。蓋腸中積熱。則後不圊。膀胱結熱。則小便不利。故前後秘濇。胃有積熱。則胃津枯耗。食道液燥。故食不得下。且下脘不通。勢必上逆。故食下亦仍出。是火上行而不降也。因其三陽結熱。故口渴舌燥。煩躁不安也。

治療 内庭、中脘、足三里、支溝、合谷、大陵、内關、委中、大腸俞、

治理 内庭中脘泄胃熱。足三里降氣道。且與支溝合用。則有導府之功。合谷大腸俞。清腸中之熱。委中清膀胱之熱。大陵内關清熱而治煩渴不安。

氣膈

症狀 噫氣頻頻。中脘滿痛。痛引脊背。胸悶氣逆。食不得下。大便不利。

病因 素問曰。膈塞閉絕。上下不通。則暴憂之病也。此言噎膈之起于鬱結不舒者也。內經曰。憂則氣聚。蓋中心抑鬱。氣結不解。則氣鬱于中。運化不行。肝氣上逆。故食不得下。而成氣膈。

治療 中脘、膻中、氣海、列　內關、胃俞、三焦俞、足三里、俱鍼灸期門、鍼

治理 氣膈以調氣為主。故取膻中氣海理氣之鬱結也 三里降氣之上逆也。列缺內關宣胸膈之氣。期門泄肝氣。鬱結不舒。則胃氣不能敷布。故取胃俞三焦俞以運行胃氣。氣調鬱解。膈症自瘉。惟憂結為情志病。苟病者能達觀。則易于收效也。

痰膈

症狀 咳嗽氣喘。喉間痰聲。胸膈痞悶不舒。飲食不能下咽。舌多膩苔。兩脈滑實。

病因 此症多因憂思悲恚。脾胃受傷。血液漸耗。鬱氣生痰。痰濁留滯于肺胃。阻塞機氣。飲食下咽。每有所阻。如礙道路。膈而不得下。噎膈所由成也。痰滯氣逆。故咳嗽氣喘。

治療　膈俞灸　天突針灸　肺俞灸　豐隆針灸　下脘灸　大都灸　足三里針灸

治理　肺俞天突。治咳嗽氣喘。膈俞理胸膈之氣。豐隆泄化痰濁。三里大都隆氣。下脘旋運中州。以行痰濁。

食膈

證狀　胸脘脹痛不得安。食難下咽而痛。甚或氣塞不通。危殆不堪。

病因　此症多患於老人。良由脾胃衰弱。每於過飢之後。猝然暴食。壅滯胃之上口。閉塞脾胃之氣機。而成噎膈。食滯於胃。故胃脘部脹滿作痛。老年患此。多難救治。

治療 中脘、脾俞、胃俞、膻中、氣海、足三里、巨闕

治理 中脘三里巨闕化食滯而兼導大腸。脾俞胃俞助脾胃之消化。膻中氣海則調氣而宣氣機之閉塞也。

虛膈

症狀 飲食不下、肌膚乾燥。或嘔吐白沫。糞如羊屎。兩脈虛澁。體倦神疲。

病因 此症多由脾胃津液枯燥。不能化納。以致飲食不下。蓋人

身藉飲食之精華以營養。若飲食不進。則滋養料之來源告匱。故肌膚乾燥。古人謂噎而白沫大出糞如羊屎者。不治。若胸腹疼痛。如刀割者。死期迫矣。

治療 膈俞、合谷、大包、太冲、

治理 灸膈俞數十壯以治膈氣。針谷合以宣大腸之氣。針灸大包以補胃。針太冲以降逆。然多不救也。

第十八節　臌脹門

水臌

症狀 初起四肢頭面瘇脹。漸延胸腹皮膚。黃而有光。脹大綳急。

按之窅而緩起。甚則臍突露筋。口渴煩躁不寐。胸悶氣喘。皮膚日糙。面色灰黯。鼻出冷氣。則為危候。

病因

此症多由水腫之患。以變成者。水腫之原。多為飲冷過度。或著寒邪。以致脾腎陽衰。脾不運輸。腎不分利。體中水分無所發泄。水氣泛濫。溢于皮膚。膨脹而成水腫。日久月深。水質蓄積不消。肢體脹大滿量。遂成固體。即變水臌。水蠱於內。猶溝壑之積水。積久不消。化而為毒。則難施治。若腹露青筋。面色灰黯。則為水毒深重之候。若口渴煩躁。則水毒化熱。煎熬血液。腎中之龍火上騰也。凡此皆為水臌要危之候。雖有華扁之能，亦將束手矣。

治療 腎俞 灸 膀胱俞 灸 三陰交 針 陰陵 針 水分 灸、人中 針 脾俞 灸。

治理 腎俞、膀胱俞以宣膀胱之氣化而促進腎臟之分泌。陰陵通利小便。脾俞振脾陽以行水。水分為治臌之特效穴。以其能分利水分也。三陰交運化脾藏之濕。人中可用粗針泄水。

氣臌

症狀 腹大而四肢瘦削。皮色不變。按之窅而即起。喘促煩悶。或腸鳴氣走。漉漉有聲。二便不利。脈弦鬱。

病因 氣臌與水臌原屬二症，以手按之成凹而不隨手起者。水臌也。按之成凹而隨手起者。氣臌也。氣臌之原因。多由七情鬱結。氣化凝聚。留滯中焦。腹部乃為之脹滿。用情太過。傷及脾胃。脾胃失運化之能。血液無從產生。肌肉失所營養。故四肢漸形瘦削也。

治療 膻中 氣海 關元 脾俞 胃俞 中脘 足三里 各灸數十壯

治理 氣臌原屬氣積。治以理氣為主。故取膻中氣海關元調氣而開鬱結。脾胃俞中脘三里則助脾胃之運化。氣調則痞滿自除。脾胃強。則化力足。斯諸症均解。

實脹

症狀 腹脹堅硬。大便秘結。小便黃赤。行動呆滯。呼吸短促。或息高氣粗。脉沉滑有力。

病因 此症多由七情之傷。脹起於旬日之間。或多食受寒濕之邪。多食生冷之物。以致脾陽不振。失其健運。濕濁阻滯。因而痞滿。

治療 依照氣臌各穴針灸之。以調其氣。大便秘結者。加針支溝內庭。並瀉足三里。以化結滯而導大腑。

虛脹

症狀 容形枯槁。腹起於經年累月。腹部脹滿。朝寬暮急。或暮寬朝急。大便溏薄。或小便滑白。脉細少氣。面淡舌白。

病因 虛脹多起於久瀉。或飲食起居不善攝養。或病後飲食不慎。中氣受傷。脾胃虛弱。不能運化。濁氣滯塞於中。以致脹滿。若痢後成脹。久病羸尫。臍凸起。喘急不安者。此為脾腎俱敗。則難調治。若咳嗽失音。青筋横絆腹上。及爪甲青。或頭面蒼黑。嘔吐頭重。上喘下泄者。皆不治之症也。

治療 關元、中脘、下脘、神闕、脾俞、胃俞、大腸俞。各灸三五壯

治理 虛脹由於中氣虛損。脾胃衰弱。故灸關元、神闕、中下脘、治

穴。以益中氣。大腸俞以疏暢腸中氣化。以治大便溏薄。脾俞胃俞則調補脾胃。扶助正氣。脾胃健則運化復常。而痕消矣。

第十九節 癥瘕門

癥

症狀 面黃肌瘦。飲食減少。神疲體倦。胸脘腹間有塊硬痛。按之有形牢固不動。舌光脈濇。

病因 積聚之有形可徵者曰癥。古人謂癥者真也。然有食癥、痰癥、血癥之分。食癥者。因食積而成癥也。多由多食生冷黏臓之物。脾胃虛弱。不能消化。膠滯脘間。與氣血相搏。積聚成塊。日漸長大。堅固不移。瘕癥由于痰濁鬱滯。多積于脇下。血癥乃血積而成也。多由 府虛弱。寒熱失節。或風寒內停。或閃挫跌撲。血氣停滯。壅瘀經絡。而成血癥也。多積於小復部。

治療

（少腹有塊）關元。太冲。行間。三陰交。脾俞。少腹有塊。多屬血積。故所取各穴。皆屬血分之穴。如太冲能行血。行間三陰交能破瘀。脾俞通治血症。關元調氣以行血

（臍上脇下有塊）神闕。下脘。中脘。章門。脾俞。胃俞。臍上脇下

有塊。多屬食積。故取下脘中脘以化積滯。脾俞胃俞健脾胃，以助運化。神闕調氣。章門能直達病灶，消脇下之塊。

（脇下兩旁有塊）章門期門行間肺俞豐隆陽陵此症多由痰積。故取肺俞豐隆以化痰。章門期門以消積。行間陽陵疏肝胆之氣。以脇下屬肝胆二經也。更宜於塊之中央，及上下左右。針而灸之。不問其為何積均可如法施治直達病灶。收效尤易。

瘕

症狀

發時胸脇臍腹。或脹或痛。或噯氣或嘔吐。甚則氣逆神昏。

腹中有塊，攻衝遊走，無定，聚散無常，推之則動，按之則走，多沉細，舌苔薄白。

病因

積聚之或聚或散者，曰瘕。古人謂瘕者假也。難經曰：聚者陽氣也。其始發無根本，上下無所留止，其痛無常處，蓋指瘕症言也。多由肝脾之氣失和，肝氣橫逆，脾失輸化，水飲痰液，凝聚成癥，隨氣之順逆運滯，而時形時散，故起伏不時，游走無常也。

治療

氣海、關元、脾俞、肝俞各灸十數壯。嘔逆噯氣者，加鍼灸內關、足三里。

治理 瘕症多為氣滯而發。故取氣海。關元。以調氣。脾俞。肝俞。調和肝脾之氣。嘔逆噯氣。則鍼灸內關。以宣胸膈之氣。足三里以降氣逆。更須調攝得宜。可收全功。

第二十節 五積門

心積

症狀 此症起於臍畔或臍上。大如手臂。形如屋梁。由臍至心下。發擊於中。伏而不動。久則令人心煩心痛。夜眠不安。身體腫。腹皆腫。不可移動。因苦異常。脈沉細或芤。舌絳。

病因 難經曰。心之積名曰伏梁。起臍上。大如臂。上至心下。有苦凝結。故名伏梁。此症多由心經氣血不舒。凝聚而成也。

治療 上脘（針灸）大陵（針）心俞（針灸）膈俞（針灸）行間 三陰交

治理 上脘直刺病灶。散氣血之凝滯。心俞、膈俞、大陵活血通結。而泄心經之積氣。足三里調氣行血。行間、三陰交、行血而破血結。苟能心曠神怡。可冀漸以向愈。

肝積

症狀 在脇下有塊。狀如覆杯。有足似龜。久則寒熱如瘧。或嗆咳嘔逆。脇下痹痛。脉弦而細。

病因 難經曰。肝之積名曰肥氣。在左脇下。如覆杯。有頭足。久不癖。令人咳逆。瘖瘂。此症多由肝臟逆氣。與瘀血積合而成。

治療　章門灸中脘灸行間針灸期門針膈俞針灸寒熱咳逆加針灸大椎足三里

治理　章門、期門、化脇下之塊。肝俞調肝氣。膈俞、行間、行血破瘀而化積。中脘為諸穴之佐使。位近病灶。能理氣而消積。寒熱者。則鍼灸大椎以除之。咳逆者。則取三里以降氣。

脾積

症狀　當脘痞滿。如覆大盤。面黄肌瘦。飲食不為肌膚。胸悶嘔噦。脈多沉細。

病因 脾積者。脾之積氣也。難經曰。脾之積。名曰痞氣。在胃脘如覆大盤。久不瘉。令人四肢不收。此症由於脾胃衰弱。氣少運行。寒邪痰飲。積聚不化。而成積。脾胃衰弱。不能運化津液。故面黃而肌瘦也。

治療 痞根穴　脾俞　中脘　内庭　足三里　隱白　行間　俱灸塊之上下左右針而灸之。

治理 痞根為經外奇穴。專治痞積。凡屬積聚。用之皆效。脾俞中脘。益脾胃之衰弱。而助運化。内庭隱白足三里行脾胃之積氣。行間破積聚。復於塊之上。下左右針灸之。其效益著。

肺積

症狀 微寒微熱。咳嗆氣促。呼吸不便。噫逆頻作。右脇下覆大如杯。胸痛引背。脈弦細。

病因 難經曰、肺之積名曰息賁。蓋因肺氣積於脇下。喘息上賁也。此症多由肺氣不利。痰濁不化。積聚脇下。而成、

治療 巨闕、期門、肺俞、經渠、章門、豐隆、內關、足三里、鍼而灸之。

治理 息賁治法宜降氣開痰。散結。故取期門章門。巨闕直達病灶。以散結內關經渠宜肺氣而開痰濁之積去、積氣。豐隆足三里、降氣而化痰湯。

腎積

症狀 先於小腹右角起一小塊而微痛。塊漸大。痛漸劇。時上時下。痛引腹部。寒熱不時。甚則痛攻心下。坐臥不寧。困苦萬狀。繼則漸漸下衝。塊漸小。痛亦漸止。而至於無。起伏不時。

病因 腎積曰奔豚。因其發作時。有物如豚之奔走。故名。金匱曰、奔豚病、從少腹起。上衝咽喉。發作欲死。復還止。皆從驚恐得之。經曰。恐則傷腎。蓋大驚猝恐。腎藏之分泌乖常。尿毒穢氣。經而上逆。故自少腹上衝於心胸。甚則欲死。古人所謂水氣上逆凌心也。然亦有由腎氣虛而寒邪積聚。或房勞不節。復感寒涼而成斯疾者。

治療 中極、章門、腎俞、涌泉、三陰交、關元、俱用灸法

治理 奔豚由於腎氣虛寒。水氣上泛。故灸腎俞、湧泉、以益腎陽。而排除水氣。關元中極。行氣而通調水道。章門、三陰交、扶腎臟之寒邪。他如氣海期門各穴、均可酌取也、

少取

第二十節 三消

上消

症狀 心胸煩熱、咽如火燒、大渴引飲、飲不解渴、小便清利、食量減少、大便如常、舌上赤裂、脈多細數、

病因 内經曰心移熱於肺傳為鬲消鬲消即上消也多由嗜慾過度或過食辛熱之物或感受燥熱之邪以致心肺鬱熱故飲水多而易消也

治療 内关 神門 魚際 尺澤 肺俞 人中 然谷 太谿 金津 玉液 俱針

治理 上消由于心肺鬱熱故針内关神門以清心熱尺澤以清肺熱然谷太谿清熱養陰金津玉液清心熱而生津液針人中以泄陽邪且此穴亦能治消渴多飲水也

中消

症狀　口渴引飲多食善飢不為肌膚肌肉瘦削大便秘結小便頻數自汗口臭甚或面赤唇焦齦脈滑疾舌紅苔黄

病因　經云二陽結謂之消又曰大腸移熱於胃善食而瘦謂之食亦又曰邪在脾胃陽氣有餘陰氣不足則熱中善飢此症乃脾胃鬱熱津液枯燥故渴飲多食而不能化生津液以滋養飢肉以致漸形瘦削也

治療　中脘　胃俞　脾俞　内庭　曲池　三里　支溝　陽陵　金津　玉液　俱針

意理　中脘胃俞内庭瀉胃熱也曲池清大腸之熱脾俞陰陵瀉

瀉熱金液玉液消熱而生津液三里支溝清熱而通大便

下消

症狀 初起便溺不攝溺如膏淋煩渴引飲漸至腿膝枯細面色黧瘦耳輪焦黑小便多而混濁或上浮如脂或如燭淚脈細數舌絳

病因 下消又名腎消多因色慾過度肝腎陰虛虛則火旺而津液為之消爍故煩渴引飲而小便渾濁也

治療 湧泉然谷腎俞肝俞肺俞曲泉中膂俞俱針

治理 下消由于肝俞陰虧虛火上炎故針肺俞以清上焦之虛

火腎俞肝俞以益肝腎之陰而制陽光湧泉然谷曲泉以清虛熱而養津液中膂俞清熱而養腎陰此皆治腎陰虛而成消渴者然亦有命門火衰火不歸元者則宜灸腎俞中膂俞中極命門關元氣海以振下焦之陽而納工浮之火

第二十二節　黃疸門

陽黃

症狀　一身盡黃色明如橘子柏皮身熱煩渴或消穀善飢小便赤濇大便秘結脈滑數舌黃厚

病因　黄疸有陽黄陰黄之分陽黄屬熱陰黄屬寒陽黄多由脾胃濕熱鬱蒸而成喻嘉言謂天氣夏月之熱與地氣之濕交蒸人受二氣內結不散發為黄疸惟近今之説有則謂胆熱輸口炎腫汁不下于小腸溢于血管而發黄色也

治療　中脘足三里委中至陽胆俞陽陵泉公孫三陰交俱針

治理　中脘足三里清胃熱而導府委中清熱而利濕胆俞陽陵泉泄胆中之熱公孫三陰交清脾熱至陽化濕熱而退身熱

陰黄

症狀　身目皆黃黃色晦黯有若薰烟形寒脘痞腹滿蜷卧四肢瘦重或自汗自利小便赤少渴不欲飲甚則嘔吐舌淡而白脈濡而細大便白色

病因　陽黃色明屬濕熱陰黃色晦屬寒濕亦有因陽黃服寒涼藥劑過多而成陰黃者陰黃之成多由過食寒冷之物或感受寒濕之邪蘊于脾胃越于皮膚而成

治療　脾俞氣海足三里至陽中脘陽綱　俱用灸法

治理　陰黃屬寒濕阻于脾胃故灸脾俞中脘以化脾胃之濕邪以除腹中之寒濕而治腹滿至陽陽綱化寒濕足三里

行温而治嘔吐

酒疸食疸

症狀 身目均黃心下懊憹胃呆欲嘔脛腫皮黃面發赤色小便短少足下熱舌絳黃膩脈弦實此酒疸也若寒熱不食或食罷即頭暈脘腹滿悶二便秘結舌膩脈滑實者此食疸也

病因 酒疸者疸病之由于酒傷得之者也如飢時飲酒或酒後當風而臥入水沐浴以致酒濕之熱遏而不宣蒸發為黃食疸又名穀疸乃食傷所致之疸也多由胃熱大飢過食

停滯致傷脾胃而成夫所謂酒疸食疸者均屬陽黃病不過因其病因不同而異其名稱耳胡秉臣先生謂凡人消化不良不論因酒因食妨碍膽汁之排泄者均成黃疸也

治療 酒疸依照陽黃條針之（食疸）中脘足三里胃俞內庭至陽

治理 酒疸雖由酒傷亦屬濕熱為病故與陽黃同治食疸由于食積故取中脘足三里以運化食滯胃俞內庭以泄胃實而清熱至陽清熱而退黃他如陽綱腕骨等穴俱可採用更宜與陽黃條互相參看

女勞疸黑疸

症狀　額上黑皮膚黄微微汗出手足心熱或薄暮發熱然必以少腹拘急小便自利大便黑為女勞疸之的症

病因　女勞無度或醉飽入房或小腹蓄血或脾中濕濁下趨古人謂為脾腎之色外現則身黄而額黑黑疸多由酒疸女勞疸久延或誤下以致脾胃虚弱而成初起則面部發黑甚則周身漸黑大便亦黑若腹脹如水臟或心中如噉蒜狀膚不仁者則為危候

治療　公孫然谷中極脾俞腎俞至陽陽剛　倶用灸法

血瘀者加關元膈俞

治理 女勞與黑疸均由脾腎虛弱故灸脾俞腎俞以益脾胃佐公孫然谷以宣脾胃之氣化至陽陽綱專退身黃為治疸症之要穴若小腹有瘀血者則加針灸關元膈俞以行瘀

第二十三節 汗病門

自汗

症狀 不因勞動不因發散濈然汗自出或每至天明時汗自出惡寒身冷脈象虛微舌多淡紅

病因 自汗屬陽虛陽者衛外而固表者也陽氣内虛陰中無陽

蓋陽虛陰盛而表不固腠理疏則汗隨氣泄經謂陰勝則身寒汗出即其候也若過服汗劑汗出不止則為亡陽危候

治療　合谷針復溜灸大椎灸

治理　瀉合谷補復溜以止汗大椎以固表而振陽亟可參閱下條盜汗各穴若自汗欲脫亟宜灸神闕不論壯數但以汗止為度蓋汗出過多則心臟衰弱神闕為强心之穴也

盜汗

症狀　寐中汗竊出醒後倏收氣虛神倦脈虛細舌多紅而光伸

景云男子平人脈虛弱細微者善盜汗也

病因 盜汗屬陰虛陰者內營而斂藏者也陰氣虛弱則生內熱而迫液外泄若兼咳嗽顴紅潮熱等症則已入損門為難治若汗出如珠不流者此為絕汗死不可治

治療 間使復谿陰郄肺俞百勞

治理 盜汗屬陰虛內熱故針間使復谿陰郄以養陰退熱肺俞百勞退熱而益陰若婦人產後脫血過多孤陽無依大汗不止者則宜本條各穴改針易灸并加灸氣海關元等穴以固真元

黄汗

症狀　身重而冷狀如周痺胸中鬱塞不能食燥煩不眠汗自出
而口渴汗出沾衣色正黄如柏汁脈象多沉

病因　黄汗為疸症之一身黄而汗出染衣作黄色也乃脾家溫
熱蘊蒸由毛孔泄出多由汗出水浸浴水入毛孔經鬱蒸
而為黄汗仲景所謂黄汗得之汗出入水中浴水從汗孔
中入得之是也

治療　脾俞陰陵三里中脘公孫至陽

治理　黄汗屬脾家濕熱故取脾俞公孫以清脾熱三里中脘至

湯以清熱化濕陰陵滲利濕邪此外如三焦俞人中等穴
均可佐使並宜酌量鍼黄疸門陽黄條各穴

第十四節 寤寐門

不眠症

症狀 精神恍惚怔忡健忘輾轉不寐四肢懈怠甚則心煩焦急
頭旋眼花元氣不支

病因 此症多由思慮太過傷及心陰神不守舍或病後血虛火
旺心神不安乃由煩而不寐怔忡健忘等症然亦有胃中
有積有熱或痰濁阻滯則心煩不寐內經所謂胃不和則

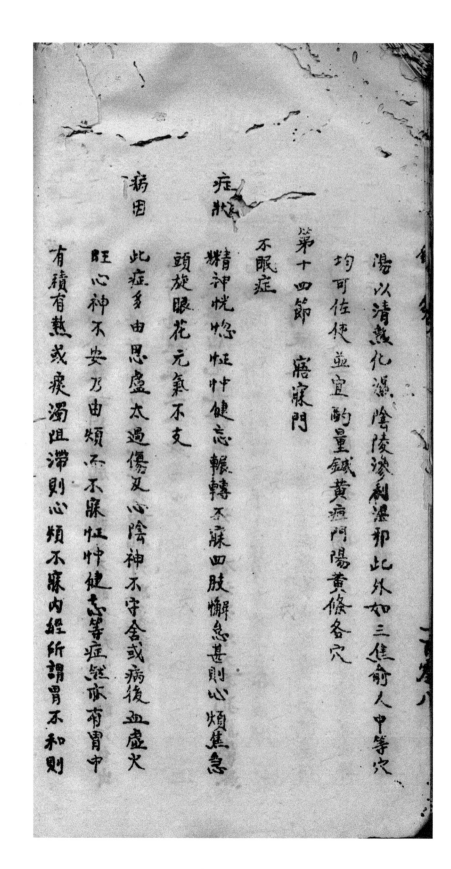

卧不安是也。他如邪念叢生，慾火上衝，雜念交感，致成心理之失眠者，則惟靜養可以奏功，針藥所難及也。

治療

三陰交 神門 闕俞 心俞 內關

胃有積熱者，則針中脘 三里 內庭 天樞

痰濁阻滯 隆豐 中脘 足三里 肺俞

治理

失眠之由于心陰不足，神不守舍，與血虛火旺者，則針三陰交、閒使、內關，以滋陰養液；心俞、神門，以安神定志而養心陰。若因積因熱困痰者，則從去積清熱化痰，積滯去，熱郁退，痰濁除，則神志安靜，自得甜卧矣。

多寐症

症狀 四肢倦怠無力胃呆食減呵欠頻頻精神萎頓反復昏睡

一 脈則虛緩

病因 此症多由七勞大症之後脾陽虛憊精神不振以致怠倦多寐或濕邪內戀蒙蔽清陽神志不清昏迷好睡則必兼舌膩口糊等症

治療 脾陽虛備者 大椎 至陽 肝俞

濕邪內戀者 中脘 足三里 脾俞 胃俞

治理 大椎至陽振陽氣脾俞益脾艾灸三穴則能興奮精神而

治陽虛多寒屬溫者則取中脘三里脾俞胃俞以斡旋中樞而化濕邪

第二十五節 疝氣門

症狀 氣從少腹上衝心疼痛異常甚則冷汗淋漓飲食不進二便秘塞不通古人所謂不得前後為衝疝也

病因 疝症均屬于肝與衝任為病良由衝任循腹裏肝脈過裏而環陰器故疝氣維有衝疝厥疝瘕疝狐疝㿗疝隆疝癩疝等之區別絡不外乎此三經也衝疝之原因多由寒濕之邪久鬱于內化而為熱寒熱觸之以致少腹疼痛掣引

睾丸甚則氣上逆而衝心作痛歲久不癒漸變衝心疝氣則難調治矣

治療　關元太冲獨陰臍上三角艾法

治理　衝疝乃衝任與肝三經之氣滯而成故用臍上三角灸法以宣通氣結關元太冲疏肝任二經之氣獨陰為經外奇穴專治疝氣

㿗疝

症狀　少腹控卵腫急絞痛甚則陰囊腫大如斗如栲栳或頑痲不仁

病因　此疝由太陽寒濕之邪下結膀胱因而陰囊腫痛經曰三陽為病發寒熱傳為癩疝三陽即小腸膀胱膀小腸膀胱居下體而肝與脏為表裏故皆能致疝也

治療　曲泉中封太冲大敦氣海中極

治理　肝脉循陰器故疝病皆宜取肝經之穴曲泉中封泄肝氣也太冲大敦疎肝氣也且二穴治疝氣每有特效可謂治一切疝氣之主要穴後針灸氣海中極以調氣而化寒濕之邪

厥疝

症狀　脉大而急少腹疼痛上下左右攻衝無定甚則四肢厥逆

病因　肝經素有鬱熱寒邪外鬱肝氣乃不條達因而橫逆遂成此症

治療．太冲太敦獨陰石門氣海

治理　太冲大敦疏泄肝氣石門氣海行氣而治少腹疼痛也

狐疝

症狀　睪丸偏有大小臥則入腹立則出腹時上時下脹緊攻痛久則正氣日衰病氣日盛以致不能坐立坐立則脹墜欲絕也

病因　經曰肝所生病爲狐疝多由寒濕之邪襲入厥陰沉結下焦邪挾肝風而上下也

治療　依照癩疝條治療之並于臍下六寸兩旁一寸灸三壯

瘕疝

症狀　腹存瘕痞左右有塊痛而且熱時下白濁女子不月男子囊腫

病因　此症多由于脾經濕氣下注于衝任交會之處以致結爲瘕痞作痛衝爲血海任爲氣海脾濕下注衝任失調故女子爲不月男子則陰囊腫痛也

治療　氣海　中極　陰陵　陰交　大敦　太沖

治理　陰陵化脾經之濕氣大敦太沖治陰囊腫病氣海中極陰交宣衝任之氣而消瘕疝

積疝

症狀　肝脈滑甚卵核腫脹偏有大小堅硬如石痛引臍腹甚則陰囊因腫脹而成瘡時出黄水或成癰潰爛或下膿血

病因　此症稱之為積疝以其必囊膿血甚則下膿血也多由肝不條達血凝氣滯而成蓋肝脈環陰器故結於陰囊而為積疝

治療　依照癩疝條治療之再加針氣衝中極以行氣血之凝滯而治臍腹部之痛

癃疝

症狀　少腹滿痛腎囊腫大小便秘塞甚則脹緊欲絕

病因　癃者小便不通也症病而小便秘塞故名癃疝此症多由脾經濕熱下注膀胱濕熱鬱結故小便不通腎囊腫大少腹滿痛等症見矣

治療　關元陰陵三陰交水道大敦太沖

治理　癃疝治法當通利小便故取關元宣膀胱之氣化而治少

腹滿痛陰陵水道化脾經之濕熱而通調水道大敦太冲

則治陰囊脹腫也

第二十六節　遺精門

康健之體氣盛精旺淡色慾節房勞其有偶然遺者非病也乃盈滿而遺也謂之精溢若每日遺或三五日遺以致瘦勞倦怠耳鳴頭眩者則病矣若非有良好調治久則漸入虛勞而斃

不治然遺精一症則又有夢無夢之別有夢屬心病無夢屬腎病有夢曰夢遺無夢曰滑精二者之治法略有不同述之于後

夢遺

症狀　精泄精每夢與女子交合或每夜一遺或數日一遺之別
神思恍惚脈多弦數舌紅有膩黃薄

病因　夢遺屬心病多由好色之人見美色觸于目而起淫心印
入于腦夜乃成夢而遺精古人謂心為君火腎為相火慾
念妄動則君火搖于上相火熾于下水不能濟而精隨以
泄或陰虛之體不能涵陽陽事易興而致遺泄若失于調
治久則漸入損門為患不淺也

治療　心俞白環俞腎俞中極關元三陰交針

治理　心俞白環俞腎俞三穴清君相之火而滋陰三陰交則養

陰以濟陽所謂壯水以制火也中極關元益虛弱而固精

情由于慾念妄動者則為心理所造成尤宜恬淡性精清

心寡慾庶可見效不然則無情之針灸可救生理之變化

不能治情慾之變動也醫斯病者宜注意之

精滑

病狀　無在睡中無夢自遺或思念一動陽舉而精自滑下不分

晝夜甚則一日數度精神疲頓耳鳴目眩腰痛頭昏漸則

潮熱盜汗面成虛勞脈虛弱或細數

病因　此症多縱慾無度或誤犯手淫斲喪太過以致腎氣不藏

精關不固不能攝精每因慾念一動而不禁而滑出漸至神經衰弱而潮熱盜汗等症作矣調治殊難治療此症首宜使病者定心息慮節慾然後施以治療之法古人云服藥百裹不如一宵獨臥此症最相宜也

治療

精宮腎俞關元中極俱用灸法

治理

精宮能固攝精氣兼專治遺精關元中極固精益元氣兼而補虛弱腎俞補益腎藏若兼潮熱盜汗等症則加鍼灸膏肓足三里

第二十七節　淋濁門

淋與濁二症也淋者小溲數而且澀淋瀝不暢故謂之淋仲景云淋之為病小便如粟狀少腹弦急痛引臍中大抵淋病之起多由腎熱之故與濁懸異濁者小便時下濁液綿綿如豎水狀態多由濕熱下注然淋病有石淋勞淋血淋氣淋熱淋之分濁則有赤濁白濁之別症狀各有不同宜分別治之

五淋

病狀 (石淋)臍腹引痛小便艱難輕則下沙甚則下石或黃赤或渾濁色澤不定便時刺痛發於心肺令人難忍(勞淋)小便淋瀝不通遇勞而發身體疲憊溲時數痛腰常引谷道勞

之微者甚淋痛總勞之甚者其淋痛甚(血淋)溺痛帶血血色鮮紅脈數(氣淋)少腹滿痛溺有餘瀝(熱淋)肥盛之人濕熱流于下焦多發于夏季濕令瘦削之人陰虛津枯熱甚而淋累皆盛中熱痛小便熱赤口渴喜飲水、或煩熱

病因

(石淋)由于膀胱蓄熱煉其氣化之職結成沙石從尿道而出惟此症非其人陰陽太虛而曾患生殖器病者不易得此數五淋中當以石淋為最少然一經患此頗難治療故為淋病中最重之症(勞淋)由于本能衰弱元氣不足膀胱不能輸送水道苟一遇勞事溺竅因此淤塞不通而為淋

病（血淋）此症亦由膀胱蓄熱熱甚搏血失其常道與溲俱下（氣淋）由于氣鬱化不及州都胞中氣脹故使小便澀滴小腹滿堅（熱淋）熱淋有虛實之分屬於實者如與不潔之婦人交合或好食辛辣煎炒厚味積熱太甚流注下焦膠秘而為熱淋虛者如好色縱慾陰精枯燥相火昌熾爍灼津液腎氣為之斷喪致水道不利而成熱淋

治療

胃俞三焦俞小腸俞膀胱俞陰陵中極合谷尺澤石淋加針行間太谿委中勞淋加針關元血淋加針血海三陰交氣淋加針氣海熱淋加針湧泉

治理 淋雖有五，然皆為小便澀痛，屬腎與膀胱熱邪鬱結不能滲泄故也。故針腎俞、膀胱俞宣通氣化，三焦俞、小腸俞以清熱，中極以鼓下焦氣化，佐陰陵以通利小便，合谷、尺澤開肺氣而調水道。石淋加行間、太谿、委中以清養陰；勞淋加灸關元以益下元；血淋加血海、三陰交以清血；氣淋加灸氣海以調氣；熱淋加湧泉以清熱。

症狀 赤白濁

初起口渴，小便時莖中熱痛，如火灼刀割，穢濁之物淋漓不斷，隨溲衝出，不便時自流濃液。白濁則色白如眼之眵

針灸 一百十七

病因

如瘡之膿赤濁溺赤濁亦赤經過相當日數則莖中不灼痛小便則頻數濁液自滴脈多滑大或澀滞

白濁赤濁多由入房太甚或交媾不潔忍精不泄以致敗精瘀腐蘊釀而成或濕熱下注而成濕熱濁然由敗精瘀腐者十中六七由濕熱下注者十常二三古人謂色白如泔或如腐花腐漿而馬口不乾結者為濕色黄赤而馬口乾梗者為火然間有失於調治久則脾氣下陷而成脾腎虚弱之症則當求脾腎而舉之而固之不能與普通之赤白濁一例觀也

治療 三陰交關元腎俞膀胱俞陰陵脾虛下陷者脾俞腎俞關元中極章門 針而灸之

治理 濁與淋雖屬二症然其治法則相近本症取腎俞膀胱俞關元等穴鼓舞下焦之氣化佐三陰交陰陵清熱而分利小便蓋小便通暢則濁自除脾胃虛者則針灸脾俞腎俞章門關元中極以益脾腎而固下元

第二十八節 癃閉門

小便癃閉

症狀 閉者則小便閉無點滴下癃者淋瀝點滴而出一日數十

或勤出無度屬實熱者則煩悶舌赤大便閉小便不通莖中疼〻痛屬虛寒者憎寒喜煖手足厥冷小腹如冰言語輕微裏無熱候口不渴舌淡紅然皆小腹脹急脘腹痞滿甚則胸悶氣喘

病因

屬實熱者則多因濕熱之邪鬱阻膀胱以致小便閉塞少腹脹滿屬虛寒者則由腎陽衰弱不能分佈水液以致小便點滴日數十行然亦有敗精瘀血阻塞溺道以致小便閉塞更有因肺氣不宣者古人謂肺主通調水道肺氣閉塞則小便不適也

治療　氣海關元中極、屬實熱者、加鍼陰陵三陰交曲泉、屬虛寒者加灸胃俞膀胱俞、肺氣不宣者加合谷尺澤

治理　氣海關元中極、宣三下焦之氣、氣化行、則小便暢下、屬實熱者、則佐陰陵等穴、清熱而利小便、屬虛寒者則佐腎俞、等穴、以振腎陽、肺氣不宣者、則佐合谷等穴、以開展肺氣、上竅開則下竅自利、若因敗精瘀血者、則多屬鬱熱之症可依照實熱條鍼治之

大便閉

症狀　大便閉結腹部脹滿疼痛拒按、内熱煩躁、口渴溲赤、此屬

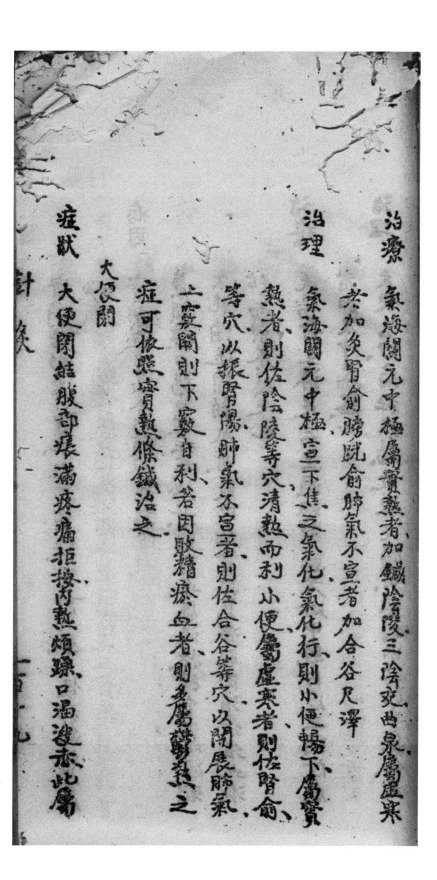

實閉者形羸神衰、肌肉消瘦、内無實熱、大便秘結、此屬虛秘

病因 實閉症多由食積與邪熱阻滯腸中、以致便閉腹痛、故必兼煩熱、口渴等症。虛秘者、則因血虛液枯、腸中失所濡潤、不能輸送糟粕外出、故内無實熱見症、肌肉消瘦者、血液枯而營養缺乏也

治療 大腸俞、支溝、足三里、氣海、實熱者加中脘、内庭、三間、虛秘者加太冲、太谿、

治理 大便不行、病在大腸、故取大腸俞、氣海以宣腸中氣化、足

三里氣海支溝俾脾胃之氣、而通大便、實熱症、加鍼中脘內庭、以化積滯、而消邪熱、陰虛則加太沖太谿以滋養津液、津液清則大便潤下、

第二十九節　便血門

小便血

症狀　小便溲血、脈多無力、神疲肢倦、若溲血日久、形瘦色萎、癃閉如淋、二便引痛、喘息虛眩、行坐不能者、與死為鄰矣

病因　經曰胞移熱於膀胱、則癃溺血、可知溺血之由、無不本諸熱者、蓋血得熱則妄行、從小便而出、多慾之人、腎陰虧損、

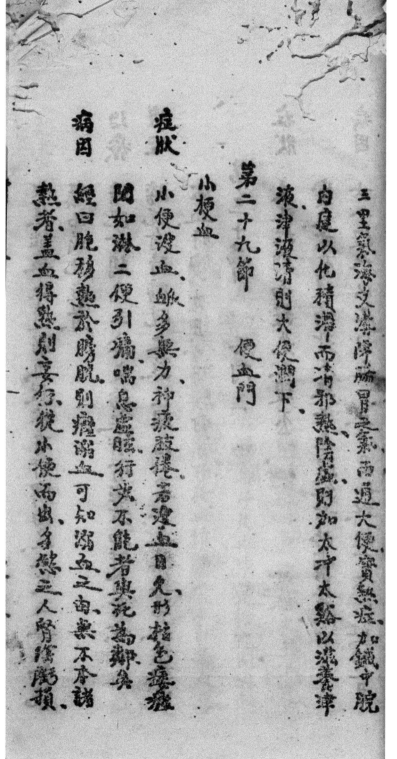

下焦結熱，血隨溺出，經亦有肝脾兩虛，血室之血失於統攝而成此症者。

治療 膀胱俞、關元、三陰交、湧泉；肝腎虛者加肝俞、腎俞。

治理 膀胱俞清膀胱之熱，佐關元以固血，三陰與湧泉清熱以寧血；肝脾腎虛者，加肝俞、腎俞以益肝腎。

∴ 第三十節 婦女門 經痛

症狀 未及經期而經先至，腹不甚痛，身熱，而色紫，脈洪數，此屬實症；亦有腹痛，身不熱，而色鮮紅者，此屬虛症。

病因 女子經水以三旬而一至，月月如斯，經常不變，故謂之月經又謂之月信，一有不調，則失其常度，而諸病見矣。至素問曰：天地溫和，則經水安靜；天寒地凍，則經水凝泣；天暑地熱，則經水沸溢。可知經水先期屬血熱者爲多，蓋血熱均壅能使神經與細胞起非常之興奮，於是血液運行亦同時超過常度，而經乃先期至矣。然亦有因于氣虛不能攝血而不由血熱者，更有因于憂愁鬱怒怒過度，血液之循環乖度，遂致血不涵肝，肝氣横逆而經水先頭來者，此在乎臨症時細察也。

治療

血熱血海三陰交行關元針　肝氣橫逆者加曲泉期門

肝俞氣虛者灸氣海中極三陰交

治理 血熱而經先期至者、則當清血熱故取血海三陰交行間等穴以清熱、關元位居子宮、鍼之則能直達子宮、故爲經病之要穴鍼而泄之以清熱、肝氣横逆則加灸曲泉期門肝俞以泄肝氣虛者則灸氣海中極三陰交以益氣而固血

經水後期

症狀 經水後期而來、少腹綿綿作痛、而色淡不鮮、脈大無力或澀細惡寒喜煖、此虛寒也、然亦有色紫或成塊者而脈細

病因 方書謂經水後期屬血室虛寒、或生冷凝滯、蓋血室虛寒或誤服生冷、其血因寒邪而凝結、于是血液之循環濇滯、運行之能力減退、遂致經行後期矣、間亦有血熱乾枯者蓋血熱內燬之人、因高度熱量之熏灼、遂致血絡燥結、血液乾枯、血行瘀滯、而致經水後期而至者、然不常也

治療 虛寒者、關元、氣海、血海、地機、歸來、灸、血熱內燬者、依照血熱而經水先期條鍼治之

治理 虛寒而經水後期、治當驅寒邪溫下焦、而調氣血、故灸關

元氣海、歸來、以煖子宮、而益氣除寒、灸血海、地機、散血瘀之凝滯、而促進血行、庶乎寒邪去、氣血通暢、斯無後期而來之患矣、

月經過多或減少

症狀 婦人經水一月一行、其排泄量須月月平均、若經來過多或過少則為病矣、

病因 方書以經多屬實、經少屬虛、此言其常也、然經來過多、有于氣虛者、有由血熱妄行者、有由鬱怒傷肝者、蓋氣虛則不能攝血、血熱則血液妄行、鬱怒則肝氣橫逆、凡此種種、

皆足以造成經過多之病、經來過少、有由于瘀熱內蓄者、有由于脾胃虛弱者、有由于血室虛寒者、蓋瘀熱內蓄、則血液乾枯、脾胃虛弱、則飲食減少、健運失常、經血之生化之源、血室虛寒、則血液之運行力弱微、因而凝注、凡此三種、皆能使月經減少也。

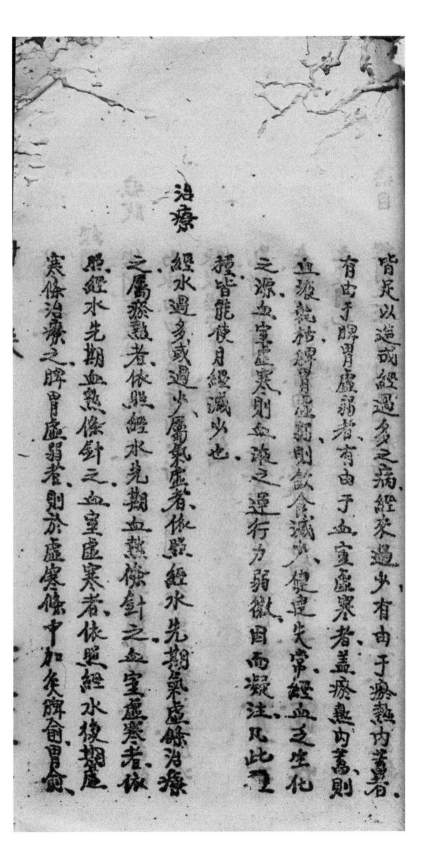

治療

經水過多、或過少、屬氣虛者、依照經水先期氣虛條治療之、屬瘀熱者、依照經水先期血熱條針之、血室虛寒者、依照經水先期血熱條針之、血室虛寒者、依照經水後期虛寒條治療之、脾胃虛弱者、則於虛寒條中加灸脾俞、胃俞、以補益之。

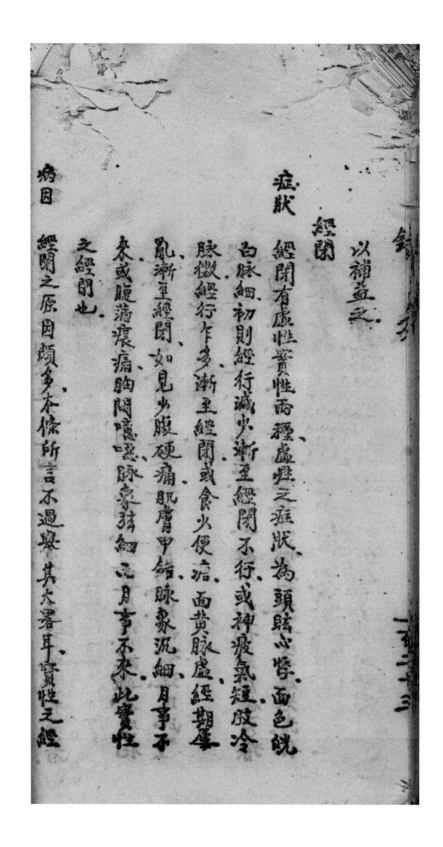

經閉

症狀　經閉有虛性實性兩種。虛性之症狀、為頭眩心悸、面色㿠白、脉細、初則經行減少、漸至經閉不行、或神疲氣短肢冷、脉微、經行乍多、漸至經閉、或食少便溏、面黄、脉虚、經期錯亂、漸至經閉、如見少腹硬痛、肌膚甲錯、脉象沉細、月事不來、或腹滿痞痛、胸悶噫噯、脉象弦細、而月事不來、此實性之經閉也。

病因　經閉之原因頗多、本條所言不過舉其大略耳。實性之經閉，多由瘀血停滯，瘀血積於子宮，精血不得下行，故致經閉，而少腹硬痛；或兼氣血凝滯，血滯不行，經閉而漸腹脹痛，胸悶噯氣等症，皆氣滯之徵也。虛損之經閉，多由血液貧乏，或神經衰弱，子宮不能分泌經水，故致經閉，而成頭眩，心悸、氣短、肢冷等氣血虛弱之現象；或脾胃虛弱，消化不良，飲食減少，缺乏產生經水之原料，亦成經閉之病。而現食少便溏，面黃等症。然有由生理異常者，則月經終身不來，所謂暗經是也。又有二月一行者，謂之並月；三月一行者，謂之居經；一年一行者，是謂避年。其經水雖不按月而來。然亦不能受孕，身無疾病，此生理之異常，不能作疾病論也。

治療

實性經閉歸俞、血海、氣海、中極、行間、曲泉、三里，俱用針法瀉性

經閉三陰交、脾俞、肝俞、關元、脾俞、胃俞，俱用針法

病理

經閉之爲病，多由經水凝結，或因氣結之阻滯，以致閉而不下，則當去其障礙，而經自通，故宜針瀉歸俞、血血海，以去血積，氣海、中極，直達子宮，調氣而血，其他如三里、行間、曲泉，俱爲破血行血之效，若虛性經閉，其根本爲血液缺乏，無瘀可破，無積可通，法宜補之益之，則水到渠成，血

液充而經自下，故灸脾俞、肝俞、關元、三陰交等以補血液，益下元，脾胃二俞則培養中土，滋其化源，經閉之由于脾胃虛弱者尤為至要之穴也。

經期腹痛

症狀

經期腹痛，有經前腹痛、經來腹痛，經前由經來而少腹結痛者，大多挾瘀，經水成塊，脉多沉實；經後而少腹作痛者，則多為空虛之痛，痛而喜按，脉多虛細而弱。

病因

凡經前經來而腹痛者，多屬血瘀氣滯，經盡之後其痛即止；經後而腹痛者，多屬氣血虛弱，然其原因頗為複雜，如屬于血瘀氣滯者，則有因胞宮陰寒痼蓄，經水不得陽氣之温化而暢行，遂致少腹綿綿作痛，經水澀少，甚則四支厥冷。或行經之期，感受風寒，或內傷生冷，氣血凝位，不得暢行而後痛，為寒或熱客胞宮，以致行經發劇烈之瘀痛，臍下經血臭穢異常。他如經期不慎，誤犯房事，或誤食酸醎過度，皆足以使血凝氣滯，而造成經前經來之腹痛也。若經後腹痛，則由衆血衰少，供不應求，月經嗐阻，勉強下血，以致血管中血液缺乏，遂成空虛之痛，痛多喜按，來亦少。或經後血室空虛，凝鬱瘀之，以致腹痛。然更有先天不足，發育不全。室女初次經來，即患經痛，以後每行必痛。經期尚未盡之時，陰道狹窄，經水不得暢行。藥餌所難醫治。必待生育之後，自行痊愈也。

治療

血瘀氣滯者，地機、血海、氣海、中極、足三里、合谷、交信。經後腹痛由于寒客胞宮者，關元、氣海灸之。由於血虛者，依照經閉門虛性經閉條治療之。

治理

經前與經來發痛，由于血瘀氣滯。治宜行血調氣，故取地機、血海、交信等穴，以行血而治瘀，繞氣海、中極以達下焦之氣，合谷、三里以宣氣滯。因於寒者，關灸以溫之。因于熱者，鍼以泄之。經後腹痛之由，于寒客胞宮者，則灸關元、氣海二穴以散寒邪。

經漏

症狀 經來不斷，淋漓無時，所下不多，或時[illegible]止，或少腹綿綿作痛，神疲乏倦，飲食減少，脉沉細或數。

病因 經漏者，淋漓不斷也。此症多由柔弱之人，氣虛不能攝血，衝任不固，以致月事淋漓不斷，色多淡而不鮮；或因行經未淨而行房事，致傷胞宮而成，則多少腹疼痛。此外如寒熱邪氣客于胞中，或憂思鬱結，氣滯不宣，皆足致此[illegible]

臨證細辨之。

治療法

氣虛不能攝血者，關元氣海百會腎俞命門，俱用灸。

治理　氣海關元益氣而固血，腎俞命門補益下焦之元氣，百會則從高而升舉之，故能治淋瀝不斷，經經期行房，與氣滯不通者，依照經來腹痛條治療之，寒熱之邪客于胞中者，依照經水先期血熱條與經水後期虛寒條治療之。

血崩

症狀　突然下血不止，病人頓成貧血狀態，全身皮膚成蒼白色。

針灸　一四七十二

嘴唇爪甲尤甚。心虛怔忡，四肢發麻，眩暈耳鳴，甚則不省人事。脈芤或沉或伏。

病因

血大至謂之崩，是急病也。其原因亦有多端，素問曰：陰虛陽搏謂之崩。張石頑曰：崩之為患，或脾胃虛損，不能攝血；或肝經有火，迫熱妄行；或怒動肝火，血熱沸騰；或脾經鬱結，血不歸經。凡此皆足造成血崩。此外復有悲哀過度，尤為血崩之大因。蓋吾人平日蹤之氣和平而血安靜，若遇不如意事，而起悲哀，則氣機鬱結，神經乃起變化，以致血行之秩序淩亂，甚則血管破裂，而成血崩之患。雖然血崩之原因固多，當血崩不止，生命之處，指顧間，危險甚至不極為制止，而欲究來原，未有不誤事也，故不論其病原如何，當以止血為要務，遏止急流，庶可救急於當時，然後因正施治，以善其後。

治療。

血崩不止，關元中極百會三陰交隱白大敦，以上俱灸，用直接灸法，不論壯數，以血止為度

治理

關元中極，益下元而固血，百會升清止血，三陰交養血，隱白大敦，為治血崩之特效穴，直接灸之，可以立止，其原理如何，吳能解之，甚說所謂大敦屬肝，隱白屬脾，肝藏血

血絡……

脾蛻血故二穴能治血崩，然其確實之理由，或為不然者，缺之以俟知者。

第五十一節　帶下

白帶　赤帶

症狀　女子下部流出粘液，似水似膿，或綿或稠，色白者，名白帶；色赤者，名赤帶；赤白相間者，赤白帶。或出疼痛，尿意頻繁，或穢臭不堪。失調治則變為大病，粘液愈多，體愈衰弱，皮膚黄白，全身倦怠，食慾不振，腹痛頭眩，因之多為無生產，月經不調，且易致血崩，及全身衰弱症。

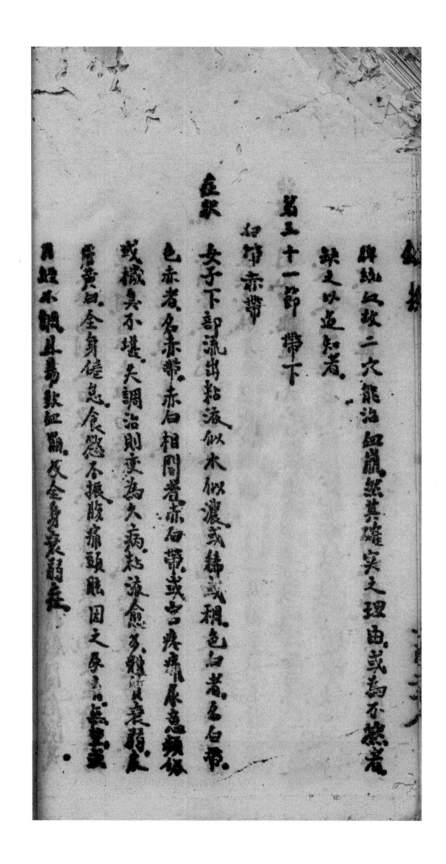

原因

諺云十女有帶、可知婦女多帶病矣、王孟英曰、帶下、女子生而有、津津常潤、本非病也、但過多則為病矣、女子所為帶下者、謂其綿綿如帶而下也、前賢言此有主陰風入胞宮者、巢元方、孫思邈、嚴用和、婁員和諸人是也、有主濕熱者、劉河間、張潔古諸人是也、有主脾虛氣虛者、趙養葵、薛立齋諸人是也、有主痰濕者朱丹溪是也、有主脾腎虛者、張景岳是也、立說多端、總而括之、不外寒、熱二端而已、其病灶則在子宮也、張子和也、赤白痢者、是邪熱客于大腸、赤白帶者、是邪熱客于胞宮、英國合信氏曰、子宮誠白帶與肺傷風則流清涕大腸病則下痢其理相同蓋傷風流涕爲鼻膜分泌出之粘液下痢爲大腸分泌出之粘液帶下則爲子宫分泌出之粘液也子宫蓄熱或子宫有實質能分泌多量之粘液或黄或白其色不一夾血者則爲赤色屬熱者必腰隱隱作痛所下之物或夾穢臭陰道焮熱其子宫突腫故也屬寒者則不痛不穢臭所下之以白色爲多惟帶下除上列原因外更有思想無窮慾火中燒或手淫太過房事不節以致損傷子宫而成本症帶下由此而成者更爲多數也

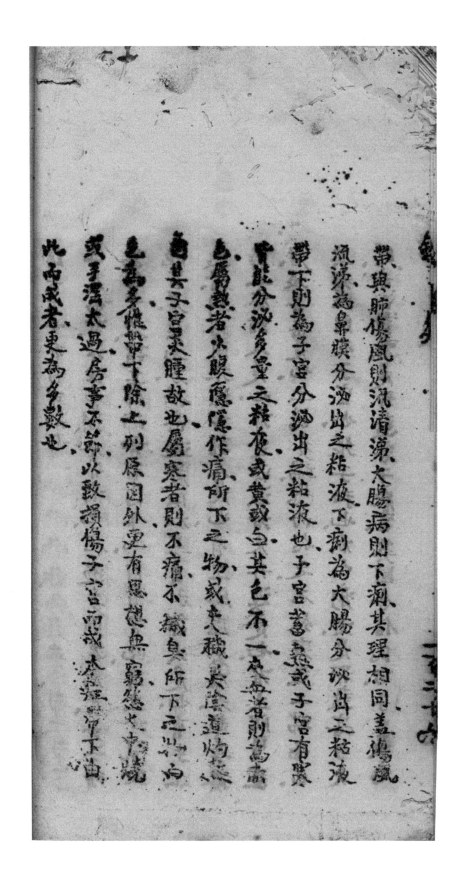

治療　帶脉　歸來　三陰交　中極　色赤者加三焦俞　小腸俞　血海

治理　帶脉專治帶下、歸来中極位近子宮、能直達病灶、驅除障

醫　礙、三陰交針之則清熱、若陰灸之能溫煖下焦、用之以為

各穴之佐使、屬熱則針瀉以清熱、屬寒則艾灸以除寒、赤

帶係子宮炎腫、粘滯夾血而下、故針灸血海以清血、三焦

俞、小腸俞以清下焦之火、若帶病久延、體質漸衰、食減面

黄者、則當加針灸腎俞、命門、關元、脾俞、以補脾腎而固下

元、

附不孕之治療法

針灸　一百三十

生育一事、男女雙方、均有密切之關係、苟雙方發育健全而無疾病、則兩性相交、未有不生育者、反之若雙方有疾病、或生理異常、則不能成孕矣、夫生理之異常、屬女性者、則有騾紋鼓角脉五不孕及子宮歪邪之類、屬男性則有發育不全、陽物短小；精管不正等、凡此種種、皆非針藥所能療、其於疾病者、則可得而治矣、總其原因頗多、女子則月經不調、氣血虧損、子宮虛寒、至不受孕、男子則陽痿不舉、精薄精冷、或早泄等、亦不能生育也、血經不調、視其或先或後、辨其虛實寒熱、遵照經病各門中

血氣虧損　宜取膈俞氣海肝俞腎俞三陰交鍼而灸之以益其氣血

子宮虛寒　宜取關元中極腎俞三陰交以振下焦陽氣而蘇其元、並宜多灸之、

陽痿不舉、（或早泄）腎俞命門關元、宜多灸之、取其能補真氣而振腎陽精足陽充則陽興矣

精薄精冷　係照女子　子宮虛寒不孕條治療之、尤宜節制性交、庶克有效、

濕脚氣

病狀

浮腫先見于足部、軟弱光亮、漸延兩股兩腿、不便行走、甚則破之流水、癱瘓難動、因寒而發者、面黑惡寒足冷如冰是為寒濕脚氣、濕鬱化熱者、面黃口渴、便閉溺赤、足如火熱、是濕熱脚氣、若惡心嘔吐煩渴異常、氣短喘息胸悶心跳、或腹部衝緣動躍震手、則為喘氣衝心之危候、若脉短促、舌紫黑、若苔焦、其人昏厥、不語、兩鼻孔煽者、則不治、

病因

脚氣病、內經為厥、分痺厥痿厥、厥逆三症、頑麻腫痛為痺厥、即濕脚氣也、縱緩不收為痿厥、即乾脚氣也、厥氣衝胸為厥逆、即脚氣攻心、也、蓋脚氣之原因、多由處居低濕之地、

濕邪從足入足脛經絡皮肉、而致脛脹、或飲汚穢之水、及腐敗食物、化生濕熱、下注兩足而得之、濕毒上攻、則成脚氣衝心之症、

治療　足三里、三陰交、絶骨、陰市、陽輔、陽陵、[illegible]商邱、崑崙、脚氣攻心加針關元、氣海、大敦

治理　脚氣病所取各穴、皆病灶之局部、且各穴之功效、爲陽輔、陰陵、風市等之通經絡、三里、崑崙等之化濕行氣、故能治脚氣頗有效驗、惟寒濕脚氣則宜針而灸之、若濕熱脚氣、紅腫發熱者、慎不可灸、若脚氣攻心、則宜加取關元、氣海、

大敦以泄氣之上逆。

乾腳氣

症狀　兩腳乾瘦，不腫而痛，或痿瘍攣急，或日見枯細，步履維艱，面色枯燥，舌多紅，脉弦數或弦細，甚則氣能衝心，而成心悸氣急促，脉即震動症

病因　本病多起於病後營養缺乏，或暑熱傷及三陰，津液為熱所灼，以致枯細瘦弱，而為乾腳氣

治療　湧泉、三陰、太谿、崑崙、陰陵、陽陵、三陰交、絕骨、三里。

治理　本症所取各穴，均能直達病灶，而具養陰退熱，通經活絡

之功、若攻心症則與濕腳氣之腳氣攻心條同治、

第三十三節 痿躄門

痿症

症狀 腿膝手足不利、或不能伸屈、或軟弱而不能履行、或冷麻而失其知覺、

病因 痿者四肢無力、舉動不能、如委棄之狀也、此症多由熱邪燥傷精血、而皮毛筋骨為之萎弱無力、或病後精血大虧筋骨失所營養而成、內經所謂大經空虛、榮衛之氣不足也、

治療：陽陵、絕骨、大杼，灸，參看手足各病門。

治理：痿症乃筋骨為病，故灸陽陵、大杼、絕骨三穴以恢復筋骨之用，並參看手足各病門以治療之。

痹症

症狀：筋骨二部分作痛，或為遊刺，遊行走痛而無定處。

病因：經云風寒濕三氣雜至合而為痹，風氣勝者為行痹，寒氣勝者為痛痹，濕氣勝者為著痹，都為經絡受風寒濕各邪之襲擊而發生痛痹拘急等症。

治療：依照痿症治療各穴，改灸為針，或針且灸之，並參看手足

頭背各痛門

第三十四節　頭部門

頭痛

症狀　外感頭痛、多屬三陽經絡。太陽頭痛在正中與項部，少陽痛多在兩側，陽明痛多在額部。內傷頭痛、多見氣不怯神衰、過勞而發。或頭痛如破，或時常牽引作痛，昏暈不安

病因　外邪襲入三陽經絡，頭部血管或充血或鬱血，皆致頭痛。以頭部屬三陽經也。然有因風因寒因濕因熱因暑等

之差別、或受風寒而痛者則多惡風惡寒、因於濕者則頭痛而重、或倦怠無力、口渴、因於熱者又見發熱心煩口渴、因暑者或有汗或無汗、身惡熱、如血分不足、陰火攻衝、則痛連魚尾、善驚惕、或五心熱煩、因七情憤怒肝膽火鬱上沖而痛者、則頭痛如破、或痛引脇下、因痰飲而痛者、則昏重而痛、憒憒欲嘔、頭痛自有多因、不可不辨也、

治療

腦頂痛、上星、風池、百會、　正頭痛、上星、神庭、前頂、百會、

額角眉稜骨痛、攢竹、合谷、列缺、眉心、　偏頭痛、頭維、太陽、風池、臨泣、

治理　以上各穴，皆根據痛狀而取。頭痛之屬實熱者，針以瀉之；屬虛屬寒者，針以灸之。更宜究其病因何屬，而加用其他穴俞。如因外感風寒者，當加灸風門、風府、大椎等穴以疏風寒；因濕者，則加取中脘、三里、陰陵等穴以化濕；因暑熱者，則加針委中、尺澤、合谷、曲池、間使等穴以清暑熱；如陰血分不足，陰虛火上沖者，加復溜、陰谷、三陰交、肝俞、腎俞等穴以養陰退熱；肝膽之火上沖者，加肝俞、期門、行間、太沖等穴以泄肝；因痰飲者，則加豐隆、肺俞、三里等穴以化痰飲。此皆責乎醫者臨症精思，而應變之。

附頭風。雷頭風

頭風與頭痛，無非二症。凡頭痛之久而不愈，起伏不常，時發時愈者，此頭風也。故其症狀與治法與痛一也。惟有因痰飲停留胃腑，其人嘔吐痰多，發作無時，甚則停痰上攻，口吐清涎，暈眩不省人事，飲食不進者，則為痰頭風。若頭痛而起核塊，有稱為雷頭風，多由痰濁阻滯。若頭中如雷之鳴者，風客所致也。治痰之法，醉腦為宜，取豐隆、肺俞、三里、中脘等穴以化痰濁，佐風池、膻中、頭維、合谷等穴以治頭痛。雷頭風宜取百會、風池、風府、竅陰、翳風而治頭痛，因痰者佐以化痰之穴。更宜審其患處於核塊之上，屬寒者則灸之。

發熱者刺出血則收效更易也。

眩暈

症狀 眩謂眼黑，暈為頭旋，俗稱頭旋眼花是也。由于内風者多兼見嘔心悸，或夜間盜汗，五心常熱；屬外風者則多惡寒熱、骨節疼痛，或頭眩而兼頭痛額痛。

病因 經云諸掉眩皆屬於肝，故眩暈之病多屬肝腎陰虛不能涵陽，而虛陽上越，致成頭旋眼花、五心發熱等症。其因於外感者間亦有之，蓋風邪外襲，盪動擾擾，上干而成眩暈，然屬内風者為多也。

治療　屬內風者　百會　頭維　太陽　攢竹　上星　肝俞　腎俞　湧泉　行間　三陰交

屬外風者　風池　風府　頭維　攢竹　豐隆　三里　中脘

治理　內風眩暈，係肝腎陰虧而虛陽上越，治當滋培肝腎，故取肝腎二俞及湧泉、行間、三陰交等穴，以益肝腎而縮虛陽，佐百會、攢竹等穴以治頭部之眩暈，緣本兩顳處見有數。外風則取風池、風府以驅風邪，頭維、攢竹以治痛額頭暈，後佐豐隆、三里、中脘等穴以化痰濁，風邪解、痰濁平，則眩

疊創已

附大頭瘟蝦蟆瘟

大頭瘟 此症多由風熱之邪襲入三陽經絡、初起於鼻額延至面目紅腫，如火灼熱、面有光澤或壯熱、氣粗口乾舌燥、咽喉腫痛、不利、或寒熱往來、甚則大便不通、若不急治瘴處必致腐化、或膿或有傳染之可能。

蝦蟆瘟 則腫于頸項部、亦屬風熱為病、其兼見之症狀、與大頭瘟相類、亦能傳染。治此二症、急宜於太陽穴之紫絡、用三稜鍼刺出惡血、委中尺澤之靜脈、及少商商陽中冲少冲少澤等穴

均刺出血、以清熱而解毒、復針合谷曲池等穴、以退熱而清瘟
如大便不通者、更宜針中脘足三里支溝等穴以通大便、

第三十四節 目疾門

（目赤）兩目紅赤、或色似胭脂或赤絲亂脈、或赤脈貫睛怕日羞明甚則淚下、此症之因、多屬風熱上乘、或火鬱于上、以致目球充血、故目赤而疼痛、若因於肺熱上凌者則多赤而不痛也、

治療 太陽 睛明 攢竹 頭維 屬風熱火鬱者加風池委中 合谷 以疏風而清熱、屬肝熱者、加鍼臨泣行間肝俞等穴、以泄肝熱、

（目瞖瘍）此症之起因有二，一為外因，一為內因。外因者，乃感受外界風熱之邪而成者也。其症眼胞瘴瘰，輕則如粟，重則如蝦，或發熱多痰而腫痛，其治之易痊。內因者，多由龍雷之火，因上攻擊，其證多痰，而脾方急發，重則疼痛閉塞，血灌瞳中，頗為難治，而變證不測也。

治療　外因者，刺風池、頭維、合谷，以驅風熱之邪，刺童子髎及太陽穴（用血刺出血）以泄局部之熱，而治眼胞內膜出血。

內因亦宜刺太陽、攢竹、睛明、頭臨泣等穴，以清熱而退瞳，便宜鍼肝俞、臨泣、光明、行間、湧泉等穴，以行上逆龍雷之火、怒，每多不治也。

（青盲雀目）青盲者，瞳孔如常，無損無缺，晷無變態，惟視物不見。其原因多由七情內傷，損其精血，以致目失所養，最為難治。若高年及病後，或心腎不充而成斯症者，雖治不愈。雀目俗稱雀盲，亦稱雞盲目，俗謂之高風內障，其狀至晚不見，至曉復明，乃由血虛所致。內經曰：目得血而能視，血虛則不能視也。

治療　青盲與雀目均由陰血虧虛而成，治當滋補肝腎之陰，故宜取肝俞、命門、三陰交，以益肝腎之陰，陰充目得所

養、而光自復、複取瞳子髎攢竹以恢復視神經之功用

（目昏）初起時但昏如霧中行、漸覺空中有黑花、又漸覩物成二件、久則光不收、遂成廢疾、此症多由血液虛、火乏華爲損而成、如七情太過、六慾之傷、以致肝血不足、則成此症、或有目疾失治耗其目光而昏者、則難醫治也、

治療　依照青盲與雀目條治療之、因三者皆屬肝陰不足而成之症也、

（翳膜）此症先感視物不明、繼則生膜如蠅翅、其象如有不同、故名稱多端、有所謂圓翳冰翳滑翳澀翳散翳浮翳沉翳偃月翳

劍脊翳、棗花翳、白翳、黃心黑花翳等。赤圓翳者，黑睛上一點圓光，患一眼，繼傳兩目，日中看之差小，陰處看之則大，或明或暗，視物不明。氷翳如氷凍堅實，陰處及日中看之，其形一同，疼而淚出。滑翳如水銀珠子，微含黃色，不痛無淚，遮繞瞳神。澁翳微如赤色，或聚或散，澁痛無淚。散翳形如鱗點，乍青乍白，疼痛流淚。浮翳上如氷光，白色環繞瞳神，不疼不痛。沉翳白藏在水下，向日細視方明，疼痛極重。偃月翳，風輪上半氣輪交際，隱隱白片，薄薄蓋下，其色粉青。劍脊翳亦稱黃翳，色白或如糙米色者，或微帶黃者，狀如劍脊。棗花翳，薄甚而白，起於風翳根占瞳之內四圍環而來白翳黃心四邊皆白中心一點黃大小皆頭微赤圓圓在黑珠上黑花翳凝結青色大小皆形皆滴頻頻下淚此皆翳膜之名稱與症狀之大畧也欲知其詳則當讀專書也其原因多由肝氣盛而發在表也亦有因勞熱過度或病藥過多而成也

治療　取睛明　四白　太陽　攢竹　等穴以退翳膜取肝俞行間光明以泄肝更可刺少商出血用血點目以退翳膜陽氣衰少者鍼而之

（目淚）目淚之症有二一為迎風淚流一為目流自流迎風而

流淚者、多發于老年婦人、蓋年老則淚線硬化、一遇風寒、伸縮力減退、則淚外流、且婦人善哭泣、以致淚線弛張、亦成斯症。目淚自流者、多由感受熱邪、或肝熱上激淚線分泌、目淚過多、而向外溢也。

治療　近風流淚、宜鍼灸太陽、及鍼頭維、攢竹、以恢復其功用、并直接灸大小骨空穴、每有特效。目淚自流、取太陽、風池、頭維、後谿、睛明等穴、以泄熱。肝熱者、加肝俞、臨泣、以泄肝。

第三十五節　耳疾

【耳聾】此症有二，一為耳聾，一為重聽。耳聾則兩耳無所聞，重聽則較耳聾為輕，但聞之不真也。按腎開竅於耳，少陽之脈絡耳，故肝胆之火上逆，則為耳聾；腎氣虛弱，則為重聽；亦有風熱之邪襲虛而成暴聾者。

治療　耳門、翳風、聽宮。耳聾者，加肝俞、行間、俠谿、臨泣等穴，以泄肝胆之火；重聽者，則肝俞、腎俞、太谿，以補益肝腎。耳暴聾者，加風池、合谷等穴，以疏散風熱之邪。

【耳鳴】耳鳴有虛實二種，耳中如蟬噪不休，以手按之愈鳴者屬實，乃肝胆之火上逆也；若時鳴時止，以手按之則不鳴，或

火減薪、屬虛、乃肝腎之陰不足也、虛者、依照重聽條治療之

實者、依照耳聾條治療之

第三十五節　鼻疾

【鼻塞】鼻為肺之竅、風冷傷肺、津液凝滯、則鼻塞不通、或風熱襲肺、鼻膜炎腫、亦成鼻塞之病、

治療　宜取迎香通天以宣鼻竅、復取風府合谷上星以疏解風邪、

【鼻流清涕或濁涕】鼻流青涕不止、名曰鼻鼽、多由感受風寒、鼻膜分泌黏液過多、而向外流液也、鼻流濁涕名曰鼻淵、亦

四漏臟鼻涕垳下如白帶、有時或黃或紅作腥臊以氣臭
腥臭、亦由風寒化熱、鼻膜因炎腫而成此症也。

治療 鼻鼽宜取上星 風池 大椎 鍼而灸之、以驅風寒、鼻淵宜于
以上各穴單用鍼法、以驅風熱、復加鍼迎香 百會 合谷 以
泄熱而消鼻膜之炎腫。

第三十六節 牙齒門

牙痛 齒為骨之餘、而屬腎、其部位則屬陽明、故陽明鬱熱、或
腎陰虛而虛陽上亢、則為齒痛、或風熱外襲、亦成此症、然
屬陽明鬱熱者、則舌黃口渴、紅腫疼痛、多兼發熱、屬陽

上亢者則不腫不渴、舌多無苔、若因風熱者則多發熱而兼惡風寒、或有因于蟲痛者、則齒上有蛀孔也、

療

合谷頰車打病灶之局部以止痛、上齒牙痛則加鍼人中下齒牙痛加鍼承漿、陽明有熱者、則加鍼內庭以泄之、虛陽上亢者加鍼吕細以清之、屬風熱者、加列缺以驅風熱

第三十七節　口舌門

乾唇腫　唇屬脾胃、脾開竅於口、故口乾唇腫、皆屬脾胃有熱若唇腫而起白皮、皺裂如蚕繭者、名白繭唇、亦屬心脾之火上逆也、

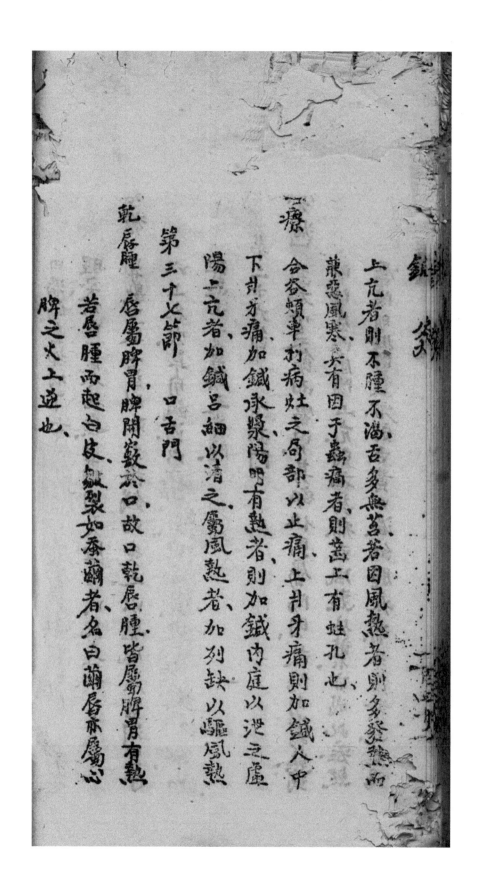

治療 宜取合谷 二間 足三里 三陰交 少商 商陽 刺出血以清脾胃之熱、繭唇加刺大陵、神門、尺澤、等穴以清心熱、

舌瘡舌出血 舌瘡者、舌疼痛而有瘡、甚發生糜爛、舌出血者舌破而有血流出、按心開竅於舌、故舌病屬心、心經火盛則舌瘡糜爛、或舌破而出血也、

治療 取金津玉液 刺出血、以清心火、復鍼合谷委中人中、太冲、內關、等穴以泄熱、

重舌木舌 重舌者舌下腫痛如舌形、木舌則舌腫滿口而語塞、亦屬心經鬱熱而發於外也、均是急症、宜速治之、

治療　宜速以三稜鍼於舌上兩邊刺出血以清熱退瘇（舌正中不可刺）復刺金津玉液十宣等穴出血以泄熱

第三十八節　咽喉門

喉痹　喉裏壅塞痺痛、痰多不能咽物、甚則水漿不得下也、甚原因甚多、有由于風熱者則兼壯熱惡寒、有由于熱毒者、則兼面黃目赤目睛上視、有由于陰毒者、則喉間腫如紫李、微見黑色、惡寒、身體腰痛肢痠、更有于飲酒過度而成或七情所傷、而成氣癰喉痺等、非數言可盡、然多屬痰火及風熱抑遏而已、

治療　宜刺少商合谷頰車關沖等穴、以開鬱泄熱、復鍼尺澤神門湧豐隆三里等等穴以清熱而化痰

喉風

咽喉腫痛、痰涎壅塞、口噤不開、不能言語、或面赤腮腫、湯水難下、多由痰火而成、惟所起之根源有所不同、如忿怒失常而動肝火、勞傷過度而動心火、膏粱炙煿而動胃火、謳謌憂惱而動肺火、房勞不節而動心火、凡此種種、皆足以使喉風、由於火上痰升所致、其名稱亦有多端、有所謂鎖喉風、啞瘴喉風、纏舌喉風、珠連喉風、落架喉風、等不勝備舉也、

治療 宜急刺少商商陽關沖出血、以清熱開鬱、再鍼合谷尺澤魚際神門內關豐隆、以清熱化痰、

咽痹喉痛　普通之咽痹或喉痛，皆属风热，宜取少商、合谷、液门等穴以疏散之。

乳蛾　乳蛾生於帝丁之旁，形如乳頭，紅腫疼痛，妨碍飲食，有單蛾、雙蛾之别。單蛾生於一邊，雙蛾生於兩邊。其因有二，一屬實火，二屬虛火。屬實火者，則起於猝暴，兼有形寒、發熱、頭痛等症；虛火則發生緩慢，而無寒熱之見象也。

治療　宜刺金津、玉液、廉泉等穴以清熱退腫，後佐合谷、少商以泄熱。

第三十一節　小兒痧症

疳症

多因小兒氣血虛憊、腸胃受傷所致、有因孩提斷乳早食粥飯、或乳食不節而成者、有恣食甘肥香炒生冷而成者、其症多見頭皮光急、毛髮焦稀、顋縮鼻乾、口乾唇白而眼昏爛、揉鼻挦眉、脊聳體黃、鬪牙咬甲、焦渴自汗、尿濁瀉酸、腹脹腸鳴、癖積潮熱、嗜啖瓜菓鹹酸炭米泥土等物、此皆疳症之現狀也、張石頑謂疳者藏府虫疳也、良以此症原因寄生蟲潛居藏府而成、又謂疳者乾也、因脾胃津液乾涸為患、在小兒為五疳、在大人為五癆、蓋小兒之疳症、即大人之癆病也、名稱頗多、姑舉其要以資參考

肝疳　面目爪甲皆青、眼生眵淚隱澀難睜、揺頭揉目、耳瘡流膿
腹大而露青筋身體瘦弱糞青如苔

心疳　身體壯熱、面赤唇紅口舌生瘡、胸膈煩悶、五心煩熱、盜汗
發渴

脾疳　面色發黃、肌肉消瘦、心下痞硬、發熱嗜睡、好食泥土、頭大
頸細、有時吐瀉、大便腥黏、

肺疳　面白氣逆咳嗽、毛髮焦枯、肌膚乾燥、增寒發熱、常流清涕
鼻頰生瘡、

腎疳　面目黧黑、齒齦出血、口中氣臭足冷如冰、腹痛泄瀉啼哭

不已、

無辜疳 腦後項邊有核如彈丸，按之轉動軟而不痛，其中有蟲如米粉、身熱羸瘦，或便利膿血、

丁溪疳 手足極細，腹大臍突，面白，潮熱往來、顖顱開解，頸項小而身黃瘦、

脊疳 身熱羸瘦，煩渴下利，拍背有聲若鼓鳴，脊骨如鋸齒、十指皆瘡，頻嚙爪甲、

蛔疳 皺眉多啼，嘔吐，清沫、中脘作痛，唇口或紅或白、腹痛露筋、肛門濕癢、

哺露疳 虚熱往來、頭骨分開、翻胃吐蟲、煩渴嘔噦、此外更有腦部生瘡、謂之腦疳、潮熱五心煩熱、盗汗欬喘、謂之疳癆、手足虚浮者、謂之疳腫、然皆同一疳症、以其症狀稍有差異、而别其各稱也、

治療 四縫穴 用粗針刺之、擠去白色之水液、至見血乃止、或用交叉灸法、或於中食二指割脂、按此症頗為難治、藥物治療不易見功、惟此三法、擇一用之、頗有捷效、其理則不可解、惟疳症之較輕者、則用四縫穴、重者則宜用交叉灸或割脂法、

第三十一節　胸腹門

〔胸痛〕多由傷寒表邪未解、下之太早、内陷胸中、或六淫之邪傷肺、肺氣鬱怫不宣、胸亦為之作痛、惟痰凝氣結、或血積于内、亦成胸痛、惟多隱隱作痛、其痛緩、其來漸、久久不瘉、飲食減少、此内傷胸痛也、

治療

（外感胸痛）表邪内陷者、支溝、間使、行間、内關、針之以開泄表邪、六淫傷肺者、氣户、肺俞、中府、列缺、少商、針之以宣肺氣、

（内傷胸痛）期門、天突、中脘、膻中、以調氣、痰凝者加足三里、豐隆、以化痰、血積者、加膈俞、行間、以行血、

〔胸中痞滿〕此症心下阻滿而無實質可指，多由脾胃虛弱運化不及，以致痰凝食滯，或憂思鬱結，氣滯不宣，致成脘中痞滿不舒也。

治療　陰陵、中脘、足三里、承山、內關，針而灸之，以宣展氣機而助運化。

〔脇痛〕古人謂肝膽藏於內，外應手脇，且厥陰少陽二經均行脇部，足以脇痛無不屬於膽肝之病，然有內傷外感之不同。內傷者，如暴怒傷觸，怨哀氣結，或飲食失節，冷熱失調，或痰積流注於脇，與血相迎，皆能作痛，惟因於怒氣或怨哀

一百四十八

而作痛者，則痛而且脹，得噯則緩，其痛有時而息。因痰積者，則痛無已時，或脇下高起作痛，此內因也。外因者，如傷寒邪入少陽，耳聾脇痛，此風寒所襲而為頭痛脇痛，然多兼寒熱頭痛等症。此外更有跌仆鬥毆，內傷于血，積于肝經，則脇部亦作痛，惟痛而不脹，按之則劇，綿綿無已時。

治療

一切脇痛以期門、章門、陽陵泉為主穴。如由于暴怒或怨哀過度者，加針灸膻中、氣海以調氣；痰積流注者，加中脘、足三里以化痰行積；血積者，加針膈俞、行間、太沖以行血

風寒襲入小腸移閉傷寒也，腸痛條、

「脘痛」

此症多由中焦陽氣衰微，脾胃虛弱，以致氣滯不通，或食滯不化，或痰濕互阻，更有七情內傷，木不條達，或肝氣橫決而影響于脾胃，亦成中脘痛諸之症

治療

中脘、建里、內關、足三里，針而灸之，以旋運中宮，開宣氣鬱，惟由肝氣失于條達，或橫逆者，則宜加針期門、行間以泄肝

「腹痛」

腹部疼痛，其症甚多，古人謂臍以上屬火屬實，臍以下屬寒屬虛，然亦不能執一而論也，究腹痛之原因，有外

感寒邪而痛，有脾虚氣滯而痛，有食滯而痛，有血凝而痛。他如濕熱、陰寒等，皆足以致腹痛也。凡 外寒邪，多食生冷以犯腸胃而痛者，其腹柔软而不拒按。脾胃虚弱，冷氣凝滯不通，因而致而痛者，其痛綿綿不已，喜熱手按揉，面白神疲，小便清利，畏熱惡寒，或得食稍安，脈多微弱。如口腹不謹，飲食過飽，或食後坐卧，以致停滯不化，則胸腹脹滿痛，不欲食，噯氣作酸，或痛而欲利，利後稍減，脈多滑實。若瞋怒太過，憂思鬱結，或跌仆傷損，以致血液瘀滯而痛者，則不脹不滿，飲水作呃，遇夜更痛，痛於一處，定而不移，如痢疾腹痛、霍亂吐瀉而腹痛，則多為熱或陰寒之阻滯也。各詳本文，茲不再贅。

治療 中脘 天樞 氣海 足三里 虛寒者灸之，實熱者針之，脾胃虛弱者加針灸脾胃三陰交，以溫補之。食滯不化者加針內庭、大腸俞以化積滯。血凝作痛者加針肝俞、膈俞、行間以行血破瘀，或於痛處針而灸之，其瘀自散。

肝胃氣痛 此症多由脾胃虛弱，肝氣乘之，以致胃脘脹痛，或口泛清涎，或嘔吐頻作，飲食不進，甚則二便不通，手足厥冷，脈沉或伏，時發時痛，每多成為痼疾。

治療 宜針期門、行間、陽陵、以疏泄肝氣、中脘、氣海、以調脾胃之氣、內關、足三里、行氣而止嘔逆、若疼痛過劇、而致脈伏支冷二便不通者、則可於尺澤委中各部之靜脈刺出血

第三十二節 腰背門

【腰痛】 腰者腎主之、腰痛屬腎之病、故入房過度、損其腎氣、腎臟虛弱、則腰部作痛、性多腰支痠弱、隱隱作痛、身體疲倦、腳膝酸軟、此外更有風濕、寒濕、濕熱、內氣瘀血、痰積等之不同、風濕者、腰部重痛、不能轉側、或痛無定處、牽引腿足、或兼寒熱、多由感受風濕之邪而成也、寒濕者其腰如

外物緊疼痛得熱則減得寒則增或兼頭痛身痛等症多由感受陰寒雨濕之邪而成者也、濕熱者、痛部痛疼沉重、小便赤澀、或兼發熱口渴等症、多由感受濕熱之邪而成者也、閃氣者閃挫跌仆勞動損傷忽然、腰部疼痛不可俯仰、瘀血者日輕夜重痛有定處不能轉側、痰結者痛部重滯、一塊作痛或一塊如冰喜得熱按、凡此種種皆腰痛之原因也

治療

環跳 委中 承山 腎虛者則針灸腎俞以益腎風濕者加針灸風市陽陵以逐風濕寒濕或濕熱者加針三

里陰陵以化濕熱，則針；寒濕則灸；瘀血及痰積着，則于痛處針而灸之，以行血滯而化痰積。

腰痛有風寒濕熱之異，腰痠悉屬房勞腎虛。惟有

（腰痠）

痠補，依照腎虛腰痛條治之。

（脊背強痛）

督脈之經與膀胱之經均取道脊背，若風寒暑邪之侵襲，或經氣凝滯，則脊背乃作強痛；或打撲損傷，從高墜下，惡血內留，則疼痛不可忍，或不能轉側也。

治療

人中　委中　白環　風府　以宣通督脈、膀胱二經之氣而驅風寒之邪。惡血內留者，加針肝、膈二俞以行血破瘀。

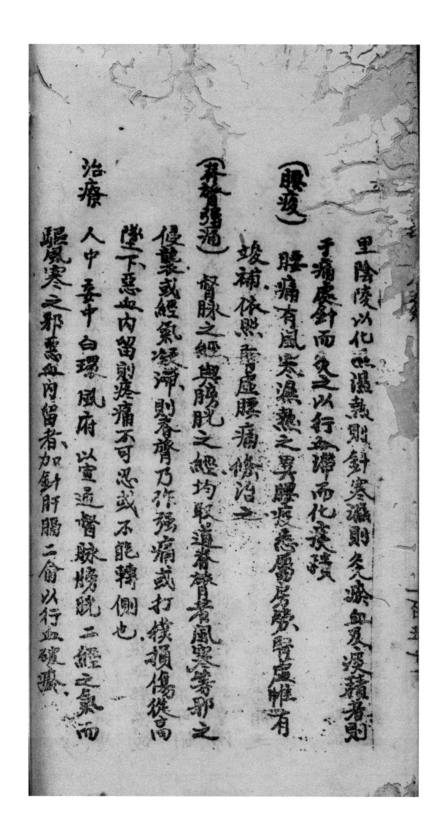

背痛　背部屬太陽經、如風寒濕等邪、襲入太陽、或經氣滯、則背部作痛、經云背者胸中之府、肺中有邪、則背部亦能作痛、若背部一片作冷而痛、此多由痰飲內伏、或寒邪凝積也

治療　大杼　膏肓　崑崙　肺俞　風門　人中　以疏太陽之氣、且直達病灶、而通治一切背痛、其有兼見他症者、則加取適當之穴治之、若背部一片冷痛者、更可於痛處針而灸之、則直搗其巢、驅其瘀滯、收效益速也

第四十四節　手足病門

四肢之病、不外乎腫痛痿麻、不能伸屈行動等、多由風寒濕侵

襲經絡、或痰飲流入四肢、或血凝氣滯、或外受重傷筋、跌仆損傷、或血氣衰虧損、不榮經絡等等、治療之法、則視其病處之部位、屬于何經而針之灸之、如久年宿患、或瘦麻重、而疼痛少者、宜灸、新病初犯、或疼痛甚劇者、宜針、腫而不痛不熱者、宜灸、腫而熱痛者宜針、屬虛則灸之、屬實則針之、此治手足各病之大法也、明乎此、庶無誤治之弊矣、

（肘臂痛或麻木）　前廉或外廉者、有頤曲池、合谷、陽谿、三里、列缺、外關、後廉內廉者、大陵、內關、尺澤、陽谷、曲澤、肩外俞、肩中俞、

（手不能舉）肩髃曲池不能向前或關後巨骨肩貞

（肘臂強直不能伸屈）尺澤曲池曲澤手三里、手腕不能伸屈、大陵陽谿陽池

（五指麻木或不能伸屈）合谷透勞宮法、中脘後谿、

（兩手厥冷）曲池太淵、

（手臂紅腫）合谷曲池手三里中渚尺澤肩髎腫者、加針肩髃

（手掌腫痛）勞宮曲澤、

（腿痛）環跳風市居髎如紅腫而痛者、加針委中血海、

（腿膝無力）風市陰市絕骨條口足三里、

（膝痛）陽陵泉 內外犢鼻 膝關 鶴頂 如紅癰而痛者、加針委中 行間、

（腳胻痛） 陽陵 絶骨 條口 三里 三陰交 陰陵、

（腳轉筋） 然谷 承山 金門 絶骨 陽陵、

（足不能步或不能伸屈） 環跳 白環俞 陽陵 絶骨 足三里 曲泉 陽輔、

（足跗腫痛） 解谿 崑崙 太谿 商丘 行間

（足心腫癢或腳跟痛） 湧泉 崑崙 僕參、

（足冷如冰） 腎俞 灸 再針厲兌、

種痘

緒論

天花即痘瘡一名天然痘、我國古代就有此病晉時肘後備急方名虜瘡隋時諸病源候論及唐時千金要方名豌豆瘡宋時三因極證方論名天花痘瘡相傳後漢馬援征伐武陵蠻時士兵都生瘡病故漢代亦見此病預防之唯一方法就是種痘茲分述新舊不同之點、

(一)舊法 我國醫書據醫宗金鑑說種痘之法起於江右達於京畿究其起源為宋真宗時峨嵋有神人出為丞相王旦之子種痘

而愈其法遂傳于世其法有取痘粒之漿而種之者有服痘兒之衣而種之者有以痘痂屑乾吹入鼻中種之謂之旱苗者有以痘痂屑溫納入鼻中種之謂之水苗者都是將天花毒以人工種入小兒體中故意使他發生天花症狀比天花稍輕病愈之後遇天花流行時可不再感染據近代免疫學之解釋乃以衰化之痘毒種于人身使引起無危險性之痘瘡藉此使其身體對于天然痘生一種抵抗力以為天然痘之預防前說法人以天花種輕病者之痘漿(痘疱內之漿液)接種于健康之人即有此作用是謂自動免疫 但此法之弊害甚大因痘漿痂旱苗水苗等物質是直接

或間接接觸者有傳染天花之危險以一人之預防轉使病患有傳播全社會之機且此類種痘之小兒其體質强者或可以平安無事但稍弱者則與患天花者同一有殞命之危險尚有將童苗漿且接播種于他兒童者設受之兒童有梅毒同時則傳染與被種之兒童其弊害甚大近代已不復採用我國各地有半慈善式之佈種痘局間有使用此土法者大都改用牛痘漿苗惜不知消毒方法）以上為人痘漿

（二）新法　西曆一七九〇年英醫耶那氏觀察曾經過牛痘之人不罹真性痘瘡遂發見現今通行之牛痘接種法氏之研究

民于一七九六年五月十四將一擠乳婦兩手所染痘漿之膿漿接種于一兒童之身該兒即由此不復感染痘瘡因知種痘為預防天然痘取效之方法且接種之後僅限于局部發生痘瘡并不染及他處而能遺留四年至十年之免疫也立即傳播全歐在一八〇五年其法傳入我國（即嘉慶十年英商多林文氏帶痘苗由小呂宋到澳門並將此法傳與南海邱浩川阮元。古詩贈邱元「若把此丹傳省稍將兒壽補又年」日本則于一八三九年方由荷蘭人傳入德國在一八七四年宣佈強迫種痘條例近代各國莫不奉行種痘天然痘之發生可望自漸稀少吾國于民國十六國民政府成立衛生部後即頒布種痘條例亦施行强迫種痘軍隊中亦由軍政部發給牛痘苗限每年春秋二季勵行强迫種痘尤以新入伍者必須種痘由中國旅行各國之華人由上海乘輪時亦須預行種痘並持種痘証方可登輪

牛痘者係痘毒經過牛身而生之痘瘡內所含毒質已衰化（蓋痘瘡病原體通過動物體如牛家兔則減其毒性）瘡作藍色而中間深陷生于牛之乳頭部分故擠乳兩手恆被傳染但以後即不感染天然痘

應用此作用以前所述牛痘漿接種于人之皮膚則生于局部起

反應而對于天然痘瘡能獲得免疫性現普通所使用者為由犢牛身上採取動物性之痘漿故近日決無由人直接種于人之事而專用以天然痘漿接種于犢牛所得之痘漿焉所謂牛痘漿

牛痘苗之製法將犢牛皮剖開以牛痘漿塗之擦于創上以生後二月至六月之犢牛為最宜（腹毛須剃去之）約五六十處越四日後有時至七日於痘瘡為未成熟之前種痘處已生痘疱乃將痘疱全部刮取以定量之甘油混和之後細磨碎用遠心器除去其沉澱物樣●六一〇八%五沉加石炭酸貯于冰室中保存備用一二月內有效陳舊者即不能使用矣

種牛痘之原理　人類體軀獨病原微生物侵入仍能抵抗而不發病謂之免疫凡發生天花者以後永不發生即此人對天花已有免疫性因病而得故可謂病後免疫天花為最惡傳染病其病毒傳染力甚强概由外界侵入人體但病愈以後可終身不再傳染此理乃病毒侵入人體後人體細胞中產生抵抗此病毒之物質如再逢此病毒侵入此物質即與之中和或消滅之此物質名抗體吾人從未發過天花則身體上缺少抗天花之抗體故須種牛痘種牛痘後則人身中發生抗牛痘之抗體且同時予一定時間內可抗天花且牛痘病狀甚輕經時且短不妨人體健康且

非經接種不致傳染他人在人類社會上決無流行牛痘之情形所以可應用種牛痘以防天花之發生其益殆勝以上所述各種舊法種痘多多也

接種牛痘之方法

(一)選苗　選擇牛痘苗可得種痘佳良之結果預防天花之力量亦大牛痘苗我國從前無出品大都購自外國最近北平中央防疫處所製牛痘苗已有十六年歷史大可使用餘如上海市政府衛生試驗所蘇州中華傳染病學院北平麗敦微生物研究所俱有出品牛痘苗有效期間最長六月即自廠家製造日期計算

痘苗筒貼有簽條載明年月不可受光熱購入後藏於冰箱備用最近內政部令飭各省查禁麒麟三角中西福壽四牌牛痘苗乃因此等苗經化驗認為失效之品

（二）種痘術式　于上臂外側上段之皮膚（三頭膊肌）用浸酒精或依的兒或揮發油之棉花拭淨置痘苗於漿盤上攪勻用種痘針（即痘苗刀）沾取少許同時緊張局部之皮膚于該施行淺十字切（以不出血爲度略有血暈但須切開真皮）長一分或單綫狀長約三分每顆之間隔二—三仙米上臂裸露十—十五分時使痘漿乾燥乃護以火綿酒並以脫脂布及繃帶綳紮之或不用火綿亦

綳帶亦可第一期種痘于右上膊種三回顆第二期種痘于左上
膊種大顆第一期種痘最當之年齡為生後一一十二日流行時
宜速即接種否則當選小兒健康之時禁忌症為急性傳染病結
核或梅毒之重症急滲質廣汎性濕疹各種皮膚之瘡等
附記種痘之人體部位如為女子有於乳房下或上腿部分者
至種痘之手術或有取切種法為皮蓋皮有壓剌種法有乱切
法皮内接種法為ノ々如取以法射皮内七日後現紅腫硬患
濕疹之小兒可行以得天花免疫性各種初種後可後五年至
七年之免疫過此年限必須再種一次大約種三次可保終身

但有例外種痘者亦可發生天花但症狀較惡接種時爲經
經牛痘用具如刀或針大縫衣針亦可用須先煮沸或燒灼以消
毒待冷却後方可應用
折苗液管須先以酒精綿花拭淨管外候乾折去一端須多去管
頭防熔封時此苗之端以受熱而失效也
種痘醫師手須消毒
種痘之正常經過
分爲四期
第一潛伏期　接種後三四日間除外傷性反應外全無症狀

第二小水泡發生期　接種部輕度發赤然後從皮膚面隆起而成丘疹逐日增大至五六日丘疹中心部褪色同時周圍繞以紅暈第七日以後形成小水泡丘疹之內容為透明之淋巴液所化痘漿其中心部則與皮膚切割部一致作陷狀

第三大紅暈發生期　種痘第九日其狹窄之小紅暈擴張為大紅暈二三日間增大之後驟然褪色其間小水泡變為膿泡同時體溫或有達至三十九度以上者小兒多不安靜妨礙哺乳不睡眠但無性命之憂不必治療

第四遂行期　膿泡變為褐色痂皮二三週後剝離而遺瘢痕

附記　醫師於接種後一星期至十日當檢視小兒以酒精棉拭痘疱及其周圍後以消毒沙布綳帶之初種能証明三個以上之膿疱則認為善感之象否則須重為接種倘三次連續接種均不見反應可認為已有天然痘之抵抗力也

種痘之異常經過

種痘反應之强弱其一定度關係於一痘漿之毒力二年歲（小兒愈幼反應愈弱年長兒之初種者反應强）三體質在貧血或惡液質之小兒其血疹發育慢紅暈亦遲熱度亦弱所謂惡液質反應四夏季較冬季速春較秋速

種痘發診　有于種痘後發生小副痘或皮膚在顏面軀幹或四肢之伸展側有麻疹狀發疹于第八—十二日見之似血清之紅診作癢或呈白泡甚至發生膿炎而死多由幼年未行種痘年長者始種痘方有此症但甚罕見

由種痘而發生之損害　廣汎性種痘為手指沾染接種部附坩着之痘漿而攪破其他之體部因之眼顏面陰門各部分發生上膊同樣之痘疱者

全身種痘　種痘後十日—十二日全身發生膿泡殆病原體傳入血液而蔓延者

肉體液體以之二次傳染或不潔之手指接觸破痘瘡有生膿液或潰瘍者概在第八日有發生後期丹青或化膿性淋巴線炎者

以上各種反應局部以醋酸鉛水之冷罨潰瘍則以紗布貼赤之

醫治真性霍亂針藥並治法

霍亂（又名癟螺痧因指肚螺紋下陷、如久浸冷水之態、故名之西名虎烈拉）有真假之分、假性者初亦吐瀉並作、與真性霍亂相同、此既急性之腸胃炎也、惟指肚螺紋不癟、腿肚不轉、眼珠不上向、頭與手足無青色、若驗糞則真霍亂有弧狀細菌假者無之真霍亂之急性者瀉腹一二次、即現以上病狀、蓋因瀉去血清血因之變濃、並呼吸其組織內淋巴腺之淋巴所致、俗醫不明病理只以陰陽分之且以陽症霍亂不可服乾薑如服之即死、因此延誤病機、以致不救者比比皆是、霍亂之名始於內經云土鬱之發、民病嘔吐霍亂、又傷寒論云嘔吐而利、名曰霍亂、其方藥惟四逆湯有效、（方見後）而俗醫多不講古學、於德學科什氏所發明之弧狀細菌尤不知、獨持宋太平和劑局方之霍亂用霍香正氣散等方服之、其不死幾希矣、惟傳染病有因病菌而生者、而中藥不專注殺菌、亦能治愈之何也、蓋因湯液入身能令白血球與抗毒素增其生活之力有治驗可証、雖西醫不能加以否認、入秋以來膠東一帶、虎疫流行、到處披猖。七月下旬余自芝罘回年平、村中霍亂已起、且死四人、隣村死一人、乃速行醫治、迄今已百餘人、惟死二人。所治愈者多有已至聲啞瀕死者、余治之法先服哥羅顛、成人服十五至三十量滴、只服一次、即行針法、若初覺而病輕者即愈、重者針後繼服四逆湯、若指肚已癟、四逆湯一日可服兩劑、回生之先兆指肚陷者漸起、腿肚不轉、惟頭與手足青色、須至三五日方能復原。由此多患胸部煩悶而燒、或心痛者（心痛針足三里、中脘三穴、見後針法條）、至七八日漸退而愈。愈後忌硬食鮮蔬、忌藥。来號十餘起之患、經余治急性之重者、被其傳染二次、皆自醫治

病起始覺腹脹腸鳴而痛旋又腿肚抽筋弱而不轉急肜言難顯
二十五量滿即行針術腹內痛立時安瘥惟腿肚抽筋至十大小
時而愈茲將治驗之效法列左
（針法）先用鋒針（即三棱針）刺大椎穴（在脊骨上部第一椎骨即
項後下部隆起之骨上際）再刺陶道穴（在第一椎骨下端與第二
椎骨上端之間）再刺印堂穴（在兩眉中）再刺瞳子髎穴一名太陽
穴（在目外眥角外五分以手按之陷凹之地左右各一刺）重者刺百
會穴（由前髮際上量五寸量此穴之法用綫一條由前髮際量至
後髮際共作一尺二寸）再刺手拇指少商穴食指商陽穴二穴在

指内側去爪甲角二分）再刺足大指隱白穴（在趾内側去肉爪角二分）再刺第二指厲兌穴（在趾端爪甲外二分）再刺第四趾竅陰穴、足小趾至陰穴（二穴在趾外側去肉爪甲二分）以上手足皆刺入一分出血二三滴、百會印堂太陽四穴皆刺入二分、各出血七八滴、大椎陶道二穴刺入三分出血一二十滴、此二穴為脊髓神經最要之區、霍亂病用針法為第一緊要之處、嘔吐腹痛轉筋、皆用毫針（即氣針非出血針）、嘔吐先刺太谿穴、（在足内踝後際五分以手按之陷凹内有動脉處即是）再刺中脘穴（由臍中上量四寸即是此穴屬任脉）即腹中線」上腹共七穴之一用綫一條、由臍中上量至岐骨下際將線折作八寸腹痛或心痛先刺巨闕穴(由臍中上量六寸)再刺上脘穴(由臍中上量五寸)再刺中脘穴下脘穴(由臍中上量四寸即中脘穴上量二寸即下脘穴)腿肚轉筋先針陰陵泉穴(由膝蓋骨前下際正中線往內側橫平量至四寸當膝內側大筋之上將膝屈之在橫紋端上寸許以指按之陷凹中即是(同身之寸以患者中指彎如弓形由中節前紋端度至中節後紋端為一寸)再刺承山穴(在膝後從腿肚之正中線當腿肚下要陷凹之際)自嘔吐以下之穴皆用毫針刺入三至四分不明針術者皆可依法刺之若無三稜針即用銀簪磨成三稜針(針鋒不可

太細）無毫針即用縫衣之針，惟針眼須帶線，恐失手盡入肉內，漏家放膽刺之，決無防礙。要知所謂針眼並非組織內有天然之針眼，即差一二分亦能愈病，然而不可離之太遠。俗醫針霍亂，第一手先用繩帶緊紮大臂膊（今臂彎），靜脈現露，用未消毒之三稜針，（古人以針入口溫之，近出版之針書亦從其說，最易傳毒，實為大誤）刺入半寸或寸許，以令血出如射，謂放血多而能愈病，殊不知放血不在多寡，在乎緊要之穴，能使血液流通，則白血球與抗毒素因此增加生活之力。亦有謂霍亂而轉羊毛疔者，以大針挑起皮下之結締組織，謂之羊毛，用刀割斷，無知妄為，殊屬可恨。

(手術)先將鋒針毫針入煮沸消毒器、若無即入潔淨之小鍋內以沸水煮之、消其毒氣。若病急不待、即用藥棉蘸火酒拭之亦可、醫士潔其手須帶護口罩、先以藥棉蘸火酒拭所針之穴。所用鋒針毫針皆以藥棉消毒並揉按眉間印堂太陽三穴、皆用左手拇食二指將肉攝起刺之。惟百會大椎陶道三穴、胖人不易攝起出血、之法以兩手拇食二指對擠、異針眼一擠一鬆、血出如豆、放手即止、以藥棉拭其血、若刺處擠至數滴不出、欲再出之、即離眼一二分再刺一穴、斂擠之。毫針入穴、以右手持針左右轉之至數分或十數分鐘、即緩緩出針、以藥棉揉按穴上、行針[illegible][illegible]、備[illegible]瀉男左女右等説總之鋒針出血爲瀉、毫針通達氣血爲補、醫術重在實驗、不可向壁虛造、或人云亦云、以欺世人。

（醫方）生烏頭八分至一錢半 乾薑二錢至四錢 甘草四錢 腹痛加丁香一錢至二錢 小便不和加豬苓四錢 澤瀉三錢 按四逆湯係用生附子、今方因無生附子、故改用生烏頭（烏頭即附子之母）須知生烏頭與附子係澱粉質、今川產者皆煮熟、其質必變、色褐而軟、形如煮熟甘薯、係糖化酵素作用、及至藥房復用水浸、必達至咀嚼無味、切成薄片、美名曰淡附片、章太炎先生云「川東夔府瀕西辰沅一帶、三伏日即以生附子豬肉合煮飲之、以防霍亂、北方山東河北之民，常啖生蒜，無霍亂病，此皆健胃強心之效也。大論四逆湯、通脈四逆湯并用生附子，市肆所行之淡附片，則殊無纖毫之效也。實爲名論，惟生烏頭藥房雖有，竟有不敢售者，須告之。再方内之丁香，須用原質，其色褐，嘗之味極辛麻，香擠之見油質，而藥市售者多爲取油之糟粕，俗醫即以此治病，取油之物其色黑，而蕊中圓球之蕾已被取油時壓去，僅留四蕊之萼，擠之無油，嗅之無香，嘗之無味，入藥無功。藥房無原質者，改用丁香油二至五量滴，若無不加亦可。

完

一　灸法之起原

灸法之起源，渺不可考，在文字上之可稽者，厥為内經異法方宜論曰：北方者，天地所閉藏之域也，其地高陵居，風寒凛冽，其民樂野處而乳食，藏寒生滿病，其治宜艾焫。艾焫，即灸法。按内經之文，灸之發源，當在北方，究其發明之時期，則不可得矣。以推想之目光測之，當在鍼術之前，發明取火之後，與砭石之應用，或在同時，何以言之，石器時代，民尚穴居野處，病多創傷，風雨為侵，病多筋攣痺痛，則宜灸焫，蓋得溫則舒，得熱則和也。當其發明砭石灸焫之法，殆皆出於自然，人為最靈之動物，有天然之自術自治本能，如身體有痠麻疼痛，自然以手按壓，或取石片以杵擊，或就火熱以薰灼，或置燃燒物於皮膚，為種種之嘗試，求病痛之免除，或在無意識之中，獲得療治之發見，其中有不少天才者，積甚多之經驗，知何種病苦宜砭石杵擊，且知何部為良，何種疾患宜用火熱薰灼，施何處為愈，流傳而下，於是成為砭石之法，灸焫之方，及有文字，乃記未為文載之於簡，傳之數千百年而至今，成為重要之學科。

二　術之定義

何謂灸術，曰以特製之艾，在身體表皮一定之部位，所謂一定經穴點上燃燒之，發生艾特有之氣味與溫熱之刺戟，調整生活機能之變調，且增進身體之抵抗力，而與病之療，及病之預防之一種醫術也。

三 施灸之材料

灸術用艾，以其性溫而降，能通經絡，治有病也。然則古人早知艾之功用，始以之作灸炷耶？曰，是又不然。艾蒿遍地皆有，可為燃料，引火最易，且氣味芬芳，聞之可清心醒腦，古人取火不易，當必以之為火種，因芬芳而易燃，於是用之灸炷，試之久而驗之證，乃成為灸治之要品，後之學者，乃就其功效而推測其性狀，如上也。

就學者之推測與研究，艾屬菊科植物，為多年生草，我國全部皆產生，春日生苗，高二三尺，葉形似菊，表面深綠色，背面為灰白色，有纖毛，葉與莖中有數個之細胞，具有油腺，發特有之香臭，夏秋之候，於梢上開淡褐色花，為筒狀花冠，作小頭狀，花序排列，微有氣息，但不入藥用，入藥或作灸炷者，乃為艾葉，每於舊曆五月中採而用之。

關於艾之性能，唐甄權藥性本草，謂止崩血腸痔血，止腹痛，安胎。明繆希雍本草經疏，謂味苦微溫，熟則大熱，可升可降，其氣芳烈，純陽之草也，故無毒，入足太陰厥陰少陰三經，燒則熱氣內

芙蓉

跋[illegible]

甘

针灸讲义（陆瘦燕）

提 要

一、作者小传

陆瘦燕（1909—1969），出生于上海市嘉定县西门外严庙乡的一个针灸医师家庭，自幼随父学医，耳濡目染，知针灸治病之神效，更受其父济世仁术之熏陶，夙兴夜寐，攻读医书，秉承家学。18岁在上海悬壶济世，因针刺沉疴屡见奇效，求治者络绎不绝，成为一代名医。目前“陆氏针灸疗法”已被列为“上海市非物质文化遗产名录项目”。

陆瘦燕在其40余年的针灸生涯中，全力研究经络理论，并用以指导临床，形成了独特的学术思想和医疗风格。他注重全面切诊、整体辨证，重视爪切进针，善施行气、补泻手法，处方配穴灵活恰当。同时，他认为必须重视对中医学理论的整理和发扬，提高中医队伍的业务水平，加强中医队伍的团结，这样才能振兴中医事业。为此，他在上海报刊上开辟了《燕庐医话》专栏，竭尽全力宣传针灸知识，弘扬祖国医学理论，并与夫人朱汝功共同整理、总结了经络、腧穴、刺灸、治疗等方面的系统理论和临床经验，编写了“针灸学习丛书”，包括《针灸正宗》《经络学图说》《腧穴学概论》《刺灸法汇论》《针灸腧穴图谱》等。其中《针灸腧穴图谱》被国外出版社翻印发行，对推动针灸学术的发展起到了积极作用。1948年，陆瘦燕与夫人共同创办了新中国针灸学研究社及针灸函授班，并亲自编写讲义，办学期间，函授班培训的学员遍及国内外。陆瘦燕及其夫人为针灸医学的开拓和传播做出了重要贡献。

二、版本说明

《针灸讲义》于1950年5月20日由新中国针灸学研究社出版，由上海洽丰印刷所印刷。

三、内容与特色

该书的主要内容包括针刺理论、详细的针刺方法、部分腧穴释义、针刺后异常情况的处置，对三叉神经痉挛、急性关节疾病的诠释与诊治。针刺方法部分包括持针爪切进针法详图、人身度量标准（附同身寸标准图）、无痛下针之手法、初学补泻之总诀、诊病取穴法、刺针之方向、宜参新学说、针刺时应注意要点、针头宜圆尖适中、针之适应证、刺针之禁忌点、指法南针（爪切、指持、口温、进针、指循、爪摄、针退、指搓、指撚、指留、针摇、指拔）。

现将该书特色介绍如下。

（一）内容全面，去粗存精

陆瘦燕以继承和振兴针灸为己任，结合多年悬壶心得和经验，对于针刺方法的论述去粗取精。该书对刺法中的各个细节都进行了细致的讲述，内容涵盖了练针、取穴、进针、行针等操作步骤，针刺辅助手法、针刺补泻手法、针刺方向等手法要点，以及针刺的适应证、禁忌证和滞针、折针、晕针、血肿等异常情况的处理。同时，还介绍了艾灸的方法及适应证、常用腧穴及三叉神经痉挛和急性关节疾病的针灸治疗。除这些临床操作规范外，该书还介绍了陆瘦燕的行医心得。全书论述精练，具有极强的实用性。

（二）博古纳新，实践求实

作者非常注重中西合参。书中很多内容均从中医、西医两个角度进行阐述，如作者专列“宜参新学说”，讲述针刺刺激到感觉神经、运动神经及交感神经时，人身体产生的不同感觉及治疗效果。在穴位释义中更加体现了作者的用心，作者逐字逐句、引经据典地解释古人所拟穴名之含义，并从西医学的角度说明腧穴部位及临近的肌肉、骨骼、神经、血管。作者将《席弘赋》《玉龙歌》《百症赋》等针灸歌诀中对腧穴的描述摘录出来总结成“提要”，并将自己对腧穴的运用体会提炼成“经验”，又对《素问》《针灸甲乙经》《新铸铜人腧穴针灸图经》等经典中对腧穴的手法操作汇总为“手术”。该书可谓毫无保留地呈现了陆瘦燕关于针灸的心得经验，对当时针灸学术的继承、提高和发展起到了很大的推动作用。

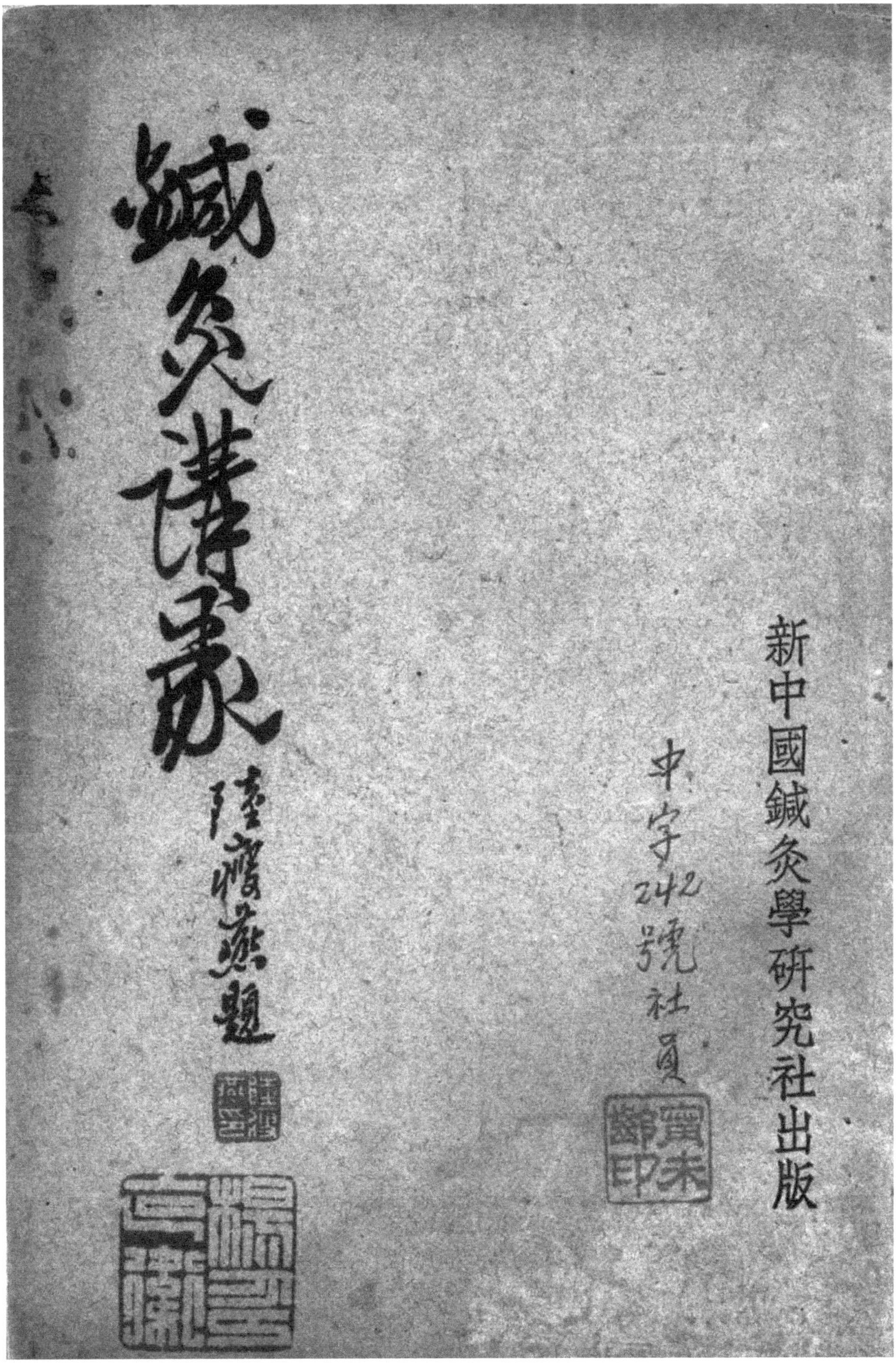

鍼灸講義

陸瘦燕題

中字242號社員

新中國鍼灸學研究社出版

卷首語

鍼灸之學術，經世界各國科學之證明，對於治療，有莫大之援助，吾人自當潛心研究，發揚光大，茲述鍼灸五便如下：

一、藥價如此貴，一劑普通之風寒藥，需一萬餘人民幣，殊覺不勝負担，但不服藥何能愈病，此時也，坐以待斃，於心何忍，如欲服藥，力不勝任，進退兩難，徘徊歧途，如施以鍼灸，疾病可除，不需一文藥費，簡便極矣。

二、我國幅員遼闊，如處鄉僻，醫藥之設備，至爲簡陋，一旦罹病，令人有「英雄無用武之地」之感，此時也，如用鍼灸，既可見效於俄頃，復能助藥力之未逮。

三、每一病症，有寒熱虛實表裏之分，用藥有寒熱溫涼補瀉之異，不可誤治，否則危害生命，故鍼灸亦當如此詳分，然而初學鍼灸者，祗能先從治標着手，頭痛治頭，脚痛治脚，余可保證言之，少有遺患，因鍼灸之原理，在通暢氣血，流行經脈，刺入肌肉經脈之間，即收疏通之效，自無危險。

四、癰疽之病，大都依仗外科，但明達之外科醫師，深知鍼灸之利，屢屢施用，實則瘡瘍諸病，對於鍼灸最爲適宜，蓋其最大之作用，在疏通血脈，解凝開滯，因癰疽之成，十之八九，由於氣血不通，氣血流暢，癰疽自消，且鍼之刺入肌膚，毫無痛苦，與外症之開刀，令人凜然而懼者，誠不可同日而語。

五、神經系脊髓系諸病，最爲繁多，現時之西醫藥，自言尚無確切治療之方藥，中醫藥亦未敢言有確切之把握，但鍼灸對神經系脊髓系諸病，確有負責之療法，因鍼灸之最大作用，在保護神經組織細胞，毋因疾病之侵襲而遭破壞，在中醫學說上講，疏風泄邪，經脈無滯，如阻塞之河道，一經鍼之診治，成其疏導工作，水暢其流，物盡其利，其方便爲何如乎。

此五點，俱甚確切，故本社不辭辛勞，盡力指導，務使國學重光，而保國粹。

鍼灸講義目錄

門生

崑山 俞恒星　上海 王碧華　嘉定 楊鈞伯
滬西 周今兮　常熟 顧禮華　南通 吉文俊
嘉定 李元吉　餘姚 高伯仁　嘉興 屈春水
浦東 徐左一　奉賢 閔漱石　無錫 章石羽
浦南 余仁森　上海 俞啓昌　浦南 王佐良

參閱

長子 陸筱燕

本社職員表

名譽社長：陸清潔

名譽副社長：陶萃章

社　長：陸瘦燕

副社長：朱汝功

研究委員會主任委員：社長兼

研究委員：王佐良，石純農，朱治吉，朱南孫，李國衡，徐少明，陸清源，陳春培，張志英，張志雄，張鏡人，蘇讀賢，嚴蕭容。

編審委員會主任委員：社長兼

編審委員：秦伯未，章巨膺，章次公，張贊臣，陸淵雷，劉民叔，謝利恒。

總務科主任：屈春水

審核股：主任兼

文牘股：高伯仁

會計股：吉文俊

研究科主任：社長兼

出版科主任：陸筱燕

設計科主任：章石羽

宣傳科主任：洪頌嫻

聯絡科主任：吳智安

製鍼科主任　李以偉

鍼灸講義

持鍼爪切進鍼法詳圖

新中國鍼灸學研究社出版

陸瘦燕著 朱汝功校

說明

中指食指無名指合以拇指持鍼，鍼須堅直。

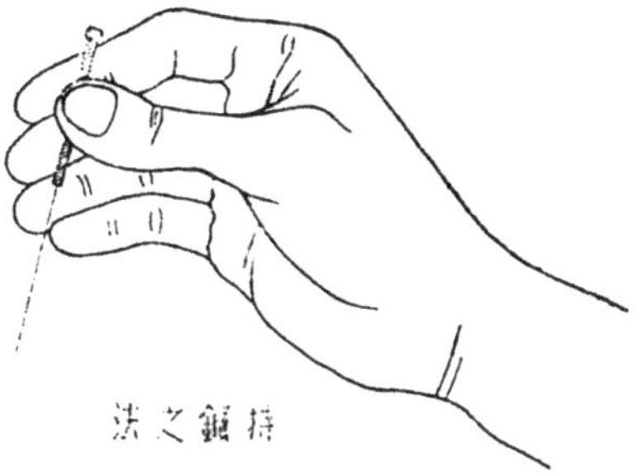

持鍼之法

下鍼之先，以左手拇指爪甲於病人穴膚間深切之。

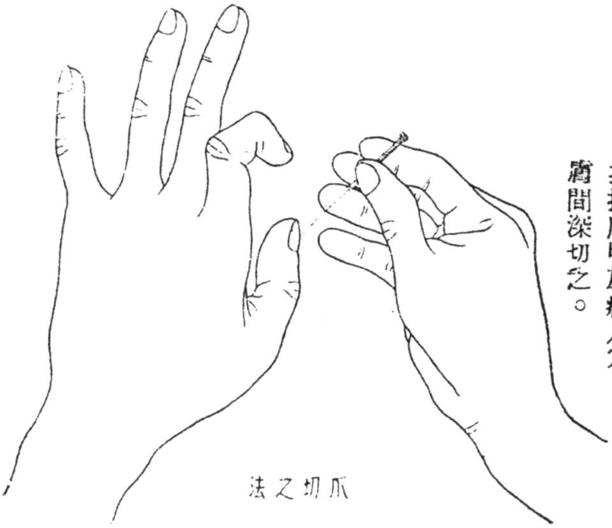

爪切之法

用柔力前後旋轉，進入病人經穴之內。

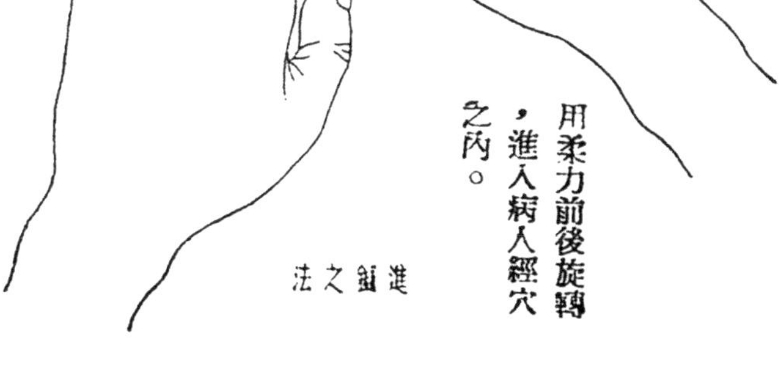

進鍼之法

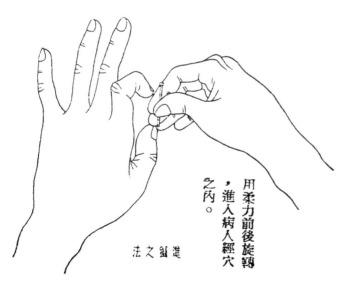

鍼師至注重者，爲持鍼、爪切、進鍼之姿勢，姿勢準確，指能得力，病家不覺痛苦，鍼自輕易而進，其法詳示上圖。

再明言之，持鍼如握筆，握筆之姿勢，至要指力平均，然後能寫好字，所以名書法家對於學生，第一須教握筆姿勢，再教書法之道，余於初學鍼灸者，第一教授持鍼、爪切、進鍼之姿勢，然後再教練鍼法。

人身度量標準

經穴度量尺寸，以患者中指彎曲（男左女右），取其第一二節之間橫紋尖，與第二三節之間橫紋尖，兩尖相去爲一寸計算之（見圖），作量四肢之標準，頭部，以前髮際至後髮際作爲一尺二寸計算之，前髮

同身寸標準圖

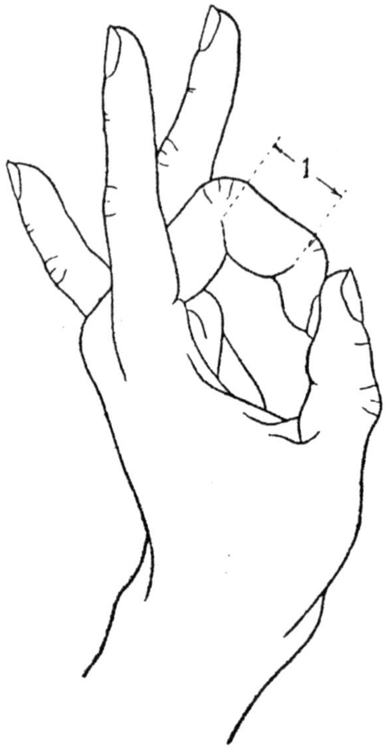

際不明者，以眉心上行至後髮際作爲一尺五寸，後髮際不明者，取大椎骨上行至前髮際作爲一尺五寸，前後不明者，以大椎直上至眉心，作爲一尺八寸計算，此量頭部直行尺寸之標準，頭部橫寸，以眼之內眥角至外眥角作爲一寸，胸腹部之量法，橫量標準以以兩乳相去作八寸計算，直量標準以鳩尾尖（胸劍骨）至臍心，作八寸計算，如無鳩尾尖，以胸歧骨量至臍心，作八寸計算之，背部分寸標準，以大椎至尾骶骨，作三尺計算之。

無痛下鍼之手法

一枚極細之毫鍼，若無工夫，刺入肌膚，極易彎曲，因其細若毫芒，全賴指下工夫得力，使受鍼者不知不覺已刺入膚腠肌肉之間，此種工夫，全在平時熟練，如何練法，曾憶余以前練鍼之經過，記錄於下：

其法以甚厚之中式舊賬簿一本，以毫鍼在賬簿上下鍼，因紙張厚韌，下鍼時甚費力，須要指下用軟硬勁，緩緩撚之，方能深入，及鍼入賬簿甚深，而不彎曲，則指下工夫已到相當程度，刺入人之肌膚，即不覺痛，語云：鍼師易學而難精，即指無痛下鍼手法，再進鍼之時，以左手拇指深切肌膚，使氣血散開，一方急以鍼在其深切處下鍼，病人即毫無痛苦。

初學補瀉之總訣

鍼之補瀉，外界認爲神祕，淺顯言之，瀉是出氣，補即納氣，瀉是出血，補即補血，然而何謂補瀉之法，極細之鍼孔，不使按沒，此即瀉法，待鍼拔出之後，毋按鍼孔，令氣血大泄；若是補法，鍼孔須即按沒，不可稍緩，毋令氣血外泄，再如蒼龍擺尾是補法，赤鳳搖頭乃瀉法等等，此處暫略。

穴之淺釋

穴作何解，今淺釋之，穴之意思，即空陷之處，試舉一例：如拇指食指交叉之地，有空陷處，空陷者，無骨阻隔，按之深陷，此穴名合谷，以此類推，穴是空洞，凡穴皆在人身空陷之處，三百六十五穴，穴穴皆然。

診病取穴法

初學鍼灸者，欲將全部「病證新銓」，讀如滾瓜爛熟，誠不可能，簡便之法，即病在何處鍼何處，所謂頭痛治頭，脚痛治脚，亦可取效，惟複雜之病症，必當詳為研究，方能取效。

如眼痛之刺「攢竹」「睛明」，額前痛之刺「曲差」「臨泣」，巔頂痛刺「百會」，腦後痛刺「風池」「風府」，肩痛刺「肩髎」，臂痠刺「曲池」「肘髎」，足痛刺「委中」「三里」，均易見功。

其他牙痛之刺「合谷」，牙關緊閉之刺「頰車」，癉疾之刺「大椎」，血壓高之瀉「豐隆」，疔瘡之刺「身柱」，肺炎之刺「少商」「肺俞」，迎風流淚之刺「臨泣」，頭暈之刺「太衝」，均有特效。見功於俄頃。

刺鍼之方向

鍼之刺入肌膚，當分二種姿勢：

一、直鍼：係鍼直刺入，不論直入或平進，均保持其九十度之直角，所謂直角，係皮膚面與鍼尖相接合，其兩方作各個之直角，人體經穴，大部份皆從直角下鍼，應用於腰股、腹部、脘部等之深刺。

二、斜鍼：係向斜方刺入，即斜角，鍼尖與皮膚成四十五度以上角度，如刺頭部諸穴，及腕骨脚骨之穴，凡骨骼之處，俱當用斜鍼。

宜參新學說

過去之中醫師，默守陳規，不圖改進，而今時代進展，亟宜採取新學說，現在我來講鍼刺對於健體及病體刺激之影響：

甲、健體之刺激影響：

一、感覺神經枝：在刺鍼時，發生如通電之感覺，鍼如拔出，其感覺立卽消失，若與短時間，經鍼之刺激，從心性傳之中樞，使中樞之細胞，起興奮活潑，因其興奮向遠心性末梢傳佈，起反射運動，使其局部之筋肉，起收縮或弛緩作用，而血管則初爲收縮，繼乃擴張，俾血液循環旺盛，然而若以長時間之刺激，神經之興奮反形減衰，甚至完全消失，遂致傳導機能亦消失。

二、運動神經枝：於此刺鍼之時，其部之筋，發生痙攣，若卽去鍼，痙攣立止，此種現象，與知覺神經之發現，著名之作用相同，與以短時間之輕刺，起興奮作用，長時間之强刺，則興奮性完全消失，反陷於筋肉起痲痺狀態。

三、交感神經枝：刺鍼之時，部分神經所分佈之臟器，起索引樣之感覺，去鍼後，臟器之機能，有若干時之旺盛，故雖爲健體，常行此種刺鍼，益能使抵抗方增强，以達養生之目的。

乙、病體之刺激影響：

一、知覺神經枝：知覺神經枝，起有異狀之興奮，其結果處爲神經痛，或知覺過敏，如斯變態，欲使其調節時，宜以鍼爲持續之强刺激，以制止之，如對於機能減弱之疾患，與以輕而且短之刺激，使其興奮，可恢復其固有之機能。

二、運動神經枝：運動神經枝，有異狀興奮之時，其神經所分佈之領域內之筋肉，致發生痙攣或強直，若與強烈之刺激，可發揮鎮靜緩解之作用，如運動神經，因機能減弱，而發生之麻痺性疾病，若與以輕之刺激，可引起興奮，而恢復常態。

三、交感神經枝；此神經枝之異常亢進，則引起心臟運動之急速，呼吸促進，胃腸蠕動增進、各臟器分泌機能亢進等，對於此類以強刺激之制止，可使之復歸常道，反之在交感神經機能減弱之疾病，則以輕刺之興奮作用，可調整其生理機能。

鍼之生理作用

鍼之治愈疾病，其作用有三，分敍如下：

一、興奮作用：人體神經衰弱及麻痺者，須與以興奮作用，此種作用，若枯木之逢春，久旱之得雨，使欣欣向榮，生氣蓬勃，如知覺或運動神經麻痺，或知覺異狀，或內臟機能營養機能衰弱者，如機器之乏油，推動無力，與以興奮作用，則刺戟其交感神經，如添油加煤，恢復其機能，其他因神經機能之異狀，而起月經閉止、便閉等症，一經鍼刺之興奮作用，即可推動有力，一切病灶，自可消除，或曰、鍼刺之衝動法，與電氣之刺激法，同一作用，余曰：鍼刺之治療，可見速效，電氣治療，則不能收速效，因電氣祇限皮肉，不能深入筋骨，鍼刺則肌肉筋骨，無所不達也。

二、制止作用：制止作用，即鎮靜作用，筋肉神經腺等之過分興奮，或血管擴張，血液旺盛，發炎等現象，須刺戟反交感神經或以歇鍼，及應用子午搗臼手法，使神經肌肉腺血管部分，起靜定作用，如狂風暴雨，白浪滔天，瞬息而雨過天青，風平浪靜，故制止作用，為鍼刺法上不可少者。

三、誘導作用：誘導作用，即循病之原路而使之復歸本位，不復擴大患區，如對腦充血之刺激四肢末梢，以擴張末梢部分之毛細管，同時使腦之血管收縮，誘導血液至末梢而不逆上妄行，又如深部充血時，則鍼刺於淺部，使病勢由深入淺，病邪壅於上部，刺於下部，以誘導病之下行。

凡此三種作用，均爲鍼灸家不可不知之原理。

鍼之刺激與電氣說

一、電氣說：刺激時，生活體內之液體電池作用，因鍼之金屬，與身體內之某種不明物質之間，發生電氣，以此電流，刺激於身體之神經系或組織，以奏效於疾病，故電氣療法，乃係全身之淺一部，而鍼術之療法，則乃局部之深處，余於『金鍼實驗錄』「臌脹」一病詳述鍼之電氣說，今節錄如下：

人身固有之電力，藉金鍼之磁力，如吸鐵之狀，吸而出之，故所謂鍼下得氣，沉緊若魚之吞鉤，實即鍼能吸電，藉此吸力，去一切之病邪，起一切之沉痾，故謂刺激神經，實鍼之一小部分工作，大部功能，固有雷電萬鈞之力也。

二、刺激說：鍼之刺激，即機械學理之一種動作，刺激知覺運動神經，其刺激程度之强弱，刺激時間之久暫等，或以亢進神經，或營麻痺等作用，而導以治愈疾病。

三、刺激變質說：刺鍼時，因鍼之刺激筋神經，其刺激部分以下，因而變質，此刺鍼之刺激若多，其部份必麻痺，其麻痺先經興奮階段，此作用即所以治愈疾病。

今復將鍼之對於身體之影響各說，畧其大要以左：

一、興奮神經，二、麻痺神經，三、擴張血管，四、收縮血管，五、刺激細胞，旺盛其新陳代謝之機能，六、去筋肉之緊張力，七、活潑內臟機能，八、抑制內臟機能之亢進。

刺鍼時應注意要點

一、鍼之檢點：鍼鋒是否有損，應詳細審察，若發生疑點，宜以藥棉或薄紙擦之，全鍼擦過，絕無聲息，則鍼身不損，退出無滯，悉無阻礙，則鍼鋒亦良，以之應用，可以無憂。

二、消毒清淨：鍼之刺入人體組織中，因毀傷組織，故對於鍼具，及醫師之手指，病者之患部等，應用棉花醮酒精擦之，消毒清淨，再行手術。

三、不適應之症，不宜刺鍼，醫師應充分診別病症，若係禁忌症，不適應症，不可刺鍼。

四、小兒之鍼刺，宜注意其移動，下鍼宜淺而速，不能久停，否則折鍼屈鍼，恐未能免。

五、病者之皮膚緊張者，刺下每感劇烈之疼痛，應先施强力之爪切及按摩，使之稍微緩和，然後進鍼，可免痛苦。

六、凡病者發生筋肉攣急，切不可强力刺下，應立即停止，切之循之，待其攣急緩解，然後下鍼，否則易生屈鍼之險。

七、病勢衰弱已極，脈微神散，氣短欲絕者，萬不可輕易下鍼，妄思救治，（靈樞曰，用鍼者，觀察病人之態，以知精神魂魄之存在得失之意，病者已傷，鍼不可治之也），但急性病症，而形似虛脫，若與以强刺戟之反射，每有因此而發生事變者，故行鍼刺，宜隨機應變，審察情形而定，不能泥守一法。

鍼頭宜圓尖適中

用鍼之目的，在刺激神經，發揮其行氣行血機能者也，神經能活力，固在神經細胞，而傳導之功，乃在神經纖維，纖維細胞之柔嫩，不能受過大之損傷，故鍼頭宜圓而鋒利，前人謂鍼須圓者，血管遇之而避，蓋亦經驗之談，然鍼頭太圓者，其面積較大，肌肉之抗力亦强，下鍼稍微困難，病者感到痛苦亦重，故鍼鋒尖銳固不可，太圓亦非所宜，當於尖銳之中，帶有圓形，於圓形之中，稍存尖銳，總之：能利而不銳，圓而不鈍，斯為上品。

鍼之適應症

所謂鍼之適應症，即施鍼術後效驗迅速，疾病可以全愈，因神經系之疾患，內臟機能之旺盛或減衰，而功效特異，今將病名列左：

一、消化器病，扁桃腺炎，耳下腺炎，胃黏膜炎，神經性消化不良，胃痙攣，腸黏膜炎，神經性腹疝痛，痔疾等。

二、泌尿生殖器病，腎臟病，膀胱黏膜炎，膀胱及子宮痙攣，淋病，睪丸炎，尿道黏膜炎，月經困難，月經過多症，子宮內膜炎，卵巢炎，實質炎。

三、血行病，神經性心悸亢進，心胸絞榨症。

四、神經系病，各種神經痛及衰弱，各種官能疾患，各種麻痺。

五、運動器病、筋肉麻痺及攣急，關節及筋肉痠痛。

六、小兒病，夜驚症，消化不良，小兒癲癇，遺尿症。

七、眼科，眼膜及單純性結膜炎。

八、腳氣。

九、腦疾病中風。

刺鍼之禁忌點

身體中何處應可刺鍼，不能不有所差異，今將刺鍼危險之所稱禁忌點，舉之於左。

一、延髓部（即腦髓）乃司生活機轉，有重要之樞部，故名生活點，此部若誤深刺，刺戟延髓，有關生命。

二、眼珠不可直接刺鍼。

三、睪丸不可刺鍼，但熟於刺鍼術者，如無差異，則刺睪丸炎等，可奏驚人奇效。

四、小兒之百會。

五、大血管之淺在部。

六、貴重內臟之直達鍼刺，例如，喉頭，氣管、心、肝、脾、肺、腎臟等。

暈鍼之處置

腦貧血症，最易暈鍼，危險殊甚，故下鍼前後，應有深切之注意，如不愼而發生暈鍼，則宜急速救治，萬不可驚惶失措，忽於處置也！

先言病理，神經衰弱，與貧血者，下鍼捻撥，神經猝受刺戟，直射腦部，全身微血管急縮，尤以頭部爲甚，血壓速往下降，惱部遂形成急性貧血，於是腦之機能猝退，甚至全失，心臟機能，急速減退，或竟停止轉動矣。

暈針之情狀，輕者頭暈眼花，惡心欲嘔，心悸亢進，重者顏面蒼白，四肢厥冷，汗出淋漓，甚至脈伏，知覺全失，呈驚人之危狀。

暈鍼之救治，則不外重複刺激其知覺神經，使腦神經興奮，而復其機能，總樞一開，百機皆動矣，其法維何，即發覺患者已呈暈鍼狀態，立即停鍼退出，如坐者，將其臥倒，一方掐其「中衝」穴或「水溝」（人中）穴，使其感受劇痛，一手按其脈搏，如脈搏尚有者，但掐「中衝」穴，並飲以熱水，若脈搏已伏，心臟欲停者，則以鍼刺人中中衝，並行人工呼吸法，至脈出而止，靜臥片時，頻飲熱湯，不久恢復如常。

如何處置出鍼困難

施鍼時，常有發生出鍼困難之事，其原因：一、體位移動，致鍼體屈曲，二、鍼身有傷痕，筋纖維（即腠理，在皮裏肉外）纏繞不脫，三、內部神經猝起興奮，成筋肉攣急，吸止鍼身，吾人欲解决出鍼之困難，必先識別其屬於何種原因所致，於是與以適宜之處置，如不問其原因，而强力拔之，徒使病者感受疼痛，非惟不能出，且有折鍼之虞，識別及處置之法如何，曰鍼難捻動，深進不能，退出亦難，屬第一之鍼身屈曲，急矯正其體位，再探求其屈度與方向，如鍼柄角度未變，乃爲小屈，以左手大食二指，重按鍼下肌肉，右手持鍼柄輕微用力提出，若鍼柄偏側者，則曲度較深，左手拇指，不可重按，右手起鍼，須順其偏側之方向，輕提輕按，一起一伏，兩手宜相呼應，針自易出，用力强拔，是乃大忌。

鍼身可以捻轉，而提起或深下覺痛者，屬爲第二之鍼身有傷痕，宜反其方向捻動之，於拔轉之中，上提卜插，反復行之，覺鍼下疎鬆，痛感比前減者，可用第一點法，微微用力拔出之。

如覺鍼下沉緊，捻動困難，按其肌肉結硬者，屬第三點肌肉痙攣所致，當時鍼再深入二三分，行搗臼手法，如仍攣急不散者，則以一鍼或數鍼，於其附近之下，行中等度之刺激，則出鍼之困難，可立即解决矣，如病者不欲從旁再下鍼者，則以爪切其四週，或揉撚之，使異常興奮之運動神經鎮靜，緩解其强直之筋肉，其鍼自易出矣。

折鍼之處置法

金鍼不易折斷，惟鐵鍼鋼鍼，因本身不及金之堅靭，故易折斷，然亦不常有之，蓋因鍼身已有傷痕，醫師疏忽未檢，病者復不守醫戒，而移動體位，或醫師用强刺激時，病者之筋肉，突起攣急強直，遂至鍼折於中，此時醫師之態度，宜鎮靜，並告病家不必恐懼，務使體位不稍動，醫師左手重壓鍼孔之四週，使其內中之鍼外透，如見露出皮膚，即以爪取出之，如在皮下，可按得而不外不裏者，用指標準鍼端，以刀消毒，微剖開其皮，檢視鍼端，而攝出之，若在深層者，則任其自消，不必攝取，雖在一二日中發生疼痛，大約經過三四日即可平安無事，據日人之實地研究，謂消毒之鍼在筋肉中，經過相當時日，自行消滅，或移行別部，其說如左：

一、酸化說：由體溫之關係，鍼起酸化而自行消滅。

二、移動說：折鍼由於筋肉之運動而避走，其比較運動稍鈍之部，則久久停留，然後自消。

鍼尖刺達骨節之處置

凡刺鍼者，覺鍼尖刺達骨節時，宜急速提起數分，或提至皮下，轉其方向而入之，否則鍼時屈曲，難於出鍼，且傷骨膜，有發生骨膜炎之虞，不可不注意也。

出鍼後遺感覺之處置

通常刺鍼之中，發生痠痛感應，即刺鍼之感覺作用，出鍼後立即消失，然有時依舊疼痛，持續一二日始消失者，此謂之鍼之遺感覺，此由於醫師手術之不良，與以極强之刺激，或於鍼刺時患者身軀發生搖動，知覺神經纖維，受過度之刺激，該部神經發生異狀所致，其遺感往往經一二日後得消失，遇斯場合，於施鍼後，在局部或附近，與以按摩輕擦，或於其相離尺餘處鍼之，其遺感卽消。

出鍼後皮膚變色及高腫之處置法

出鍼之後，時有小紅赤點，在鍼孔部位發現，或皮膚呈青色而高腫，患者感覺痠重不舒，此乃鍼及血管所致，在十數小時後，自然平復，但吾人欲促其速愈者，可與輕擦按揉，在數小時後，可消散於無形。

艾灸法之檢討

鍼與灸相連，鍼有補瀉，灸有補無瀉，灸法有多種，如隔薑灸法、隔蒜灸法，大抵常習用者，以隔薑灸法爲多，其法先審定穴道，穴上置麝香少些，再覆以薑片（如銅元厚薄），薑片上置艾炷，以火燃艾，漸至底，病人肌膚稍覺熱灼，卽易以艾，復灸之，一炷曰一壯，艾炷搓如赤豆大，或小麥大。

此種灸法，在新學說來，增進血液循環，使體內增强自然抵抗作用，在中醫說來，行氣血，散寒疏滯，凡一切沉寒之病，如哮喘、腹水、胃寒痛、腹寒痛、寒霍亂、及一切癱瘓初起，但可用灸法取效。病人對艾火燒於肌膚，每生恐怖之心，醫者當剴切曉諭，示以隔薑可無痛苦，避免其恐怖之心理。

艾除百病，辟諸惡，故治一切病症覺鍼之補力不及者，但可用灸法取效。伏令之灸，尤屬得力，對於哮喘，更爲有益，灸「膏肓」「肺俞」，增進肺之抵抗力，拔除沉冷，背部溫和，肺氣舒暢，病者有莫名之快感。

艾必取陳者，火力向內，功效尤勝，故曰三年之病，求七年之艾，新艾力烈，無沉潛之火力，不能起久病。

頭爲腦細血管所在地，不宜灸，中醫稱爲純陽之首，純陽卽指腦之細血管也，灸之令破裂而變病，高年尤忌，愼之愼之。

大抵脘腹背部之疾，宜用灸法，卽或鍼刺，亦當淺刺爲主，深則中入臟腑，生命立危，代以艾灸，則有百利而無一弊。

指法南鍼

指法者，鍼師大抵用十二指法，雖然，法固十二，而變化無窮，學者神而明之，舉一反三，自可應用無窮。

一、爪切

爪，側絞切，巧韻，本作叉，手足甲也，見集韻，考工記梓人：「凡攫殺援簭之類，必深其爪，出其目，作其鱗之而」；切，七噎切，音竊，屑韻，按也，醫者以指按脈曰切，切實也，唐書魏徵傳：「乃展盡底蘊無所隱，凡二百餘奏，無不剴切當帝心者」，徐灝說文解字注箋：「剴者迫地芟草，故謂之剴切，今人所謂剴切，仍是切實之義」；是爪切者，言下鍼之先，以手指爪甲於病人穴膚間深切之，此法也，使氣血宣散，不傷榮衞，以榮行脈中，衞行脈外，猝然鍼之，榮衞不及避，氣血不及散，易受傷害，爪切下鍼，使氣血預避，不受鍼之刺激，更有進者，爪切下鍼，使取穴準確，病人肌膚既受爪切之刺激，及其鍼之入也，可不覺痛苦。

二、指持

歌訣：取穴先將爪切深，須教毋外慕其心，致令榮衞無傷礙，醫者方堪入妙鍼。

指，支倚切，音旨，紙韻，手指也，見說文，王注：「大指爲拇指，二指爲食指，三指爲中指，四爲無名指，五爲小指」，向也，史記天官書：「直斗柄所指，以建時節」；持，呈怡切，音治，支韻，握也，見說文，禮射義：「持弓矢審固」；是指持者，以五指持鍼也，而尤須着力於拇指食指中指，無名指小指爲助，使鍼到氣到，着力旋插，直至腠理，吸氣三口，提於天部（即淺部），依前口氣，徐徐而用，鍼師使鍼，須精神貫注，目不旁視，心無他念，故曰平心靜氣，心無外慕，若待貴人，手如握虎，勢若擒龍，握虎言下鍼時，須用全身之力，擒龍言取病時，絲毫不能客氣，總之，一鍼旣下，萬神貫注，抱有敵無我，有我無敵之心，方能操必勝之權，成百戰之功。

歌訣：持鍼之士要心雄，勢如握虎與擒龍，欲識機關三部奧，須將此理再推窮。

三、口温

口，可歐切，音扣，有韻，人與動物進食之處，又爲發聲音之器官，動物之口，形狀隨種類而異，其位置亦在體之下面者，如海盤車等是；溫，烏昏切，元韻，俗作溫，煖也，文選王褒聖主得賢臣頌：「襲狐貉之溫者，不憂至寒之淒愴」，醫家謂補曰溫，素問至眞要大論：「勞者溫之，損者溫之」；是口溫者，言凡下鍼，以鍼入醫者口中，必須溫熱方可與刺，使氣血調和，冷熱毋相鬥爭也。

此法雖屬良法，然在現時看來，殊不衞生，故鍼師業已少用，代之鍼柄用艾灸，名燒鍼尾，與口溫有同等功效，而無口溫之弊，亦可使氣血調和，冷熱不相爭。

歌訣：溫鍼一理最爲良，口內調和納穴場，毋令冷熱相爭搏，榮衞宣通始得祥。

四、進鍼

進，即印切，音晉，震韻，登也，見說文，按玉篇：「升也」，義同，凡就其所居之地位，向前向上皆曰進，禮表記：「君子三揖而進」，注：「三揖三讓，以升賓階」，詩大雅常武：「進厥虎臣」，箋：「前也」；鍼，支音切，音斟，侵韻，亦作針，所以刺病也，素問寶命全形論：「製石大小」，注：「古者以砭石爲鍼」，刺也，漢書廣川王越傳：「以金鍼鍼之」；是進鍼者，言以金鍼進入肌膚筋骨之間也，凡下鍼，須病人神氣定，息數勻，醫者亦如之，切不可太忙，又須審穴在何部份，如在陽部，必取筋骨之間陷下爲眞，如在陰分，郄膕之內動脉相應，以爪重切經絡，少待方可下手，進鍼必先調息，調息所以神氣定，意志一，不慌不忙，不亂不雜，所謂心如澄水，明燭秋毫，曾見鍼師下鍼時，東張西望，閒談雜事，心不專一，視進鍼如兒戲，此則最犯大忌，易致僨事。

歌訣：進鍼理法取關機，失經失穴豈堪施，陽經取陷陰經脉，三思已定再思之。

五 指循

指，支侍切，音旨，紙韻，手指也，見說文；循，徐勻切，音旬，眞韻，依也，順也，左傳昭二十三年：「循山而南」，注：「依山南行也」，淮南子本經：「五星循軌」，注：「順也」，隨順而撫摩之也，漢書李陵傳：「而數數自循其刀環」，注：「循摩順也」；指循者，凡下鍼若氣不至，用指於所屬部分，經絡之路，上下左右循之，使氣血往來，上下均勻，鍼下自然氣至沉緊，得氣卽瀉之故也。

瘦燕氏曰：指循者，是以指順序而撫摩之也，爲鍼師進鍼後最重要之工作，以鍼既入而氣不至，鍼不能得力，故曰若氣不至，用指於所屬部分經絡之路，上下左右循之，使氣血往來，上下均勻，鍼下自然氣至沉緊，得氣卽瀉之，所謂氣至沉緊，言鍼之得氣，鍼之內覺緊，指之頭覺沉，所謂上下左右循之，言揺其鍼，彈其柄。以旋以轉，如撫如摩，或左或右，或上或下，務使指覺沉沉，鍼覺緊緊，然後得氣，然後病氣得瀉。

六、爪攝

爪，側絞切，巧韻，手足甲也，見集韻；攝，式摺切，葉韻，引持也，見說文，漢書張耳陳餘傳：「吏嘗以過笞餘，餘欲起，耳攝使受笞」，注：「攝，謂引持之」；是爪攝者，謂以爪引持也，故下鍼，如鍼下邪氣滯澀不行者，隨經絡上下用大指爪甲切之，其氣自通行也。

瘦燕氏曰：爪攝者，鍼法之外之手法也，以下鍼之後，如仍邪氣滯澀不行，此邪不在經不在內，而在榮衞，爪攝者，尖指爪甲切之，與爪切下鍼，有異曲同工之妙，蓋爪切言在下鍼之先，取其不傷榮衞，爪攝言在下鍼之後，取其流通榮衞，故曰氣自通行，分辨毫芒，心細如髮，不可忽也。

歌訣：攝法應知氣滯經，須令爪切勿交輕，上下通行隨經絡，故教學者要窮精。

七、鍼退

鍼，支音切，音斟，侵韻，金鍼之鍼也；退，兔誨切，隊韻，卻也，進之反，易乾：「知進而不知退」，返也，歸也，禮少儀：「請見不請退」，漢書董仲舒傳：「臨淵羨魚，不如退而結網」；是鍼退者，謂鍼返歸原處也，鍼退者，凡退鍼，必在六陰之數分明，三部之用斟酌，不可不誠心着意，溷亂差訛，以瀉爲補，以補爲瀉，欲退之際，一部一部，緩緩而退也。

瘦燕氏曰：鍼退必在六陰之數分明，三部之用斟酌者，言邪氣之泄，在天地人三部之間，六陰言天地人三部行瀉法緩緩出之，故曰誠心着意，不可溷亂錯訛，以瀉爲補，以補爲瀉，必須欲退之際，一部一部，以鍼緩緩而退，則邪氣却，正氣來復，故曰一部六陰三氣吸，須與疾病愈如飛者。

歌訣：退鍼手法理誰知，三才訣內總玄機，一部六陰三氣吸，須與疾病愈如飛。

八、指搓

指，手指也；搓，雌阿切，音蹉，歌韻，以手摩之也，蘇軾詩：「手香新喜綠橙搓」；是指搓者，言鍼入肌膚而以手摩之也，凡轉鍼如搓線之狀，勿轉太緊，隨其氣而用之，若轉太緊，令人肉纏鍼，則有大痛之患，若氣滯澀，即以第六攝法切之，方可施也。

瘦燕氏曰：指搓即轉鍼也，言轉鍼如搓線之狀，勿轉太緊，隨其氣而用之，若轉太緊，令人肉纏鍼，而致大痛，搓鍼所以泄氣，故曰搓鍼泄氣最爲奇，若氣澀滯，則當用爪攝法切之，夫一鍼之入肌肉，所以欲去邪氣，然而不於指法細究，往往不能得心應手，指搓法，雖屬指法之一種，而所以泄沉痼之邪氣，使鍼在搓時，藉其氣之流通，邪隨鍼以俱泄，此在手法之純熟，以不疾不徐之姿態，作搓線之狀，則邪去而不纏鍼也。

歌訣：搓鍼泄氣最爲奇，氣至鍼纏莫急移，渾如搓線慢慢轉，急轉纏鍼肉不離。

九、指撚

指，手指；撚，泥殄切，銑韻，以手撚物也，見廣韻，按通釋言：「手捏曰撚」，手撚手捏皆以手搓揉之意，新方言。

釋言：「引縧作線，揉紙使緊曰撚」，俗作擰；是指撚者，以手指搓揉也，是在下鍼之際，治上，大指向外撚，治下，大指向內撚，外撚者，令氣向上而治病，內撚者，令氣至下而治病，如出至人部，內撚者爲之補，轉鍼頭須向病所，令取真氣以至病所，外撚者爲之瀉，轉鍼頭向病所，令挾邪氣退至鍼下出也，此乃鍼中之祕旨也。

瘦燕氏曰：指撚下鍼之際，治上，大指向外撚，治下，大指向內撚，外撚者，令氣向上而治病，內撚者，令氣至下而治病，瘦燕之意，所謂上下，實清濁之分也，治上宜清，向外撚而輕輕動之，經云：上焦如羽，非輕不舉，治下向內撚，而沉以動之，則鍼隨氣以直抵病所，所謂內撚屬補，外撚屬瀉，以意會之可也，鍼師之所謂補，實即取眞氣以至病所，藉眞氣以抵抗病魔，鍼師之所謂瀉，實即令邪氣隨鍼以俱泄也。

歌訣：撚鍼指法不相同，一般在手兩般窮，內外轉移行上下，邪氣逢之疾豈容。

十、指畱

畱，離尤切，音劉，或作留，止也，見說文田部，史記越世家：「可怠去矣，愼勿畱」。稽遲也，又滯也，易旅：「君子以明愼用刑，而不畱獄」，呂氏春秋圜道：「一不欲畱」，按管子正世：「不慕古，不畱今」，注：守常不變，亦畱滯之義也；是指畱者，以鍼畱滯也，如出鍼至天部之際，須在皮膚之間，畱一豆許，少時方出鍼也。

瘦燕氏曰：指留謂出鍼至於天部之際，須在皮膚之間，留一豆許，少時方出鍼，此法實候氣沉浮，使榮衛得通，內外舒和，邪氣得泄，正氣來復，總之巧妙之處，盡在指頭，或曰後世鍼師，一鍼既下，不守候於病人之旁，與人談笑，久而不已，若忘病人在室者，此亦指留之一法歟？余曰：所謂指留，非鍼人離鍼，乃指握鍼，而留鍼於肌膚之間，不即拔出，何可離病人，而自談笑，夫病人付我以鍼灸，寄我以重任，我當以全副精神貫注病所，何可視留鍼爲兒戲，視指留爲休息哉。

歌訣：留鍼取氣候沉浮，出容一豆入容侔，致令榮衛縱橫散，巧妙玄機在指頭。

十一、鍼搖

搖，移樵切，音遙，蕭韻，異妙切，音耀，嘯韻，動也，見說文，按搖字每用爲擺動之義，論語微子

：「播蕩㕎」，朱注：「持其柄而搖之」是也，今謂搖頭搖手等並此義；是鍼搖者，以鍼搖動也，凡出鍼三部，欲瀉之際，每一部搖二次，計六搖而已，以指捻鍼，如扶人頭搖之狀，庶使容穴開大也。

瘦燕氏曰：鍼搖使鍼孔開大，而令邪氣出如飛也，所謂以指捻鍼，如扶人頭搖之狀，每一部搖二次，天地人三部共六次，此種搖鍼，如病人肌膚麻木不仁，或痠痛難忍，一施搖鍼，邪氣宣洩，病即輕可。

歌訣：搖鍼三部六搖之，依此推排指上施，孔穴大開無窒礙，致令邪氣出如飛。

十二、指拔

拔，步滑切，駐韻，擢也，見說文，桂注引小爾雅：「拔根曰擢」，取也，漢書高帝紀：「攻碭三日拔之」，注：「拔者破城邑而取之」，言若拔樹木並得其根本也」，移易也，易乾：「確乎其不可拔」；是指拔，言用指拔鍼，如拔樹木，凡持鍼欲出之時，待鍼下氣慢，不沉緊，便覺輕滑，用指捻鍼，如拔虎尾之狀。

瘦燕氏曰：指拔，即起鍼，謂鍼下氣緩不覺沉緊，而覺輕滑，此時用指捻鍼，如拔虎尾之狀。

歌訣：拔鍼一法最為良，浮沉輕滑任推詳，勢猶取虎身中尾，此訣誰知蘊錦囊。

總歌曰：鍼法玄機口訣多，手法雖多亦不過，切穴指鍼溫口內，進鍼循攝退鍼搓，指撚瀉氣鍼留豆，搖令穴大拔如梭，醫師穴法叮嚀說，記此便為十二歌。

總之：十二指法，雖各巧妙不同，而或補，或瀉，或輕，或重，或陰，或陽，或欲大泄，或用小泄，指下輕黀，心志歸一，目不旁視，耳不旁聞，所謂拔虎尾，擒龍頭，言必以全力赴之也，故爪切使不傷榮衛，指持者着力旋插，口溫氣血調和，進鍼神定息勻，指循使氣至沉緊，爪攝令邪氣通行，鍼退須緩緩而退，指搓乃用以泄氣，指撚以明補瀉，指留榮衛調暢，鍼搖令邪出如飛，指拔者如拔虎尾，十二指法，有十二種作用，鍼師如不細心研究，何來立竿見影之效。

穴道釋義

既知鍼灸之原理，須明穴道之釋義，人身三百六十五穴，穴穴有義，鍼灸正宗，載之詳盡，是書輯行，爲日非遙，茲摘十大要穴，詳例於后，以供同志，先期研習。

合谷（手陽明大腸經）

【釋義】合，曷閤切，音盒，合韻，合口也，見說文亼部，按閉合之義本此，聚也，論語子路：「苟合矣」，會也，禮王制：「不能五十里者，不合於天子」，經絡銜接處，靈樞九針十二原篇：二十七氣所入爲合，邪氣藏府病形篇：胃合於三里，大腸合於巨虛、上廉，小腸合於巨虛、下廉，三焦合入於委陽，膀胱合入於委中央，膽合入於陽陵泉，素問欬論：治府者治其合，水熱穴論：陽氣在合，取合以虛陽邪，素問痺論：五藏皆有合，病久而不去者，內舍於其合也；谷，姑屋切，音穀，屋韻，泉出通川爲谷，見說文，爾雅釋水：「水注川曰谿，注谿曰谷」，韻會：「谷，兩山間流水之道也」；是合谷者，謂手陽明大腸經脈合會之處，如兩山間流水之道也，而此穴在手叉間，形容吻合。

【解剖】此處爲第一手背側骨間筋，有撓骨動脈，撓骨神經。

【部位】在食指拇指凹骨間陷中，即第一掌骨與第二掌骨中間之陷凹處。

【主治】傷寒大渴，脉浮在表，發熱惡寒，頭痛脊強，風疹寒熱，痎瘧，熱病汗不出，偏正頭痛，面腫，目翳，脣吻不收，瘖不能言，口噤不開，腰脊引痛，痿躄，乳蛾，一切齒痛，上肢諸疾患。

東醫寶鑑曰：主眼疾，齒痛，上肢諸疾患，頭痛，鼻茸，角膜白翳。

【提要】此穴爲手陽明脉之所過爲原穴，（原脉之所過爲原，原者，如水之源也，經曰：瀉必鍼其原，言瀉該經之氣，則鍼其原穴，考六腑之經有原，五臟之經無原穴，以俞穴作原穴），（千金）產後脉絕不還：鍼合谷，入三分，急補之，（神農經）鼻衄，目痛不明，牙疼喉痺，疥瘡，可灸三壯至七壯，（蘭江賦）傷寒無汗瀉合谷，補復溜，若汗多不止，補合谷瀉復溜，（席弘賦）手連肩脊痛難忍，合谷太衝隨手取，（又）曲池兩手不如意，合谷下鍼宜仔細，（又）睛明治眼未效時，合谷光明安可缺，（又）冷嗽先宜補合谷，又須鍼瀉三陰交，（百證賦）天府合谷，鼻中衄血宜追，（天星秘訣）寒瘧面腫及腸鳴，先取合谷後內庭，（四總穴）面口合谷收，（馬丹陽十二訣）頭疼並面腫，瘧病熱還寒，齒齲及衄血，口噤不開言，（千金）曲池兼合谷，可徹頭疼，（肘後歌）口噤合眼藥不下，合谷一鍼效甚奇，（又）傷寒不汗合谷瀉，（勝玉歌）兩手酸重難執物，曲池合谷共肩髃，（雜病穴法歌）頭面耳目口鼻病，曲池合谷爲之主，（又）赤眼迎香出血奇，臨泣太衝合谷侶，（又）耳聾臨泣與金門，合谷鍼後聽人語，（又）鼻塞鼻痔及鼻淵，合谷太冲隨手取，（又）舌上生苔合谷當，（又）手指連肩相引疼，合谷太冲能救苦，（又）牙風面腫頰車神，合谷臨泣瀉不數，（又）痢疾合谷三里宜，（又）婦人通經瀉合谷。

瘦燕氏曰：合谷爲手陽明脉之原穴，應用極廣，功效亦顯，一切暴感之病，咽喉腫痛，齒痛不可忍，取合谷，能見效於俄頃，其他手指疔瘡，紅腫疼痛，刺之可斷疔根。

鼻衄刺之，能立止者，以瀉湯明之鬱火也，傷寒不汗，瀉合谷而汗水泄者，泄肌肉之閉也。

總之：本穴瀉之可去實病，補之能治虛疾，故難產瀉三陰交補合谷，瀉三陰交者，開其交骨，補合谷者，恐流血過多，子宮不收，故產後脉絕不還補合谷，即具收縮子宮，恢復動脉推動力之功也。

【經驗】治上述諸症，俱有功效。

疥瘡係皮膚病，取合谷無大效也。

【手術】鍼三分至五分，留六呼，灸三壯，孕婦禁鍼。

瘦燕按：孕婦禁鍼者，恐刺激子宮而遭墮胎之虞也。

曲池（手陽明大腸經）

【釋義】曲，區旭切，沃韻，不直也，書洪範：「木曰曲直」，折也，禮間傳：「大功之哭，三曲而偯」，注：「三曲，一舉聲而三折也」，指曲折隱僻之處，如心曲、鄉曲、山曲、河曲、是也；池，除移切，音馳，支韻，水所瀦也，書泰誓：「惟宮室臺榭陂池侈服」，傳：「停水曰池」；是曲池者，謂是穴部位，曲折在肘彎之處，如停水之池狀，即曲池也。

【解剖】在肘彎合尖處，爲長回後筋內膊筋之間，有撓骨動脈，撓骨神經。

【部位】在肘外輔骨之陷中，屈肘橫紋頭。

【主治】傷寒振寒，餘熱不盡，胸中煩滿，熱渴，目眩耳痛，瘰癧，喉痺不能言，癭瘲癲疾，繞踝風，手臂紅腫，肘中痛，偏風，半身不遂，風邪淚出，臂膊痛，筋緩無力，屈伸不便，皮膚乾燥，痂疥，婦人經水不行。

東醫寶鑑曰：主上膊痛，眼疾與腺痛，中風，肋膜炎，扁桃腺炎，胃痙攣。

【提要】此穴爲手陽明之所入爲合土，（神農經）治手肘臂膊疼痛無力，半身不遂，發熱，胸前煩滿，灸十四壯，（玉龍歌）偏補曲池瀉人中，（百證賦）半身不遂，陽陵遠達於曲池，（又）發熱仗少沖曲池之津，（標幽賦）曲池肩井，甄權鍼臂痛而復射，（席弘賦）曲池兩手不如意，合谷下鍼宜仔細，（參承祖），主大人小兒遍身風疹痂疥，灸之，（馬丹陽十二訣）善治肘中痛，偏風手不收，挽弓開不得，筋緩莫梳頭，喉閉促欲死，發熱更無休，遍身風癬癩，鍼着即時瘳，（千金）爲十三鬼穴之一，名曰鬼臣，治百邪癲狂，鬼魅，（肘後歌）鶴膝腫勞難移步，尺澤能舒筋骨疼，更有一穴曲池妙，（又）腰背若患攣急風，曲池一寸五分攻，（勝玉歌）兩手痠重難執物，曲池合谷共肩髃，（雜病穴法歌）頭面耳目口鼻病，曲池合谷爲之主。

瘦燕氏曰：臂膊痛，屈伸無力，刺曲池，有殊功。

治胃痙攣，當用補法，餘症可用瀉法。

【經驗】瘰癧須長期治療，痂疥並非特效。

【手術】取此穴以手拱至胸前取之，鍼五分至一寸深，灸三壯至數十壯。

三里（足陽明胃經）

【釋義】三，古作弎，思庵切，音毿，覃韻，數名，莊子齊物論：「二與一爲三」，按三近世公牘帳簿記數名作叁；里，離矣切，音俚，紙韻，居也；見說文，民戶聚居之名，詩鄭風將仲子：「無踰我里」，傳：「里，居也，二十五家爲里」；是三里者，謂足陽明胃經之脉自犢鼻下「三」寸而「居」，即是三里穴，故名。

【解剖】前脛骨筋，長伸趾筋，前脛骨動脉，深腓骨神經交通枝。

【部位】在膝眼下三寸，胻骨外廉。

得效方曰：以手約膝，取中指梢盡處是穴。

【主治】主胃中寒，心腹脹滿，臟氣虛憊，眞氣不足，食不下，大便不通，心悶，心痛，腹有逆氣上攻，腰痛不得俛仰，小腸氣，水氣，蠱毒鬼擊，痃癖，四肢滿，膝胻痠痛，目不明，產婦血暈，五勞七傷，乳癰，腸中雷鳴，氣上衝胸喘，不能久立，腹痛，胸腹中瘀血，小腸脹，皮腫，陰氣不足，小腹堅，傷寒熱不已，熱病汗不出，喜嘔，口苦壯熱，身反折，口噤，皷頷腫痛，不可回顧，口僻，乳腫，喉痹不能言、胃氣不足，久泄利，食不化，脅下支滿，不能久立，膝痿寒，熱中消穀苦飢，腹熱身煩狂言，喜噫，惡聞食臭，狂歌妄笑，恐怒大罵，霍亂遺尿，失氣，陽厥，悽悽惡寒，小便不利，喜嚱，脚氣。

東醫寶鑑曰：主胃痙攣，消化不良，便祕，脚氣，下肚痛，全身病。

【提要】此穴為足陽明之所入為合穴，主瀉胃中之熱，與氣衝、巨虛、上下廉同，（秦承祖）治食氣水氣，蠱毒痃癖，四肢腫滿，膝胻痠痛，目不明，（華佗）療五勞七傷，羸瘦虛乏，瘀血乳癰；（百證賦）中邪霍亂，尋陰交三里之程，（席弘賦）手足上下鍼三里，食癖氣塊憑此取，（又）虛喘須尋三里中，（又）胃中有積刺璇璣，三里功多人不知，（又）氣海專能治五淋，更鍼三里隨呼吸，（又）耳內蟬鳴腰欲折，膝下明存三里穴，（又）若鍼肩井須三里，不刺之時氣未調，（又）腰連胯痛急，便於三里攻其隘，（又）脚痛膝腫鍼三里，懸鐘二陵三陰交，（又）腕骨腿疼三里瀉；（又）倘若膀胱氣未散，更宜三里穴中尋，（天星祕訣）耳鳴腰痛先五會，次鍼耳門三里內，（又）若患胃中停宿食，須尋三里起璇璣，（又）牙疼頭痛并咽痹，先刺二間後三里，（又）傷寒過經不出汗，期門三里先後看，（玉龍歌）寒濕脚氣不可熬，先鍼三里及陰交，再將絕骨穴兼刺，腫痛頓時立見消，（又）肝家血少目昏花，宜補肝俞力便加，更把三里頻瀉動，還光益血是無差，（又）水病之疾最難熬，腹滿虛脹不肯消，先灸水分并水道，後鍼三里及陰交，（又）傷寒過經猶未解，須向期門穴上鍼，忽然氣喘攻胸膈，三里瀉多須用心。

瘦燕氏曰：足三里為大穴之一，主治百病，曰傷寒熱不已，熱病汗不出，鼓頷腫痛，俱屬外感病，曰五勞七傷，痃癖蠱毒，腹有逆氣，胃中寒、臟氣虛憊，眞氣不足，食不化，熱中消穀善飢，俱屬內傷病，乳腫乳癰，係屬外科病，本穴俱可治之者，以此係足陽明之合，乃經氣之所入，經云：陽明者，萬物之所歸，三里者，百病之所繫，故刺之，無論內傷外感，均有顯着之功效。古人以此穴爲衛生家所必取之穴，無病刺之，可以防百病，健經脉，補臟腑。治外感癰瘡，可用瀉法，虛症內傷，當用補法。一說，人年三十以上，若不灸三里，令人氣上衝目，又凡飲食失節，及勞役形質，陰火乘於坤土之中，致穀氣、榮氣、清氣、胃氣、元氣、不得上升，滋於六腑之陽氣，是五陽之氣，先絕於外，元氣乃傷，當於三里穴中，推而揚之，氣在於腸胃者，取之足太陰陽明，不下者，取之三里，氣逆霍亂者，取三里，氣下乃止，不下復治，胃脘當心而痛，上支兩脅膈噎不通，飲食不下，取三里以補之，六淫客邪，及上熱下寒，筋骨皮肉血脉之病，錯取於胃之俞者（三里穴也）大危，有人年少氣弱，常於三里氣海灸之，節次約五七十壯，至年老熱厥頭痛，雖大寒，猶喜風寒，痛愈，惡煖氣及烟火，皆灸之過也。

【經驗】以上治症，均有功效。

【手術】坐而垂膝取之，（素注）刺一寸，灸三壯，（銅人）灸三壯，鍼五分，（明堂）鍼八分，留十呼，瀉七吸，日灸七壯，止百壯，（千金）灸五百壯，少亦一二百壯。

志室（足太陽膀胱經）

【釋義】志，止異切，音誌，寘韻，心之所之謂之志，論語爲政：「吾十有五，而志於學」，靈樞本神篇：「意之所存謂之志」，又：「盛怒而不止則傷志，志傷則喜，忘其前言，腰脊不可以俯仰，毛悴色夭，死於季夏」，難經四十二難：「腎有兩枚，重一斤一兩，主藏志」；室，設乙切，音失，質韻，屋也，又實也，人物實滿其中也，見釋名釋宮室；是志室者，言此穴乃藏「志」之宮「室」也，以在腎俞之旁，腎藏志，不離腎藏也。

【解剖】闊背筋，腰方形筋，腰動脉背枝：腰椎神經後枝，肋間動脉，肩胛下神經，脊髓神經。

【部位】在第十四椎下，去脊三寸。

【主治】主霍亂吐逆，飲食不消，腹强直，背痛，腰脊强直，俛仰不得，兩脅急痛，陰腫陰痛，夢遺失精，淋瀝。

東醫寶鑑曰：主男女生殖器衰弱，腎病，淋疾，遺精。

【提要】瘦燕氏曰：腎藏志，志室不離腎藏，釋義中已明言之矣，證以治症：腰脊强痛，俛仰不得，陰腫陰痛，夢遺失精，更足證明釋義之無虛，然而，以瘦燕個人之經驗，此穴治夢遺失精有特效，時師俱知鍼關元，可鎖精關，然而不補志室，心猿意馬，相火熾盛，隨鎖隨洩，有何益乎，鍼志室，須二補一瀉，二補者，用補法二次也，可以堅志，可以固腎，一瀉者，一次用瀉法，可泄相火，毋使熾盛，精關鎖矣。

以但用補法，不用瀉法，志則固矣，而火勢內熾，內熾足以搖志，補不得益，祇用瀉法，不施補法，相火雖泄，而意志搖搖，是火雖洩，而層出不已，旋滅旋生，有何效乎，二補一瀉，恰到好處，志堅火定，精自內藏，此種心得，不敢自祕，吐我固陋，願大地之春回，愚公移山，成多年之願望。

婦人女子相火熾盛，當用二補一瀉法，鍼志室，即得貞靜，時師但知治男子遺精有效，而忽女子，不亦惑乎？

面容慘淡，精神萎靡，喪神失志，當灸志室腎俞，以腎爲作强之官，技巧出焉，技巧即精神，有精神方有技巧，無精神無技巧也。

【經驗】本穴治夢遺失精有殊功，餘症亦效。

【手術】(銅人)鍼九分，灸三壯，(明堂)灸七壯，正坐取之。

委中(足太陽膀胱經)

【釋義】委，烏詭切，紙韻，水流所聚曰委，對源而言，禮學記：「或源也，或委也」；中，豬邕切，東韻，猶滿也，史記外戚世家：「姪何秩比中二千石」，按漢官制有二千石謂滿二千石也；是委中者，言此穴乃足太陽膀胱經經氣聚滿之處，是爲合土，故「委」作聚字釋，「中」作滿字注。

【解剖】腓腸筋二頭間，膝膕動脉，後股皮脛骨神經。

【部位】當膝膕窩之正中。

神照集曰：膝後約紋中央，兩筋間動脉是穴，伏臥取之。足太陽膀胱經自睛明而始，上巔頂，下天柱、大杼、挾脊爲第二行，歷諸穴循尻臀下委中，是謂膀胱之本經也，第三行從天柱別而下附分，從附分至秩邊，歷諸穴下行而下委中，合於本經，是謂膀胱之大絡脉也，蓋此經從附分而下秩邊，從秩邊又橫行於環跳，下行於髀，外側合委中。

【主治】主膝痛，腰俠脊沉沉然，遺溺，腰重不能舉，少腹堅，滿體風痺，髀樞痛，傷寒四肢熱，癇瘲皆愈。

東醫寶鑑曰：主坐骨神經痛，腿關節炎以及中風等症。

【提要】此穴爲足太陽脉之所入爲合土，主瀉四肢之熱，委中者，血郄也，凡熱病汗不出，小便難，衄血不止，脊强反折，瘈瘲疾，足熱厥逆，不得屈伸，取其經出血立愈，(太乙歌)虛汗盜汗補委中，(玉龍歌)環跳能除腿股風，居髎二穴亦相同，委中毒血更血盡，愈見醫科神聖功，(又)强痛脊背瀉人中，挫閃腰痠亦堪攻，更有委中之一穴，腰間諸疾任君攻，(百證賦)背連腰痛，白環委中曾經，（勝玉歌）委中驅療脚風纏，（千金）委中崐崙，治腰痛相連，（四總穴）腰背委中求，（馬丹陽十二訣）腰痛不能舉，沉沉於脊梁，痠疼筋莫轉，風痺復無常，膝頭難伸屈，鍼入即安康，（肘後歌）腰軟如何去得根，神妙委中立見效，（雜病穴法歌）腰痛環跳委中求，牽連背痛崐崙試。

瘦燕氏曰：本穴爲足太陽經氣聚滿之穴，故刺之可出血，血出則邪却，瘧疾及身疹，俱得痊愈。或曰，膝痛、腰俠脊沉沉然、腰重不能舉、少腹堅、滿體風痺、髀樞痛、傷寒四肢熱、俱屬實症，當用瀉法，毫無疑義，然而遺溺一症，往往屬諸虛弱，若用瀉法，是虛其虛矣，病勢能不加甚乎？余曰：此穴治遺溺，當用補法，不當用瀉法也。

【經驗】傷寒四肢熱，瀉委中，有特效，其餘治症，俱有殊功。

【手術】素問水熱穴論：「雲門、髃骨、委中、髓空、此八者以瀉四支之熱也」，靈樞本輸篇：「膀胱入於委中，委中，膕中央爲合，委而取之」，邪氣藏府病形篇：「委中者，屈而取之」，（素註）鍼五分，留七呼，（銅人）鍼八分，留三呼，瀉七吸，（甲乙）鍼五分，禁灸，（素問）刺此穴大脉，令人仆，脫色，熱病汗不出，取其經血立愈，大風髮眉墮落，刺之出血亦愈，凡疔瘡、癰疽、發背、紅腫疼痛、及脚膝風濕，甚如拄杖跛足者，鍼之亦效，若中風痰厥，牙關緊閉，不省人事者，鍼之立醒，又患乾霍亂者，按其兩筋之中，刺一寸，亦效，一說：此穴當挺伏臥地取之。

中極（任脉經）

【釋義】中，豬邕切，東韻，方位也，四方之中爲中，左右之間亦爲中，居中也，禮玉藻，「頭頸必中」；極，傑弋切，職韻，中也，正也，詞周頌思文：「莫匪爾極」，傳：「中也」，漢書寬傳：「惟天子建中和之極」。注：「正也」；是中極者，言此穴在關元下一寸，乃人身自頭至足，此處適爲中正之處，經穴指掌圖書曰：自頭至足，兩側中也，故以爲名。

【解剖】白條線，下腹壁動脈，腸骨下腹神經。

【部位】在關元下一寸。

【主治】主尸厥，饑不能食，冷積衝心，腹中熱，臍下結塊，奔豚，陰汗，水腫，小便頻數，失精絕子，疝瘕，産後惡露不行，胎衣不下，月事不調，血結陰腫痛，陰癢而熱，陰痛，小腹苦寒，臨經行房，羸瘦，寒熱轉脬。

東醫寶鑑曰：主腎臟炎，腹膜炎，淋病，不妊症，子宮內膜炎，血崩，白帶，小便不利，喇叭管炎，膀胱括約筋痲痺。

【提要】此穴爲膀胱之募，足三陰任脈之會。

瘦燕氏曰：中極一穴，醫家極爲重視，與關元同等重要，治遺精絕子極效，用補法與艾灸法，使眞氣內歛，而不外洩，則精關自鎖，元神自充，欲其得嗣即得嗣，欲其奮發即奮發，一切陽痿早洩諸病，俱可痊愈，固不祇治遺精一症也。

或曰：夫子之言是矣，然而，往往治而失效，是何故歟？抑取穴之不準確，與此穴治證之不可靠？希有以示我，余曰：晚近鍼師，治症無耐性，以爲可求速效，實則三年之病，求七年之艾，意者，沉疴宿疾，不能求旦夕之功，當以艾或鍼，日日補之，待火候一到，元氣既充，自有神功，故銅人經云，可灸百壯至三百壯，非言一日之間盡此壯數，乃日日灸，時時灸，灸至相當壯數，自得效矣，庸師不知其理，不肯耐心診治，治而無功，投艾而歎，欲其取效，不亦難乎！

且也，晚近青年，性知識早開，淫書淫畫，動其慾念，慾念既興，不能自制，排洩無能，乃按之以手，既患手淫，樂此不疲，暗中欣幸，以爲獨得之樂，父母不知也，友朋不覺也，且旦伐之，精神疲困，元神消耗，宗筋弛縱，陽道萎小，精關鬆放，於是既結婚矣，莫能得閨房之樂，乞靈江湖術士之流，服霸藥以耗精，烈品以耗髓，漸至形消骨立，顴發內熱，按尺脉如遊絲，則返魂乏術矣，嗟嗟！瘦燕目擊心傷，大好之青年，可貴之精神，一年中喪生於此者，不知幾許人，夫中極非起死回生之靈穴，若能回頭是岸，牢鎖精關，延良醫耐心灸治，自可消除百病，豈特治陽痿早洩而已哉！

此穴治奔豚水腫，小便頻數，失精絕子，可用補法，餘症當用瀉法。

或曰，臨經行房羸瘦，此何病也？余曰：此名撞紅，多傷婦人，以婦人經水未淨，即與行房，此時也，子宮黏膜開而不閤，一經衝動，血流過多，陰精大傷，每令羸瘦，廣東名曰撞紅，廣藥舖中有撞紅丸出售，專治此症，實即和養陰精之品，取本穴當用補法，以益元精，使子宮緊縮，疲勞羸瘦自除。

轉脬即子宮痙攣，亦當用補法。

精清精冷，灸此穴亦效，故遺精絕子，實即包括精清精冷。

或曰，精何以清？何以冷？余曰：清冷之原因，可分爲二，一係人爲，由於早犯手淫，腎臟戕伐過度，一由天生，即賦稟精冷，然則無論何因，取此穴均可有效，故道家以中極關元氣海爲腹部三要穴，吐納內丹，即是故也。

【經驗】治上述諸症，均可有效。

【手術】（銅人）鍼八分，留十呼，得氣即瀉，四度鍼，即有子，灸百壯至三百壯，（明堂）灸不及鍼，日三七壯，（下經）灸五壯。

瘦燕按：諸家之說，以燕個人經驗證之，四度鍼，即有子，此言未足深信，深淺在五六分之間，灸數則以明堂爲是，效期則以銅人爲可靠。

關元（任脈經）

【釋義】關，姑彎切，刪韻，由也，入也，漢書董仲舒傳：「大學者，賢士之所關也」；元，愚袁切，音原，元韻，元氣之元也，漢書律曆志：「太極元氣，函三為一」，註：「大化之始氣也」，舊唐書柳公綽傳：「公度善攝生，年八十餘，步履輕便，或祈其術曰：「吾初無術，但未嘗以元氣佐喜怒，氣海常溫耳」」；是關元者，言此穴乃元氣之所由入也，故以為名。

【解剖】下腹壁動脉，腸骨下腹神經。

【部位】石門下一寸。

經穴纂要曰：臍下三寸，資生經集書曰：一名「丹田」，經絡全書曰：為生化之原。圖翼曰：在臍下三寸，此穴當人身上下四旁之中，故又名大中極，乃男子藏精，女子蓄血之處，小腸募也。

六十六難集註曰：臍下腎間動氣者；丹田者，人之根元也，精神之所藏，五氣之根元，太子之府也，男子藏精，女子主月水，以生養子息，合和陰陽之門戶也。

瘦燕考：關元乃丹田也，諸經不言，惟難經疏曰：丹田在臍下三寸，又曰臍下二寸名石門，明堂載甲乙經，一名丹田，千金方素問註，亦謂丹田在臍下二寸，世醫因是遂以石門為丹田誤矣，丹田乃臍下三寸，難經疏論之詳。

【主治】主風眩頭痛，積冷虛乏，臍下絞痛，流入陰中，發作無時，冷氣結塊痛，寒氣入腹痛，失精，白濁，溺血，七疝，轉脬閉塞，小便不通，黃赤勞熱，五淋，泄利，奔豚搶心，臍下結血，狀如覆杯，婦人帶下，月經不通，絕嗣不生，胞門閉塞，經漏下血，產後惡露不止。

東醫寶鑑曰：主消化不良，腸加答兒，腸出血，水腫，下腹痙攣，腎臟炎，慢性子宮病，淋疾尿閉，赤白帶下，月經不調，不妊症，睪丸炎，諸虛百損。

【提要】衝脉起於關元，爲小腸之募，足三陰任脉之會。

瘦燕氏曰：關元者，元氣之所由入也，亦即元氣之根，所治虛乏積冷，冷氣結塊痛，寒氣入腹痛，失精溺血，婦人帶下，產後惡露不止，俱屬元氣虛乏故也，宜用補法，以養元氣，元氣一充，諸症自瘥。

或曰：東醫寶鑑曰：此穴可治諸虛百損，是否可信？余曰：所謂諸虛百損，元氣虛乏故也，取此穴，與以長時間灸治，元氣一充，虛損可復。

或曰，關元與中極，俱可治陽痿遺精早洩，是否有功？余曰：中極之治，前已詳之，茲不復贅，關元之治，可與中極有同等功效。

【經驗】治上述諸症，均有功效。

【手術】（素註）鍼一寸二分，留七呼，灸七壯，又云鍼二寸，（銅人）鍼八分，留三呼，瀉五吸，灸百壯，止三百壯，（明堂）孕婦禁鍼，若鍼而落胎，胎多不出，鍼外崑崙立出。

瘦燕按：此穴以鍼五六分爲當。

中脘（任脉經）

【釋義】中，豬邕切，東韻，方位也，四方之中爲中，上下之間亦爲中；脘，胃脘也；是中脘者，言此穴在上脘下脘之間也，故以爲名。

【解剖】中藏胃腑，白條線，上腹壁動靜脉，肋間神經。

【部位】在上脘下一寸。

甲乙經曰：居心蔽骨與臍之中。

【主治】主天行傷寒發熱，溫瘧霍亂，五膈中惡，喘氣，噫氣，氣痛，面黃，心痛，胃反，伏梁，寒癖，腹痛，腹脹，不能食，食不化，赤白痢。

東醫寶鑑曰：主急慢性胃加答兒，食慾不振，腹膜炎，腎臟炎，霍亂，子宮病。

【提要】此穴爲手太陽、少陽、足陽明、任脉之會，胃之募也，腑病多治此穴，凡氣在腸胃者，取足太陰陽明，不下，取三里、章門、中脘、又胃虛而致太陰無所稟者，於此穴引導之。

（玉龍歌）九種心痛及胃疼，上脘穴內用神鍼，若還脾敗中脘補，（又）脾家之症有多般，致成翻胃吐食難，黃疸亦須尋腕骨，金鍼必定奪中脘，（肘後歌）中脘回還胃氣通，（雜病穴法歌）霍亂中脘可入深，（靈光賦）中脘下脘治腹堅。

瘦燕氏曰：此穴爲治胃病之要穴，以余經驗，諸般胃病，百藥罔效，取此往往有功。

或曰，夫子之經驗是矣，然而，何以取此穴，能根治胃病，請釋其理？余曰：中脘適當胃部，凡久患胃病，多由脾陽欠振，胃之消化力薄弱，用補鍼或艾灸，使胃部溫和，脾氣推動有力，則消化不良脾疼胃反寒癖諸疾，自可除也。

此穴治赤白痢，當用瀉法，治中惡，亦可用瀉法，治霍亂，當用灸法。

【經驗】治上述諸病，均可有功。

或曰，東醫寶鑑曰：此穴可治子宮病，其言可信否？余曰：胃病日久不愈，引起之子宮病，此穴可治，實則仍屬治胃，胃氣一振，子宮病自瘥，非此穴專治子宮病也。

【手術】（銅人），鍼八分，留七呼，瀉五吸，疾出鍼，灸二七壯，止二百壯，（明堂）日灸二七壯，止四百壯，（素註）鍼一寸二分，灸七壯。

瘦燕按：此穴以鍼六七分爲當，日可灸二七壯，灸至四百壯，病根拔矣。

風府（督脉經）

【釋義】風，夫翁切，音楓，東韻，邪風也，左傳昭元年：「風淫末疾」，注：「末，四肢也，風爲緩急」，疏：「風氣入身，則四肢有緩急」；府，夫武切，音甫，麌韻，百官所居曰府，周禮天官大宰：「以八法治官府」，素問六元正紀大論：「厥陰所至爲風府」，註：「風之處也」，素問熱論：「巨陽者，諸陽之屬也，其脉連於風府」，骨空論：「風府在上椎」，瘧論：「邪氣客於風府，則爲瘧」；是風府者，言此穴係邪「風」所聚之「府」，故以爲名。

【解剖】外後頭結節之下方，僧帽筋，後頭動脉，大後頭神經。

【部位】在項部入髮際一寸，腦戶後一寸五分。

【主治】主中風，偏風，惡寒，振寒，汗出，頭痛，頭部百病，舌强不語，咽喉腫痛，鼻衄，項强不可回顧，身重，半身不遂，傷寒狂走，目妄視，馬黃，黃疸。

東醫寶鑑曰：主全身性强直，發狂，中風，感冒，頭痛，半身不遂，頭項部神經痛，咽喉加答兒，黃疸。

【提要】此穴爲足太陽、督脉、陽維之會。

主瀉胸中之熱，（席弘賦）風府風池尋得到，傷寒百病一時消，（又）陽明二日尋風府，（通玄歌）風傷項急求風府，（肘後歌）腿脚有疾風府尋。

瘦燕氏曰：風府一穴，漢代醫聖張仲景氏曰：太陽病，初服桂枝湯，反煩不解者，先刺風池風府，却與桂枝湯則愈，言此穴可泄邪風，固毋須服桂枝湯也，治上述諸病，俱當用補法，馬黃者，言黃疸之黃色如黃馬也。

【經驗】治上述諸症，均有功效。

【手術】（銅人）鍼三分，禁灸，灸之令人失音，（明堂）鍼四分，留三呼，（素註）鍼四分。

瘦燕按：此穴禁灸不禁鍼，鍼在三四分之間。

百會（督脉經）

【釋義】百，補赫切，音伯，陌韻，通佰、陌，十十也，見說文，衆多之稱，如云百物百姓；會，戶最切，泰韻，合也，見說文會部，易乾：『「文言曰：「亨者，嘉之會也」」書禹貢：「會于渭汭」，際也，後漢書周章傳：「將從反常之事，必資非常之會」；是百會者，言此穴係手足三陽督脉之會，「百」言衆多，「會」言會合，故在頭部爲百會，乃陽脉之總會，在下部爲會陰，係陰脉之總會，一陰一陽，一頂一底，俱爲要穴。

【解剖】帽狀腱膜，後頭動脉，顳顬動脉後枝，大後頭神經。

【部位】當頭正中。

類經曰：此曰三才，百會應天，璇璣應人，湧泉應地。

證治準繩引湯氏曰：百會一穴，前後髮際兩耳尖折中，乃是穴也，方書所載，但云頂上旋毛中，殊不審有雙頂者，又有旋毛不正者，庸醫之輩，習循舊本，誤人多矣。

瘦燕考：旋毛有昂者，有低者，有在旁者，其地不一定，故由此求穴，則不中必矣，百會去前髮際五寸，入後髮際七寸，巔頂中央爲是。

【主治】主中風，偏風，口噤，言語蹇澀，角弓反張，半身不遂，風癇，青風，心風，羊鳴多哭，語言不攣，吐沫，心煩悶，驚悸健忘，恍惚無力，頭風頭痛，腦重，鼻塞，目眩，食無味，汗出而嘔，飲酒面赤，痎瘧，尸厥脫肛，及周身百病。

東醫寶鑑曰：主頭痛，眩暈，中風，腦神經衰弱，腦貧血，腦充血、百日咳，痔疾，脫肛，角弓反張，耳孔不通，女人血風，胎前產後風疾。

【提要】此穴爲手足三陽督脉之會。

（靈光賦）百會鳩尾治痢疾，（席弘賦）小兒脫肛患多時，先灸百會後尾骶，（又）咽喉最急先百會，照海太衝及陰交，（玉龍歌）中風不語最難醫，髮際頂門穴要知，更向百會明補瀉，即時甦醒免災危，（勝玉歌）頭疼眩暈百會好，（雜病穴法歌）尸厥百會一穴美。

瘦燕氏曰：百會一穴，三百六十五穴中，至爲重要，乃大穴也，治中風、腦充血、腦貧血、血壓高，均有奇功，施以瀉法，效立現焉。

尸厥百會一穴美者，言卒死之症，心頭尚溫，未忍遽棄，與瀉百會，竅門一開，百脉流通，其人即醒；痎瘧痢疾，周身骨節痛百病，刺之亦能生效者，以此穴係三陽之會，瀉之可解三陽之邪，除一切表病，故所謂周身百病者，即一切表病也。

女人血風者，言血內有邪風，如風疹風塊，遍身奇痒，實即三陽有鬱邪，刺之可瘥。

或曰，百會多用瀉法，腦貧血脫肛，宜用瀉法或補法？余曰：腦貧血昏厥，或可用瀉法，暫時刺激之，使蘇醒後，再用補法，脫肛一症，當用補法也。

【經驗】治上述諸症，均可有功效，門人屈春水長子筱燕問曰：百日咳一症，東醫寶鑑曰，百會可主治，師意當兼取他穴否？余曰：百日咳，百會可治者，以能泄三陽之邪也，經驗告余，當兼取肺俞膏肓，功效尤捷，可用瀉法。

【手術】（素註）鍼二分，（又）鍼四分，（銅人）灸七壯，止七七壯，凡灸頭頂，日不得過七壯，緣頭頂皮薄，灸不宜多，鍼二分，得氣卽瀉。

瘦燕按，頭頂諸穴，鍼二分已足，不得過深，素註云二分四分者，以二分爲當，所謂頭頂皮薄，灸不宜多，實卽頭屬純陽，不宜多灸也。

病證新詮

時代進步，科學昌明，病證新詮，爲求高深鍼灸學說之醫師所不可不研究者，每一病證，中西合參，分「病源」「病狀」「治療」「助治」「調養」「豫後」「備考」七大要目，爰擇「三叉神經痙攣」「急性關節疾病」二則，刊諸講義，以作同志參考。

三叉神經痙攣

（病源）本症甚多，其主因多數爲反射的，見於牙病，生齒，口腔黏膜障礙，顱蓋骨膜炎及三叉神經痛之際，少數由於直接的刺激，待起於腦底之腦膜炎及腫瘤等時，在理論上，其痙攣係發於延髓或腦皮質中樞者，三叉神經痙攣，常爲全身性痙攣狀態之一分症。

（病狀）牙關緊閉，強直性嚼肌痙攣，爲其主症，間代咀嚼性者，有寒戰及齒鬥，翼狀肌間代痙攣，下頷推移於側方而起軋齒。

（治療）此病在金鍼治療之原理，使口腔黏膜，毋令障礙，舒展其神經，毋起痙攣作用。

取穴「頰車」「下關」「地倉」「巨髎」「禾髎」，俱用瀉法，卽用補法，亦係瀉中之補。

（助治）鉤藤勾一兩，桑枝一兩，煮湯服之。

（調養）此病在中醫學說上講，係邪風襲於口角，故令牙關緊閉，嚼肌痙攣，預防之法，宜避邪風。

（豫後）良。

（備考）李梅路陳姓婦，病三叉神經痙攣，牙關緊閉，寒戰齒鬥，與刺「地倉」「頰車」，牙關卽開，凡五診全愈。

急性關節疾病（卽急性關節風濕）

（病源）往時認本病由感冒而起，現代則就解剖及臨證的見地，認爲傳染病，故稱曰傳染性多發性關節炎，又因其爲非繼發性，故曰原發性急性關節炎，病原體未明，有主張爲鏈球菌或葡萄狀球菌者，又有在流血中或關節漿液內存有特殊病原體之報告者，但未能普遍認可也，爲散在性，流行性，或地方性，又有胎兒傳染之報告，多見於溫帶地，尤多於春秋二季潮濕之地，其誘因則爲感冒，受寒受濕，及光亮不足之處居住者，與身神過勞及外傷亦有關，遺傳素因，與本病之發生亦有關係，是緣於家族之一般的對本病抵抗力薄弱也，男子較女子易侵，以十五至三十歲左右爲多，小兒及高年者少，病原體侵入部位雖未明，但屢以其他性或腺窩性咽峽炎，及喉炎、腸病等爲發生之先驅症，又有發現皮膚損傷及濕疝者，恐亦於發病有重大關係也，一次罹本病卻增其感受性。

解剖：患關節有全無變化者，但多數見微量之關節液絮狀渾濁，有時化膿，滑液膜及關節軟骨著明充血，有時出血，有見關節囊及絨毛腫脹肥厚及軟骨消耗者，心肌中發現有特殊小核，爲本症所特有，由巨細胞而成，其中含表皮細胞，及「史脫勃」氏巨細胞，此小核於扁桃體中，皮下及關節周圍組織贅腱中亦見之。

（病狀）隱伏期不明，前驅症狀有時完全缺如，或在發病前數日間全身違和及倦怠，但多數則有上述之先驅症，本病往往惡寒，有時戰慄發熱，一般於初期稽留，後期弛張，如更有新關節被侵者，則多見熱之上升，脈及呼吸頻促，精神陷於不安，往往囈讝，年幼者且昏迷，舌被灰白色苔，食思不振，便祕口渴，尿量減著，呈暗褐色，富於尿酸鹽類之煉瓦色沉渣，比重高，證明微量蛋白，發汗多而發酸臭，有生汗疹者，主徵候爲關節滑液膜炎，多爲漿液性，易罹患之關節爲四肢關節，如手足肘膝肩股等，日常運用頻繁，受傷機會甚多，疾病進行，且侵指趾等小關節，一般初發於一、二關節，數日後症狀消去，再移行於他關節，如是者最多，亦有普及於全身各關節，特於脊椎、下頷、胸鎖肋、環披、恥骨關節以及薦骼間之軟骨縫合等，或有時自甲關節遊行至乙關節而再見甲關節之再發，關節滑液膜炎，與發熱同時，關節腫痛肥厚，多量之滲出液積於關節腔內，周圍皮膚潮紅，失皺痕而滑澤，觸之有灼熱感，壓之有壓痕，患關節自動或被動運動時劇痛，炎症每波及於腱鞘及漿液膜，有時且及於肌肉及筋膜，病人大多不能使病關節過於屈曲，如侵多數關節，則毫不能自動，需人助之，又關於體質之徵候，恆強度貧血，白血球略增加，如示出血性素質者，則更凶。

經過：不定，概爲亞急性及四至十週，亦有短時日中全治者，普通在一二旬內體溫漸降，局部症狀輕減，有時以初有症狀迅速經過後，限於一定關節有微痛，如是荏苒數月，其不定遊走者，治愈更難。

併發症：最多爲心之併發症，恐因血行中之未明原體或其毒素附着於心之故，輕重不一，發於本病初期或末期不定，就中急性心疣贅狀內膜最多，占三分之一至二分之一，特以來於二尖瓣者更夥，因貽二尖瓣閉鎖不全或狹窄，次之爲生動脈瓣，併發心內膜炎時，再發熱，心部有痛感壓感，起心悸亢進及呼吸困難，脈數而軟且小，心多少向左右擴張，瓣膜於收縮期或擴張期聽取雜音，有時現期外收縮，最重者則因心麻痺而死，但甚少，心包炎較少見，最初於心基底部特於胸骨左緣聽取心包炎性摩擦音，至滲出液蓄溜時，心濁音界向左右上方擴大，心尖搏動不明，心音微弱，多數全治，有時貽心包愈着，又心內膜炎多數併發心肌炎，以上心之併發症，預後尚佳，約數週後治愈，惟有貽刺激傳導障礙者，有時亦有併發全心炎，其次本病恆有漿膜及黏膜之併發症，如胸膜炎，及腹膜炎等，胸膜炎多爲漿液性或纖維素性，且多爲一側性，經過輕性，有不自覺者，腹膜炎或與胸膜炎併發，或獨自發生，又本病經過中，常合併枝氣管黏膜炎，亦有侵口腔器官、咽喉及胃腸者，至於皮膚之併發症，於四肢有見結節性紅斑者，有併發蕁麻疹及口脣疱疹者，少數有見出血性蕁麻疹者，是僅爲出血性素質之一徵候，故同時亦見黏膜出血，有時皮下生核，曰風濕核，或現或隱，多見於小兒，生於關節之周圍或頭部，肌肉之併發症，卽患關節周圍肌肉有腫脹及壓痛，關節炎症消退後，則遺肌肉之萎縮及痳痺，其所以萎縮者，依確可脫氏之說，謂自患關節反射的影響於脊髓營養中樞，但因關節之疼痛及運動障礙之故，而起不動性萎縮及毒素之影響等，亦不無關係也，關節伸展肌爲易侵之肌肉，因起關節運動障礙，最多見者爲三角肌萎縮，乃礙及肩關節之運動，此外肱肌及少數之方股肌，胸大肌等萎縮，萎縮之肌，無電氣變性反應，至於神經系之併發症中，最宜注意者，爲腦性風濕，因有高熱，故有過熱性關節風濕之別名，此症以著明之神經症狀起始，卽最初經過尙佳，有時亦有突發該症者，惡寒，發高熱，脈頻弱而小，神志不安，譫語，有時發全身痙攣，及牙關緊閉，面色蒼白，呼吸促迫，遂至死亡，死後體溫有暫升者，死後腦髓不甚著明變化，僅見腦膜充血、出血及浮腫而已，此種併發症，恐爲熱調節中樞及運動中樞之中毒症狀，尤多見於酒徒，及神經衰弱者，此外在併發心內膜炎時，每有繼起腦血管栓塞而來，偏癱或失語症囟，其餘之併發症，如傳痳質斯性虹膜炎及鞏膜炎，少數所見之急性腎炎，一時性熱性蛋白尿等，脾雖有肥大者，較其他傳染病爲輕，法國學者有見本病併有甲狀腺腫脹而遲認爲本病之原因者，殊難信之。

（治療）本病在中醫學說上講，謂風濕襲侵關節，遂致關節發炎，而現高熱，金鍼治之，疏其風濕，利其關節，則高熱自退，而關節自利。

取穴，如四肢關節，手足肘膝肩股等處，紅腫灼熱者，當刺「肩髃」「肩顒」「曲池」「肘髎」「手三里」「臑會」「臂臑」「偏歷」「支溝」「養老」「陽池」「合谷」「中渚」「液門」「後谿」

「前谷」「居髎」「環跳」「犢鼻」「陽關」「陽陵泉」「足三里」「解谿」「丘墟」「絕骨」「崐崙」「陰谷」「曲泉」「陰陵泉」「商丘」「太谿」，俱當用瀉法。

如脊椎紅腫疼痛者，宜刺「大椎」「身柱」「至陽」「懸樞」「腰俞」等穴。

如下頜紅腫疼痛者，宜刺「地倉」「人迎」。

如胸鎖骨紅腫疼痛者，宜刺「中府」「屋翳」「彧中」「膺窗」「周榮」「胸鄉」。

如肋骨紅腫疼痛者，宜刺「輒筋」「天池」「乳根」「大包」。

如恥骨關節，及軟骨縫合等紅腫疼痛者，宜刺「横骨」「曲骨」「氣衝」。

熱度高亢者，兼刺「大杼」「風門」。

如足趾足背，紅腫疼痛者，宜刺「隱白」「厲兌」「大敦」「行間」「內庭」「俠谿」等穴。

如有心之併發症，起心部有痛感壓感，宜刺「膻中」「中庭」。

如有胸膜炎之現象者，宜刺「神藏」「靈墟」「膺窗」「乳根」「步廊」。

如有腹膜炎之現象者，宜刺「肓俞」「中注」「四滿」「氣穴」「大巨」「水道」等穴。

如兼有咽喉、及胃腸併發症者，宜刺「人迎」「扶突」「氣舍」「中脘」「肓俞」「中注」「四滿」。

如神經系之併發症，起不安譫語，發全身痙攣，及牙關緊閉，呼吸促迫，中醫謂之邪陷心包，引動肝風，病勢危險，達於巔頂，勉刺「百會」「膻中」，以希萬一。

（助治）本病中醫之治療，以退熱爲先，如薄荷八分，炒牛蒡三錢，淡豆豉三錢，荊芥穗三分，淡竹葉三錢，青蒿梗三錢，黑山梔三錢，淡黃芩三錢，赤茯苓三錢，塊滑石四錢，清水煎湯服，待熱退，炎勢可逐漸輕減。

如手肢紅腫疼痛者，更加絡石藤、海風藤、天仙藤、各三錢。

如足肢紅腫者，加牛膝三錢，防已三錢，秦艽三錢，獨活一錢。
如脊椎腫痛者，加羌活一錢，防風一錢半。
如下頷紅腫疼痛，宜加紫花地丁三錢，板藍根三錢。
如胸鎖骨腫痛，加全瓜蔞三錢，大貝母三錢，蒲公英三錢。
如肋骨腫痛，加小青皮一錢半，焦枳實一錢半，軟柴胡一錢。
如恥骨及軟骨腫痛者，加海金沙（包）三錢，蒲黃（包）二錢，五靈脂（包）三錢。
如神智昏糊，譫言妄語者，宜用紫雪丹、至寶丹之屬。

（調養）本病忌食葷腥發物，腫痛處可以如意金黃散敷之。

（備考）舟山路陳昌祥君，病急性關節風濕，身壯熱，四肢關節紅腫，疼痛無已，與刺「肩髎」「肩髃」「曲池」「肘髎」「偏歷」「支溝」「環跳」「犢鼻」「陽關」「陽陵泉」「崑崙」「絕骨」諸穴，並投疏散退熱之劑，凡十四診而瘥。

附錄：社務簡報

本社簡章、入社志願書履歷書、及特刊，函索附郵即寄。

國內外同道，紛紛參加本社，南至星加坡，北至東九省，西至陝川，東至滬海，均有本社社員。

眞金毫鍼，全部製成，五種號子，都有現貨，鍼灸用品，供應社員，歡迎同志採用，詳見封底廣告。

採用本社精製金鍼者甚夥，計有本市石顧問筱山、王顧問一濟，與主任智安、周濟士、陳忠、盧漢臣、楊恆、沈硯田、周世民、張金、華忠國等同志，福建祝澂、黃祖雲，湖南殷孝吟，南京張德培，九江高凌雲，濟南白品一，廣西范伯豪，南洋星加坡中醫師公會理事長呂德火等等，不勝枚舉。

本社擬於全國各大城市普設分社，以期共同研究鍼灸學術，業已先後成立者，分誌於后，就地同道欲加入本社者，請向各該分社聲請參加：

崐山縣分社社長	李元吉	地址：崐山南街綠牆頭
嘉定縣分社社長	李濟舫	地址：嘉定縣中醫師公會
松江縣分社社長	駱潤卿	地址：松江中山路一〇七〇號
天馬山分社社長	張引秋	地址：天馬山鎮
南京市分社社長	張德培	地址：南京下關二板橋二七二號
成都市分社社長	文琢之	地址：成都鼓樓北一街三九號
長沙市分社社長	吳幼僊	地址：長沙市保節堂街仲景堂
萬縣分社社長	沈仲圭	地址：四川萬縣環城路七號
錦州市分社社長	武慈生	地址：錦州市（八）西民權街一四七號
永春縣分社社長	黃祖雲	地址：福建永春縣中醫師公會
濟南市分社社長	白品一	地址：濟南市商埠新公路東
亳縣分社社長	徐仙舟	地址：安徽亳縣北關乾魚市街西頭
文縣分社社長	毋永祥	地址：甘肅文縣陰平路小西天
星加坡分社社長	呂德火	地址：星加坡小坡大馬路六〇五號
九江市分社社長	高凌雲	地址：九江市府南路五七號
寶鷄市分社社長	毛聖華	地址：陝西寶鷄市中山西路武家巷中華鍼灸館
浦城縣分社社長	祝　瀓	地址：福建浦城中華路三六號

中字二四二號社員賞甫來鑒

一九五〇年五月二十日初版

鍼灸講義

編著者　陸瘦燕
校訂者　朱汝功
出版者　新中國鍼灸學研究社
上海金陵中路一一二弄五號
電話：八四四九〇
印刷者　洽豐印刷所
上海大通路五四六弄四九號
電話：三二六一〇轉

广西省立南宁区医药研究所针灸学讲义

提　要

一、作者小传

该讲义由李文宪编辑，黄啸梅附注。考李文宪、黄啸梅二人皆为民国时期广西著名中医专家。

李文宪以针灸见长，曾在承淡安创办的中国针灸学研究社学习，1934年进入广西省立梧州区医药研究所别科班（学制一年），毕业后供职于广西省立南宁区医药研究所，被聘为针灸讲席，1936年就职于广西容县国医讲习所，被聘为针灸科教席，其后一直行医。著有《针灸精粹》《新编实用针灸学》，这些著作现仍存世。

黄啸梅，名琼珠，以字行，民国时期曾任广西省立南宁区医药研究所所长，后任广西医药研究所所长、广西省政协常委，现有《脉学新义》《国医释疑》《国医病理学》《内科什议碎锦》《内经实用概要》等著作存世。

二、版本说明

《广西省立南宁区医药研究所针灸学讲义》，现存油印本。

三、内容与特色

该书为广西省立南宁区医药研究所办学时期的针灸学讲义。末尾黄啸梅附注记载："按以上所述，为李文宪君编辑，用以教授第一、二班学员，著以其选材分类，似较第二班以后所编辑者为优良，故本班教授仍复采用，至自此一下，则用承淡安《针灸大成》为课本，裨与第三、四班同归一致，庶于应用上不生歧异也。"可见此书原为李文宪编辑，后经研究所油印作为针灸教材以教授、传播针灸。

全书存引言、针之补泻、禁刺、温灸治效之研究、针治学最后之注意等内容。

引言部分讲述针灸的历史及针与灸之作用。针之补泻部分，开始分新旧两派介绍针灸手法，其中在旧派中介绍中国传统的针刺补泻手法，在新派中介绍日本杉山氏针刺手术，从杉山氏一百一十三法中选取十法进行讲述；接着在补遗部分介绍物理治疗与药物治疗之异同，药物论部分讲述中西药学的相关理论知识，针灸术之沿革部分讲述针灸学术之历史沿革。接下来是禁刺内容，分逆治、现象、五夺、四避之禁刺以及反实之针误、死征之针戒等，以上从编号上看似从他书摘录而来。最后讲述晕针之刺治及预防、温灸治效之研究、奇经八脉之研究、针治学最后之注意等内容。

该书以中医针灸手法为主、日本针灸手法为参考讲述针灸理论，如在介绍针之补泻等时，将中医针灸手法与日本新派针灸手法进行对比讲解，使针灸手法易学易懂，便于读者学习应用。从内容上看，该书摘录各家精粹汇集成书，看似繁杂，实则简单易懂。

廣西省立南寧區醫藥研究所鍼灸學講義

第一章 引言

嘗稽上古之民，太朴未散，元淳未漓，與草木蓁蓁然，與鹿豕狉狉焉，相忘渾噩，無所謂病，針灸何施，自神農以還，人漸流於不古，而朴者散，淳者漓，大淫七情，眾疾交作，於是取砭石以療病，行祝禱而除疾，民乃獲安，迨黃帝出，究心民瘼，是以問於岐伯曰：「余子萬民，養百姓，而收租稅，余哀其不給，而屬有疾病，余欲勿使被毒藥，無用砭石，欲以微針，通其經脈，調其氣，營其逆順，出入之會，令可傳於後世，必明為之法令，終而不滅，久而不絕，易用難忘，為之經紀，異其章，別其表裏，為之終始，令各有形，先立針經，願聞其情」是言也，實開針灸之先河，遂放醫學之異彩，視今日之物理療法，而針灸一科，固可鶴立雞群，不能與彼同日語也。試思扁鵲刺虢太子之屍，應手而起，徐文伯刺婦人之胞胎而立下，唐之名臣狄人傑，針鼻瘤而立墜，甄權針臂痛而[illegible]，史記

C.P.H.

所載，效驗特彰，瘴癘盛行，可灸大椎關元，脚氣之疾，踝眼三里宜燒，靈台一灸，咳嗽即除，歷考前代，往往以灸愈，夫人體各部，不論內臟皮膚，皆有互相連帶關係，同時吾人之身軀，亦莫不有電，針為金屬傳電最易，針經與肌肉摩擦，即發生輕微之電流，流通神經，病態於是乎消矣，此某西醫博士之說也，

蓋針與灸之効如下

第一課　針

然據近日生理解剖學家云：「人體各種動作，如心之循環，肺之呼吸，腸胃之吸收，排泄，器官之新陳代謝，皆在神經系指揮及內分泌腺關係之下，而營其職，以組成整個生活體，故凡百疾病，無不與神經系有直接或間接之關係；人體腦神經十二對，脊髓神經三十一對，與乎交感神經系，其支系分歧，密佈全體，針刺云者，即對於神經加以刺激，興奮，鎮靜，緩和之一種物理療法而已，故歸納針之作用，約有三種：（一）興奮作用　凡體內生活機能衰弱，或痺麻時，則刺激其神

經、推動其血行、例如運動神經系麻痺、或知覺有異狀態時、又如對於內臟榮養吸收分泌機能衰弱時，宜用刺激某一部之神經，以回復其正規生活、(二)鎮靜作用 凡肌肉腺器神經，機能之過度興奮，血管壁起變化血流壅遏，而至發炎焮腫時，加以適當之針刺，通其鬱滯，緩其急迫，得收鎮靜緩解收縮之效，(三)誘導作用、某部患病、針刺他部末梢神經，誘導於針刺之處，而減少病變部分之紊血，如中風刺其四末，內臟充血，而刺其淺部，或利用反射之刺激，使下腹部緩和，脈管收縮等」 夫所謂神經系者，即吾國之十二經也，何以見之，曰：如上述所言，百病皆係神經，而吾國之醫書，凡萬病亦由十二經，何則，蓋十二經乃氣血流行之區，所謂附麗而行是也，凡氣血不足或太過。即受外感六淫之侵襲，亦無不由皮毛而入經絡也。讀傷寒論之刺期門，風府，及先針足陽明各條，是其明証也，迎隨補瀉已得其針之大法矣，然設有好學深思之士，進而問曰，余嘗見斷手拆足者，其運動雖失自由，但其精神魂魄依然如故，而不礙經脈者，何也，曰此內臟神經之作用也。

第二課 灸

針之效用，既如上述，今當伸明灸之理由、夫今日之灸法，大別可分新舊二派，然雖分派，而其理固則一，器具不同而已，今姑不論其器具，且先言其理由

1、舊派灸法之理由功用

舊派云者，即我國古法灸也，藥物考云「艾之性溫熱，味苦無毒，宣理氣血，利陰氣，溫中逐冷，除溼開鬱，生肌安胎，暖子宮，殺虫，灸百病，能通十二經血氣，能回垂絕之元陽，此艾灸之功用，前賢之指示也，今有承君淡安起而解之，曰：其性溫熱有鼓舞神經之功能，宣理氣血，即促進血液之循環，利陰氣，溫中逐冷，暖子宮，有補助體溫之功用，除溼開鬱，乃增加白血球殺滅細菌及促進淋巴發揮，新陳代謝之功用，生肌安胎，爲增榮養之機能，灸百病，通十二經血氣，回垂絕元陽，無一非活動人身諸關節，及促進各組織之細胞生活力也。」

2、新派灸法之理由功用

新派云者，日本之灸法也，其出灸之功用有八，曰「1、增加白血球，2、免疫素增加，3、促進凝固作用，4、腺之分泌作用亢進，5、結締組織之再生作用，6、血液增加糖量，7、對於皮膚之抵抗物，增大抵抗力，8、新陳代謝之旺盛」。按，今日之西医，有輝耀於吾人眼前者，曰防疫針也，免疫鍼也，預防鍼也，殊不知吾國古時，已有防疫之法矣，何以知之。曰，孫真人云，「若要安，三里不要乾」，日本有渠等歌俚云「朝朝起身多轉働，少食多灸為忠孝」又延命山氏云，「灸後之結果，乃身体之抵抗力强，对于各種病之襲來，能為預防病生，永為無病之健康生涯，寔平生最大之幸福也」，彼等在科學立場，而言中國之鍼灸成效，宜乎歐西各國，探討鍼灸者，猶如活躍世界，儼如驟馬之下斜坡，若德，若美，若法，皆群起研究之耳，東方医學，為西人認為有價值者，鍼灸術其嗃矢乎，回視發明之我國，反棄而做履，良深嘆惜，

第二章 針之補瀉

第一課 舊派

鍼之用補瀉迎隨而已，所謂透天凉，燒山火，白虎搖頭，青龍擺尾，赤鳳迎源等不下數十手法。此雖前賢遺下，編者不敢言其盡屬無用，然名稱既多，手術又雜，學者反不知適從，所以望洋却步者，以此居多，殊為惋惜，編者以鍼灸治病，不下萬人，補瀉之法，惟迎隨而已，黃帝曰「余聞刺法，有餘者瀉之，不足者補之」，岐伯曰「百病之生，皆有虛實，而補瀉行焉」又曰「隨而濟之是為補，迎而奪之，是為瀉」夫凡百疾病，既繫於神經系，設使神經系亢進，或衰弱則為熱病或雜症，又如咳嗽，嘔吐，此由肺胃神經系之亢進，凡百痛症，或由血管充血壓迫神經或有殘廢物質停滯而壓神經，則以刺激而興奮之，或鎮靜之，或誘導之，然須審明某經病，而下鍼頭經之補或瀉，如頭項强痛，足太陽病也，足太陽之脈，為三陽經之一，皆是從頭而走足，若補則鍼頭向下拔出鍼時，疾按其孔是也，或鍼左边而行補法，則鍼頭向左边，大指向前，食指向後，如鍼右边而行補法，則鍼頭轉向右边大指向後，食指向前，此足三陽經之補法也（手三陰之補法亦如此）（若欲瀉者，鍼頭向上，拔出鍼時，不按其孔，是也。）（或鍼左边而行瀉法，則針捻向右轉，大指向後，食指向前，如鍼瀉左边，則鍼轉左面，大指向前，食指向後）此乃足三陽手三陰之瀉法也。手太陽小腸經，手陽明大腸經，手少陽三焦經，俱自手至頭，足太陰脾經，足厥陰肝經，足少陰腎經，俱自足而至腹。此穴經悉皆自下而至上，若補則鍼頭向上拔出鍼時疾按其孔，（或鍼左边而行補法，鍼入穴内相當之分寸，微停，凝神集意，專注於鍼「無論鍼刺那經，或補或瀉，皆必須如此」，以右手拇指食指持鍼紐捻動，轉向右边，大指向後，食指向前，如刺右边補法，則鍼轉左边，大指向前，食指向後），是為手三陽足三陰之補法，若瀉該六經，則鍼頭向下，拔出鍼時，不按其孔（或鍼左边，則鍼轉向左大指向前，食指向後，如鍼右边，則鍼轉右边，大指向後，食指向前）。是為手三陽足三陰之瀉法也

文宣恩按，上述各法，為各鍼師不輕易宣示者，今一揭無遺然進插提退，又必須明焉，經曰，「三進一退謂之補，三退一進謂之瀉」又曰「提則瀉，插則為補」此補瀉不易之理也

……腑均從下而走上其補法用之

……大指向後食　又按，任督二脈，皆在中行，補法悉向左轉，大指向前進，食指向後退，瀉

是為補法，若法悉向右轉，大指向後退，食指向前進

三手　瀉手右西則附圖

法，依便手手三陽

三左右補瀉而施左

陰足三陽則成為

瀉之手三陽足三

經調之手手三陰右

陽則為瀉，兩者相反而

補，則右為瀉，左為

則右為補、

手三陰足三陽之瀉法

左瀉　右瀉

手三陽足三陰補法

左補　右補

手三陰足三陽之補法

左補　右補

手三陽足三陰之瀉法

左瀉　右瀉

任督二脈此同

◎足三陽由頭走足

◎手三陽由手走頭

◎足三陰由足走胸腹

◎手三陰由胸走手

第二課　新派

日本之針師，以杉山氏手術最佳，然其手術則有一百一十三法之多，反使學習不知適從，且不切實用，此杉山氏眩人耳目之短處也。但日本今所宗者，惟其十法而已；茲分列如下

(一)單刺法　鍼尖達於目的部位時，即行拔去，此法主於輕微的刺激時用之

(二)旋撚法　鍼之刺入部中，或鍼達於目的部時，或拔出之際，行左右旋撚之手技，此法較單刺法，與以稍強的刺激時用之。

(三)雀啄術　此法恰如雀之啄餌，先使鍼達於目的部後，於組織中，將鍼上下動搖，加以強的刺戟，此手技於強弱之制止，或達興奮之目的時，應用最多。

(四)皮鍼術　在極淺之皮膚，行刺鍼方法，此專應用於小兒。

(五)置鍼術　於刺鍼部位，一鍼乃至數鍼刺入達目的部位時，行二分乃至數

分或十分十五分之長時間之放置，而後拔出，此專應用於制止興奮神經，或達鎮靜目的。

（六）亂刺法　鍼之刺入達目的部位點，即行拔出，再就原處刺入，如此頻頻反復。

（七）間歇法　鍼刺入後，或在中途間即行拔出，逾相當時間，復又刺入，此方法於血管擴張，筋肉弛緩之目的應用之。

（八）迴旋術　鍼刺入時，向左右迴旋刺進，拔出時，向反對方面迴旋拔出，此法在稍稍與以緩刺激時應用之。

（九）細振術　刺鍼中，將鍼行極微之振動，此法在收縮血管筋肉時應用之。

（十）歇啄術　鍼體刺入達三分之一時，則雀啄術更刺入三分之一時，行第二次雀啄術，更於末後三分之一時，行第三次雀啄術，而後拔出，此法在深部疾患，須強刺激時應用之。

以上十法手技，視患者之年齡，體質，病症如何而適宜定之，猶之醫師細心決定其藥物之量，不可稍稍疏忽也。

編者按，以上十法，乃日本舉國鍼師認定最合理由充分而用者。今更將鍼術手技之記號繪出，以為各學子將來研討彼國鍼灸學之基礎焉，

鍼術手技圖

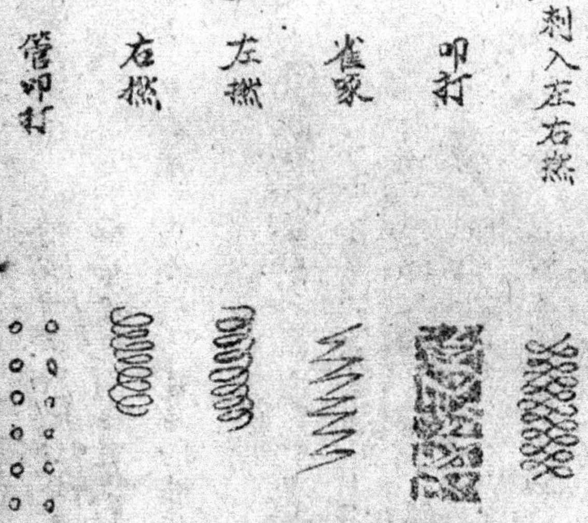

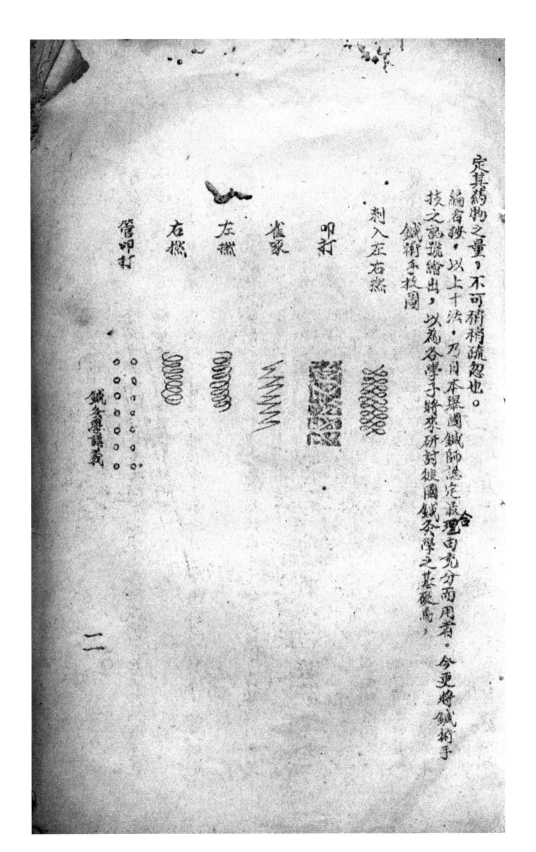

日本常用之鍼

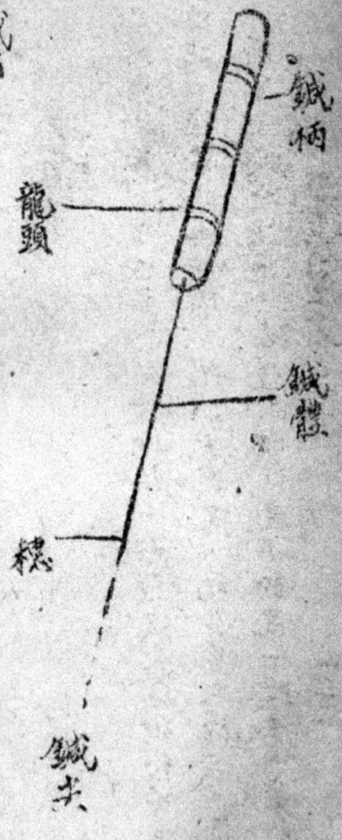

杉山真傳鍼法

一初專　初專者，入皮膚之後，去管，右手之拇指與食指持龍頭，將鍼左右旋撚，刺入終，畧畧上下異動之法也。

二次專　次專者，刺入之後，以右手之拇指與食指持龍頭，穩住押手之際，如押如撮，輕按之刺法也。

編者按　初次二專，不離杉山氏一百一十三法之內，故一并編入。

第三課　補遺

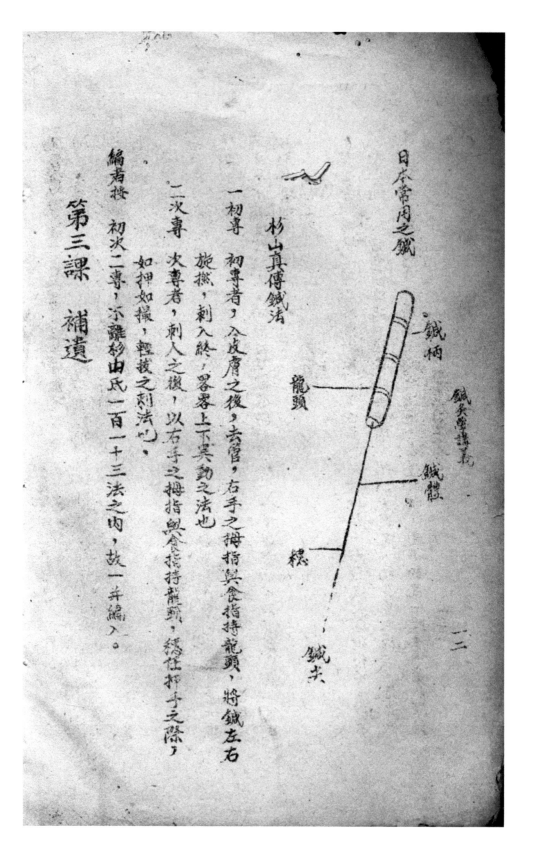

物，不外辨色辨味兩種。亦兼有象形者，例蛤蚧之拔子，綠黑豆之補腎水。其效尤洵不可思議。諸如此類甚多，舉一可以反三。不過化製不精，消毒不諒，不免爲科學家所詬病耳。中藥色味，合於四時，而分配於臟腑，以五行代之，不過取其相生相剋之性。如代數之公式。

寒十色＝熱性，色一味＝寒性，辨色又辨味＝合性，辨色不辨味＝中性，尚有象形酒炒鹽製等不在其內。古人湯頭歌訣，某病服某方，業已分配至當。臨時加減味數，其效力皆得之於經驗。惜未設專科研究，歷來學者畏其難。採製者又多屬不識文理之人，不能據理數分析而提煉之。知其然而不知其所以然，實成爲今日醫藥界之杭隍也。

結論

中國醫學，物理與葯物治療兩種。現已立於破產地位，西歐文化學術侵略，以不科學之譏，排除中國醫葯。法律既無保障，技術與商業，均受重大損失。僅牽氏衆之信仰，猶未盡失。尚留一綫之生機。未墜於地，苟不於此一綫中，窮研深討

・以求物理治療。與藥物治療之原理。發揚而光大之，吾知二十年後，西醫遍全國鄉鎮。未來之學子。俱催眠。好尚奇異。我國歧黃之術，無人過問，必至淪於告寢。所敢斷言也，且近世紀中，生活程度。日見增高。國際經濟。瀕於危殆。其他固不必論。即觀病家服藥言。以中醫論。近年之藥價。比二十年前，奚啻十倍，自西醫藥輸入。已佔去我醫藥業之大半。中藥有過剩之虞。價格應當日落。而雖者適得其反，無他，藥物為中國大宗出產，東北已淪為異域，即以前操於外人之手。川滇黔粵數省。相繼用兵，稅收之奇重，為亘古所未有，業此者見無賴可圖，多係操辦。以是供不應求。價格奇漲，長此以往。一劑藥物。動輒半元以上。民衆生活奇艱。何堪設想。即服用西藥，尤覺不菲。除診費手術費外。苟注射一鍼，須費數元，在中產以上之家。尚可應付，若居貧病。惟有呻吟床第。束手待斃而已。前歲中央有國醫館之設。提倡我國固有文化。願我中醫界諸同志。勤於古訓。探賾索隱。並鑽研鍼灸。考求經穴。其他近代醫術，取其所長，補我所短。使理數與物質互相發明，蔚為有統系之新學術。以挽回歧黃之墜緒，實託技術經濟三者。既築成堅固堡壘。群衆生命。方得有確實保障。信用自然昭著。倘一涉獵醫學入門，不求深造。即出而問世。倘能愈一小病。動以三指切人。謝為名醫。與市上之售賣假藥。及以拖泥帶水之生藥圖利者。同為岐黄之罪人。人即不與我爭。優勝劣敗。亦自居於淘汰之數。為叢敺爵。為淵敺魚。而欲人之不侵略得乎。此為人生之重大問題。故不惜一傾吐之。

中西醫學研究同異論

中國之術。發軔於往古。其後黄帝著為内經 始有統系。西醫由十一世紀以前。始逐漸發明。至今蔚成專門之科學。是中西醫術。各有數千年之歷史。其發達如數學之進度，惟因處地不同。社會不同。思想不同。以致研究之法，遂有殊途同歸之[illegible]。未可妄為軒輊也。英人謂地球之上無新物。予亦謂人身之上無新物。何則。西醫重物質。中醫重理數。在表面上觀之。西醫解剖診斷。似較有憑。中醫執理揣測。似為恍惚。殊不知得失均互見也。西醫立張十二對神經 交互全身。中醫則主張三陰三陽。其數實相符合。西醫言寒熱。以體中之温度為測驗。中醫

言寒熱。以陰陽互根為準則。考人身組織之物質。至為廣泛。現能發明者。不過
百分之一，如電子組合而發電。生電必須熱力磨擦。熱又由火。火又由燃料而生
以至研究燃料之本原，浩瀚不可紀極。此中虛實。用演繹法追求，難免不有錯
錯之處，理數則執簡馭繁。明乎一貫之理，陰陽互根之數。參伍綜錯而歸納之。
雖不中不遠矣。設如大腸便秘。引起盲腸炎之副作用。從物質上觀之。便認盲腸
炎為主病。不為之清瀉大腸。遂投以止痛消炎劑。吾未見其有得也。解剖認證。
不惟西醫有之。中醫亦有之。不過對於物質上未能明瞭。因而出此。未見其一定
有所獲。醫生常認為某部有病。有支解人身而全無病者。因原素細微渾淪，不
可以尋常方法察覺。如奇經八脈之類。是有而非有。其受病何能以解剖推求耶。
問聞望切。中西醫均注重此四字訣。不可偏廢。其所以認證不清者。因無大綜合
近因遠因 判斷其虛實寒熱。致正副病。未能確實認定。其診斷上之最大缺點。
西醫診脈。定熱度之高下。呼吸之緩急。以測主副病之深淺。中醫則以寸關尺着
臟腑之脈徵。而斷以複雜之病原。演三陰三陽手足均有定位。寸關尺既非總脈。

且醫生指有大小。何能以之測驗臟腑。夫脈息者。血之循環次數也。其上行之大動脈。以之定寒熱則可。以之測臟腑則無理由。人身某部受病。血液先已變化。以經驗至數緩急。測其寒熱。病原已得其半。其正副病。大半在望聞問得之。西醫所以有檢糞便唾液之舉。較為詳審。是中醫所當回憶改進者也。予謂地球之在虛空。有一定之理數。附著於地球之生物。亦一地球。春夏秋冬。其轉動有一定之經緯度。此自然界之現象。人生自動被動。感受寒熱風溼。不免於毗陽毗陰之處。揆其理數而調節之。使中和之氣暢於內臟四肢。其病霍然。此無他。醫生能認明經絡陰陽。穴道置位。診治自易。業岐黃術者。不可不明鍼灸術。使棄於病狀脈訣之探索。湯頭藥物之配合。以訛傳訛。與求神方。書符咒。及問証發藥者無異。一旦殺人。則諉之於命。人之性命寄於其手。危哉險矣。

藥物論

人生需藥物乎。吾不得而知也。人生不需藥物乎。吾亦不得而知也。洪荒之世。

渾渾噩噩。茹血食肉衣毛。各安其生。不離木鬚。順天自然。稍有不適。借日光空氣海浴以驅除之。似不需乎藥物。然而渴也。飢也。寒也。必得血肉皮毛以禦之。似又需乎藥物。降及後世。種族日蕃。風寒暑溼侵其外。聲色香味撼於內。人類不識攝生之理。而疫癘作焉。古聖人出。為之嘗百草立方。以補其偏。而救其弊。後人發揮而光大之。以成為今日重要學術。中西醫士。現尚絞其腦汁。多方搜採。從事提煉。應用化學之方法。而藥物亦因以日新月異焉。予謂宇宙間之有机無机物。皆可以為藥。皆可以治病。織而至於牛溲馬勃。得其用則珍逾參苓。惜煉製墨守古法。多為科學家所詬病。前數年海上有廢中醫藥之議，此舉雖出之過激。抑亦故步自封。自貽他人口實者也。考中醫藥。自神農著為本草。不過數百餘味。其質素早已失傳。後來泡製無專科。提煉乏知識。甚至著特效者。秘而不傳。使神農之妙方。絕墜於地。良可慨矣。中藥之採用法。不外辨色辨味。以象四時。而分配於臟腑。有相生相尅之義。其大概載在礼記月令篇。其理數皆與天人相合。意義至頤。非本文所能詳述。業此者。應當準据前人意義。辨其色味。提其質素。用化學攻破藥物之秘府。方能與醫學雙輪並進。否則畸形發達。一進一退。終難達醫藥濟世之目的。凡藥物採煉。固要精審。質量亦要明確。過則中毒。不及而無效。此為可慮。西藥提煉固精。而處方尚少佐使制化之宜。如酸性病則用鹼性藥。鹼性病則用酸性藥。使單一病竈之質素。與藥之質素相中和。病竈雖愈。而其他之組織。必至誘起病証。中藥處方。生尅制化。面面顧及。似較優勝。人身有抗毒及生活兩素。如無病菌存在。亦可自然療治。諺有云。不吃藥為中醫。防認症不清。引起副病故也。

鍼灸術之沿革

古代治病。始為祝由。繼乃砭石導引。而湯藥在於砭石之後。砭石迄已不用。今之鍼灸術。始於砭石之遺意。內經素問靈樞。中醫界奉為金科玉律。為醫科必讀之書。而靈樞九卷。特詳鍼經經俞。鍼家尊為鍼經。故亦有鍼經九卷之名。而素問刺熱瘧諸篇。黃帝鍼灸治病之源。越人扁鵲。刺維會。起虢太子尸厥。可請鍼家之鼻祖。自後載諸史乘。代有傳人。漢之華陀郭玉。其最著者也。他如魏之徐氏彧。李氏潭元。皆以鍼名。至晋有王甫謐著甲乙鍼經。齊有徐文伯。馬嗣明。為鍼灸之著者。隋之北山黃公。唐之名臣狄公仁傑。皆精於鍼灸。而孫氏思邈。王超。王壽。甄權。諸賢。更復著作。及至宋代仁宗詔王維得考次鍼灸。鑄為銅人。於是經穴始有標準可循。鍼灸一科。研者遂多。丘經歷。王纂。許希。王堯明等。皆名聞朝野。而王氏執中。復著有鍼灸資生經七卷。劉氏元賓。著有洞天鍼灸經行世。至金元而仍不稍衰。太師竇漢卿。宦而精鍼術。著有標幽賦。張氏潔古。醫學著作尤多。亦精鍼者。滑壽伯仁。得東平高洞陽之傳。名噪遐邇。著作亦多。元臣忽太必烈。著有金蘭循經。王鏡澤得竇氏之傳。重註標幽賦。傳其子國瑞。國瑞傳廷玉。廷玉傳寒潭。世克其業。降之明季。有過龍之鍼灸要覽。吳嘉言之鍼灸原樞。汪機之鍼灸問對。姚亮之鍼灸圖經。陳會之神應鍼經。高武之鍼灸節要與聚英。楊繼洲之大成。張爵已著。音有發揮。而黃良佑。陳光遠。李成章等。專以鍼鳴世。元明兩季。為中國鍼灸學最盛時代。清季之世。歐風東漸。此學

法之便　無有可比者　此法係據完針灸之後　當一併編入講義

第七　逆治之禁刺

靈樞玉版篇　其腹大脹　四肢清冷　形脱泄甚　是一逆也　腹脹便血　其脉大時絶　是二逆也　欬溲血　形肉脱　脉搏　是三逆也　嘔血　胸滿引背　脉小而疾　是四逆也　欬嘔腹脹　且飧泄　其脉絶　是五逆也　如是者不過一時而死矣

若不察此而刺之　是謂逆治

馬元台曰　腹大而脹　四肢清冷　其形既脱　其泄又甚　非一逆而何　腹脹於中便血於下　乃陰証也　而脉大時絶　是大為陽脉，絶　死脉　非二逆而何　在上為欬　在下溲血　其形已脱　火盛水虧也　而脈又搏擊　非三逆而何　嘔血而胸滿引背　脉固而小　而小中帶疾　虚而火熾也　非四逆而何　上為欬嘔而中為腹脹　下為飧泄　病已虚也　而其脉則絶　非五逆而何　此其所以不及一時而死也　曰一時者　一周時也　五逆不可刺而刺之　是之謂逆治耳

陌晚為周　周机折矣

第八　現象之禁刺

素問刺禁論篇曰 無刺大醉 令人氣亂 無刺大怒 令人氣逆 無刺大勞人 無刺新飽人 無刺大饑人 無刺大渴人 無刺大驚人

張介賓曰 大醉亂人氣血 因而刺之 是益其氣也 怒本逆氣 刺之其氣益甚也 大勞者氣乏 刺之則氣愈耗也 新飽者穀氣盛滿 經氣未定 刺之恐其易泄也 饑人氣虛 刺則易傷其氣也 渴者液少 刺則愈亡其陰也

第九 五奪之禁刺

靈樞五禁篇曰 何謂五奪 形肉已奪 是一奪也 大奪血之後 是二奪也 大汗出之後 是三奪也 大泄之後 是四奪也 新產及大血之後 是五奪也 此皆不可瀉

張介賓曰 此五奪者 皆元氣之大虛者也 若再瀉之 必至於死 不惟用針用藥亦然

第十 四避之針刺

灵樞逆順篇曰 無刺熇熇之內 無刺漉漉之汗 無刺渾渾之脉 無刺其病與脉相逆者

張介賓曰 熇熇熱之甚也 漉漉汗之多也 渾渾虛實未辨也 病與脉相逆 形證陰陽不合也 是皆未可刺者也

第十一 反實之針訣

靈樞九針十二原篇曰 五藏之氣 已絕於內 而用針者 反實其外 是謂重竭 重竭必死 其死也靜 五藏之氣已絕於外 而用針者 反實其內 是謂逆厥 逆厥必死 其死也躁

張隱菴曰 五藏之氣 已絕於內者 脉口氣內絕不至 反取其外病之處 而針陽脉之合 有留針以致陽氣 陽氣至 則內重竭 重竭則死矣 無氣以動 故靜 五藏之氣已絕於外者 脉口氣外絕不至 反取其四末之輸 有留針以致其陰氣 陰氣至 則陽氣外入 入則逆 逆則死矣 其死也 陰氣有餘 故躁

第十二 死徵之針戒

靈樞熱病篇曰 熱病不可刺有九 一曰汗不出 大顴發赤 噦者死 二曰泄而腹滿甚者死 三曰目不明 熱不已者死 四曰老人嬰兒 熱而腹滿者死 五曰汗不出 嘔下血者死 六曰舌本爛 熱不已者死 七曰欬而衄汗不已而不過脉者死 八曰髓熱者死 九曰熱而痙者死 腰折瘈瘲 齒噤齘也

馬元台曰 其一熱病汗不得出 大顴骨之上 發而為赤 胃邪盛也 穀氣與邪氣相爭 發而為噦 胃氣虛也 此其所以死也 其二熱病 則為泄而腹尤甚滿 不以泄減、脾氣衰也、此其所以死也、其三目以熱而不明 熱又甚不已、肝氣衰也、此其所以死也、其四凡老人嬰兒 熱病而腹滿者脾邪盛也 此其所以死也、其五熱病而汗既不得出、心氣衰也、血或嘔或下 邪氣尤盛也、此所以死也、其六舌本已爛、熱猶不已、心邪盛也、此其所以死也、其七熱病欬而且衄、肺邪盛也、其熱已極、汗猶不出、心氣衰也、二十世紀之中國醫療界。大别分為中西二派。中醫側重湯液治療。歷千載如一日。無其他之改進。西醫則由藥物內服療法。進而行注射治療。近今又趨重於紫光電。太陽燈等之電氣與物理療法。彼醫療銳進。尚感治療之闕如。未能應付萬病。而功效萬能之中國鍼灸學術。中醫界明知其有偉大功能而不與提倡。中國之西醫界。追隨歐美之後。步趨未遑。固無暇顧及祖國之精粹。大好學術。湮沒不彰。良深可惜。今摘述鍼灸在治療上之功能。以見其價值之一斑。

傷寒

西醫名為腸窒扶斯。至今尚未發明特效療法。中醫則自詡善治傷寒。每引以自傲者。仲景傷寒論一書。為治外感六淫之專書。醫者奉為金科玉律之聖經。為湯劑之圭臬。然書中有當刺期門。與先刺風池風府等之明文。足見鍼刺能助湯藥之不及。仲景亦嘗言之矣。昔許叔微治婦人傷寒熱入血室，如結胸狀譫語者。處以小柴胡湯。不應。歎曰。若有能鍼刺者。病當愈。觀此鍼灸之於傷寒。其重要為何如。治傷寒不外汗吐下和四法。鍼灸無不能之。其功效之迅速。遠非藥石所能及。往往一鍼甫下。沉疴立起。呈不可思議之奇蹟。令人驚歎。

中風　西醫謂為腦充血。中醫則為厥陽暴逆。或肝陽上升。俱認為險惡之症。西醫除安靜其神經外。無治療方法。中醫雖有鎮逆。熄風。填竅。諸治法。效果蓋亦遲緩。若施以鍼灸。往往得獲神效。百會一穴。實為治中風之捷徑。一鍼甫下。其疾若失者有之。

肺癆　中醫名曰傳尸。西醫名曰。肺結核。亦為醫界束手之壞症。苟和起有善灸者。於膏肓。肺俞。鬼眼。三里。等穴頻施之。較之湯藥。注射。人工氣胸術之效多多矣。

痺痛　一切五痺疼痛。施以湯藥。功效遲緩。西醫注射電療。功名稍佳。總不如鍼刺之有捷效。故民間患是症者。仍多就鍼醫施治之。

外瘍　外瘍之險惡者。莫如毒疔。靈台合谷等穴能平之。外瘍之難愈者。莫如痔漏。局部灸法能愈之。遠非藥物。亦非其他手術能及其萬一也。

霍乱　西醫名曰。虎列拉。此急症也。亦危症也。善鍼者。竟能奏效神速。固無瀆乎益水之注射與擦腦鍼之强心。故鍼灸之於霍亂。中國民众殆無不知之。止其他如迎香出血之治目疾。少商之治喉症。合谷之治齒痛。大椎之治瘧疾。三里療脚氣。中脘療胃病。期門治胸脇痛。陰交至陰治難產。皆應手奏效。捷於桴鼓。若秦越人刺維會　起虢太子之尸厥。徐文伯刺合谷陰交。下婦人之胞胎。狄仁傑刺腦空而墜鼻瘤。甄權刺臂腧而袪臂痛。史冊所載，医家傳為美談。至若散見於歷代各大名医之治案者。更不勝枚舉矣。…鍼灸之治效。已略如上述。則其在医療上之价值。遠勝於湯藥而無疑。更非紫光電太陽灯之迂緩治療所能企及。毋怪東西各國。有設專科而研究之也

鍼刺治效之研究

药物治療。其药祇適應某病。而不能統治百病。中西皆同。而一鍼一艾之微。竟有可療治百病者。甚至效如桴鼓。其学理之安在。至今日尚未有正確之發明。前贤有言。經脈者。所以能决死生。處百病。調虛實。所謂經脈者。指人身之十二

經脈。毋任督諸脈。謂人身之氣血。俱循此經脈以流行。內經有云。營氣之道。納穀為寶。穀入於胃 乃傳之肺。流溢於中。佈散于外。精專者。行于經遂。常營無已。終而復始。是為天地之紀。故氣從太陰。出注手陽明。上行注足陽明。下行至跗上。注大指間。與太陰合。上行抵髀。從髀注心中。循手少陰出腋。下臂注小指。合手太陽。上行乘腋。出 內注目內眥。上巔下項。合足太陽 循脊下尻。下行注小指之端。循足心注足少陰。上行注腎。從腎注心。外散于胸中。循心主之脈。出腋下臂。出兩筋之間。入掌中。出中指之端。還注小次指之端。合手少陽、上行膻中。散于三焦。從三焦注膽。出脇注足少陽。下行之跗上。 復從跗注大指間。合足厥陰上行至肝。從肝上注肺。上循喉嚨。入頏顙之竅。其支別者。上額循巔。下項中。循脊入骶。是督脈也。絡陰器上過毛中。入臍中。上循腹裏。入缺盆。下注肺中。復出太陰。此營氣之所行也。逆順之常也。又曰。衛氣之行。一日一夜、五十週于身。晝行于陽二十五週。夜行于陰二十五週。故五十度。而復大會于手太陰矣。其謂人身之病也苦，必屬針身有損，筋肉纖維纏繞於損處，當斯時也，即捻動針柄，左右同旋，俾筋肉之纖維退離，於左右迴旋之中，將針身時時試向外提，如久不得脫，祗稍稍用力拔出之可也，注意此針，以後不能再用，免蹈覆轍）。

（三）病者不慎、姿式移動、針絲屈曲。

凡針筋骨之隙之穴，切囑病家萬不能移動姿式，略微偏移皆不可，故在未針之先，病者或坐、或卧，或伏，其姿式必使之固定，然後下針，針入須臾，而欲出針，覺針身不能轉動、亦不能拔出，此弊最易發現於針柄灸艾之後，因針柄灸艾，至少有五分鐘之留針，病者不耐久持，無形中微有移動，而深筋骨之間之針絲屈矣，每當灸止而欲出針則不得矣，取出之法，惟有使病者不可再動，審定其屈勢，固執其針絲之露於皮外者，緩緩用力拔出之，切不可勉强捻動，勉强捻轉，必至針斷於內，醫者最當注意者也。

第十五　暈針之救治及預防

暈針俗謂針暈，此症多發於貧血，及神經衰弱者，蓋針之治病，藉痠重以奏功，此靈樞經所謂、氣不至無問其數，氣至而去人勿復針之意也、是故痠重愈劇．功效愈偉，而神經衰弱者、不勝痠重之感觸，故一遇激烈之痠重、遂致引動內臟之交感神經、起反射作用，而直奔腦系、故發生頭暈欲嘔之見症，同時表面皮下神經發弛張汗綫失其約束，故自汗淋漓，瞳人放大體溫減低、四肢厥冷、而血壓力亦漸降低、心房之搏動、因之漸微，不能鼓動血行、故脈亦伏，救治之法，前賢有補足三里，及針左補右之說，然嘗見針足三里、亦致暈針，夫暈針之構成，大概痠重過甚神經受麻痺而失其知覺運動，法當激動其知覺神經，以復其固有之机能，其法於患者人中中衝二穴，以措重捏之，使其感覺疼痛，而激動其知覺神經，更以溫水灌服之，以壓降神經反射性，或以飲酒，而助血液之流行，則暈針可得而醒矣。

暈針非人人有之，百中偶有一二，患者皆屬貧血之軀，及心存畏怯者，故施術者於未施針之前，當細察之，若遇面色與眼皮底中淡白不紅者，此為貧血之軀證，即有暈針之可能性，醫者遇之，須加種種安慰與解釋，使病者心無畏怯、氣足少陽膽脉。是動則病。口苦。善太息。心脇痛。不能轉側。甚則面微有塵。体無膏澤。足外反熱。頭痛。頷痛。目銳眥痛。缺盆中腫痛。腋下腫。馬刀俠瘿。汗出。振寒，瘧。胸脇肋髀膝外至脛絕骨。外踝前及諸節皆痛。

足厥陰肝脉。是動則病。腰痛不可以俯仰。丈夫㿗疝。婦人少腹腫。嗌乾。而塵脫色。胸滿嘔逆。飧泄。狐疝。遺溺。閉癃。

任脉為病。男子內結七疝。女子帶下瘕聚。

督脉為病。脊強反指。

又曰。邪之客于形也。必先舍於皮毛。留而不去。入于經脈。留而不去。入于絡脉。留而不去。入于經絡。內連五臟。散於腸胃。陰陽俱盛。五藏乃傷。

綜上前賢所述人身之生活運用，無不繫乎十二經氣血之流行。凡百疾病，亦無不繫乎十二經脉氣血之太过或不及。即外感六淫之侵襲。亦無不由皮毛而入孫絡而脉絡而經絡也。讀經刺，繆刺。巨刺。諸論。迎隨補瀉諸法。即可得刺法之大要。而知治十二經脉太過不及。發生諸病之總綱矣。觀乎此。鍼刺之有特殊功效者

·其節流通十二經脈氣血之流行歟。然竊有疑焉。每見殘手斷足者。其運動雖失自由。而精神氣魄依然不變。若不以經脈之殘絕。致氣血之流行。不能御接而危其生命。且也，二十世紀。科學昌明。學術競進。西医擅解剖。終不得所謂十二經之痕跡。然則前人之十二經絡之說。已根本動搖。而鍼之能流通十二經脈氣血之說。則亦不能成立矣。因是旁考生理解剖新識。謂吾人之意識。舉止。運動，無不繫于神經之作用。其總樞悉統於腦。考腦分大小二枚。大腦主意識作用；小腦司運動總鍵。腦有神經十二對。舉凡色香味觸法。無不繫于十二對腦神經之作用。苟損其一。則五官之官能即受影响。腦之下為延髓。內臟官能之神經繫焉。如肺之呼吸。心之輸血，肝之製胆汁。胃之主分泌。脾之主造白血球。腸腎之蠕動排分泌。血流行。二側排泄。莫不屬于內臟神經之官能作用也。延髓之下為脊椎神經三十一對。人身筋肉之觸覚四肢之活動繫焉。于是知我中医。認為人身之生活運用。繫于十二經之氣血運用者。即西医所謂神經也。而鍼刺效用之理亦或可想而知矣。神經密佈週身。有似電線。四通八達。無不相連。苟一經偶受阻滞病態立即發生。鍼刺者。即所以刺激神經。興奮神經。促進或減緩血液之進行。亢進或制止內臟之分泌。而蠕動及排除神經之障礙。而恢復其常態也。故一鍼之微。萬百疾病。皆得而治焉。昔者。某西医博士。謂人身有電。鍼為金屬。傳電最易。鍼經肌肉摩擦。即發生輕微之電流。疏通神經。復其常態。病態於是乎消矣。是說。則鍼刺效用之理。更進一解矣。

溫灸治效之研究

鍼之治效。為刺激神經。興奮神經。排除障礙。具三種功能。已如上述矣。溫灸治效之理。亦當一伸其說焉。稽夫艾之功用。考藥物謂其性溫熱。味苦無毒。宣理血氣。利陰氣。溫中逐冷。除溼開鬱。生肌安胎。暖子宮。殺蚘蟲。灸百病。能通十二經血氣。能回垂絕之元陽。然則艾灸之功用。前賢已明示矣。今就其上列之功用。以新學理方式解釋之。其性溫熱。有鼓舞神經之功能。宣理氣血。即促進血液之循環。利陰氣。溫中逐冷。暖子宮。有補助生殖之偉效。除溼開鬱。乃增加白血球。殺滅細菌。及促進淋巴。發揮新陳代謝之功用。生肌安胎。為增進荣养之机能。灸百病。通十二經氣血。回垂絕之元陽。無一非活動人身諸關節

·及促進各組織之細胞生活力也·日本原田次郎·研究灸之功用·曾發表其實驗報告曰·灸之主要作用·為一種溫熱性·與化學性之刺激·增進細胞之生活力·調節各種之內分泌·誘導生理起興奮作用·或反射作用·使血壓上昇·白血球倍增，營養旺盛。原之勉大郎研究灸之結果曰。能使赤白血球繁殖而增加，赤血球沉降速度增進。血液凝固性流通。局部血管充血。恢復疲勞。由此以觀。其效用實不亞于鍼刺。夫以古今医家於鍼灸成效之辨別。鍼利于急性病，灸則宜于慢性症。鍼效速而灸功緩。各有其長。苟善用之。則相得益彰矣。

奇經八脈之研究

奇經八脈者。任脈。督脈。衝脈。帶脈。陽蹻。陰蹻。陽維。陰維。別于十二經正經之外者也。然任行身之前。督行身之背。此二經外。衝隸於足陽明。帶隸於足少陽。陽維隸於手少陽。陰維隸於手厥陰。陽蹻隸于足太陽。陰蹻隸於足少陰。于陰陽維蹻之隸于十二經中。而不能越於十二經之外也。內經本藏論曰。經脈者。所以行血氣。而營陰陽。又曰。經脈者。血氣之道路也。由是以觀。經為神經。脈為血管。二者交相附麗。各盡其造化運行之妙。蓋血之行也。由于心臟之鼓動心鼓動之發生點。則屬於心臟神經叢擴張性。與收縮性之機能作用。即血管所佈之處。亦有此種机能性之神經。維附繞之。以發揮其輸血之作用。內經所謂氣主輸之者是也。神經系繞之營養。則全恃血行之活潑。內經所謂血主濡之者是也。然則十二經者。固不但指神經亦包括一部分之血管於內也。督脈云者。內經謂起於下極。貫脊而絡腦。統主一身之陽氣。考生理解剖。脊髓神經。上連於腦。下達尾閭。發出神經三十一对。通達周身四肢。吾人周身之知覺與運動。俱本於此。陽氣者。指人身意識筋肉機關之活動力也。陽氣旺者。即活動力強。強則神充体健。弱即活動力弱。弱者。意志萎靡也。內經之所謂。督脈統一身之陽者。與脊髓神經繞人身知覺與運動之神經。適相符合。則其為脊髓神經也。而無疑矣。任脈起於中極之下。循小腹直上。而至咽喉之上。內經謂任主血。起於胞中。為血之海。其為病也。男子內結七疝。女子帶下瘕聚。今就生理下觀察之。心臟為血行器。動靜二大脈管俱聯於此。靜脈名迴血管。血液之新鮮者。由動脈輸出。復由靜脈而迴入。靜脈有上大靜脈與下大靜脈。俱在人身之正中綫。彙集人身之靜脈血。而輸入於心臟。萬流同歸。不當為血之海。又有名淋巴管者。為養生要素之二（淋巴液）而聯介於靜脈之重要管囊也。其系統則附屬於血管。沿上下大靜脈而行者。有左右總淋巴幹。在腹腔者。為腸淋巴幹。在腰部者。為氣管縱膈淋巴幹。頸淋巴幹等。其名稱固不止是。但其統繫之淋巴管淋巴腺。因淋巴液壅滯而發生淋巴管腺腫脹結核疝瘕等病。與任脈疝瘕相符合。是則內經之所謂任脈。為大靜脈與淋巴幹也無疑矣。衝脈云者。內經謂衝為血海。又謂衝脈者。起於氣街。並少陰之經。挾臍上行。至胸中而散。是則衝脈者。亦為下大靜脈也。帶脈起於季脇之下。當十四椎之間。內經謂如束帶。迴繞一週。約束諸經。就生理上論此處為腰動脈。與腰淋巴幹。是則帶脈當為動脈與淋巴幹知。陽蹻。陰蹻。陽維。陰維。就內經所載而觀之。俱附麗在十二經之中。陽蹻為病。陰緩而陽急。陰蹻為病。陽緩而陰急。陽維為病。腰溶溶不能自取持。陰維為病。苦心痛。是皆屬乎神經性之病態。則陰陽蹻維。其為一部分之神經也。無疑義矣。奇經八脈之觀察如上述。今再重複而歸納之。經脈者。包括人身之神經。血管。淋巴管。三種重要器官也。苟許此說為未誤。若再進一步分析而研究之。我四年久守不变之十二經絡之学理。不難立符其真義而破其謎矣。

支配胃之自律神經，其目的先在脊椎第六以下之棘狀突起之兩旁 因胃分布之交感神經，即出於大小內臟神經，此交感神經在脊椎之前側以上。若與以實際之刺戟，勢必穿通肋間筋，以達到肋間之緊張，又胸廓內有肺臟及肋膜，若誤深刺入此等重要臟器，恐來不測之害。

第一肋間筋，占呼吸筋中重要位置，若刺戟此筋而使興奮，則呼吸時每來胸部疼痛，隔患者於不安，在此情形之下，應保持中樞神經系統及自律神經系統各節，使之連絡吻合 故其表層，刺戟於同一部位之脊髓神經，使其刺戟傳達於交感神經，此之謂針治之介達作用，又變調神經，其感覺甚敏銳，例如胃痙攣，起於胃之知覺神經，比之其他健全之神經，感覺敏銳，若與以刺戟，即來變調之神經疾患，西醫用嗎啡等之麻醉藥注射，使鎮靜，其他之健全神經雖不起作用，而疾患之神經，每起作用，刺針對於變調之神經作用，能正調鎮靜之

第二十一 針治學最後之注意

針治學，可以告一段落了，不過這篇針治學，僅編得十分之一，還有大多數

尚未編入，不過針治學的精髓，編者敢大胆說一句，完全萃集這裡了。還有灸治學、經穴學、針灸治療學，本期是沒有辦法去究研他的，且挨之將来吧，我現所欲講者，乃本編針治學之注意。

凡欲用針，先宜察寒熱虛實，分别病之久暫　凡久病者，宿疾，或有痛難快之症，先在順氣之穴，（見下篇針灸治療學）、用此針術以試之　若其痛少動，其病可治，若不動，則不必刺，因其不可治也。

一、診察之心得

凡治病有治其難治之病，有治其能治之病，有不治其不治之病，此之謂名醫庸醫，不察此意　每不治其可治，而強治其不可治，其不失墜自己之信用者幾希、世人亦因之常怪針之效，而虞其危，是在為醫者善遵古人之法，而不泥古人之說，常加自己之發明，而不惱於自己之成見，斯得矣。

二、針之效果

針砭非所以挽救天命，不過去其邪氣，復其正氣而已　故靈樞云　一刺效之信，若風之順雲，明乎若見蒼天，而刺之道畢」，誠砥乎言之矣、針，猶，風也邪氣，雲也，針之風起，而邪氣之雲被拂，此時現正氣之蒼天，則月光皎矣此，針治之效畢矣，若風不能拂雲，非特技不能見，反至黑雲瀰漫，沛然下雨，善針術者，不可不于時察之也。

三、針之利害

壽王書曰「針能殺生人，不能生死人」蓋極謗誹針科之能事矣，其實細解其意義，實與針家之絕大之奮激訓誡　針家以期技術之精巧，雖近世業斯術者，每不解其手技，更不解其俞穴，偶得刺針之一端　輒不自諒，誇耀於人，且誤信不必俞穴，不忌禁穴之謬說，妄施刺針，馴致演出意外之事，斯真斯業之罪人，不顧人道者也，吾人於此不可不勉。

針治不得真道，妄施手技，非特有害，更恐喪命，但針雖不能救天命，苟得利用之巧，克道，其病雖靈藥猶不及，世人多不察此意　惑於針能殺人，與難病不濟之誤解　其實為害者，何獨針灸一科而已，醫藥亦然，藥之良否，由於藥液之本身，其作用亦不同，苟調劑能適其病，雖萬病亦能治愈，然其不治之症與難病，亦尚不濟，況手術之種類甚多，有劇藥、有毒藥，每因其配劑與分量，而去病或招害或陷於死境，諺云，冰多則水多，故針亦有禁穴，犯之則增病，甚或奪其生命，此全在臨病時善用之，而又所許急病一針，能奏起死回生之效，蓋利害得失，理數之所難免，有效亦必有害，能收其效，不招其害，自在術者之手腕也。

按以上所述，為李文憲君編緝，用以教授第一二班學者，以其選材分類，似較第二班以後所編緝者為優良，故本班教授，仍復採用，至自此以下，則用承澹庵針灸大成為課本，裨與第三四班同歸一致，庶於應用上不生歧異也。

黄潚梅附註。

灸針學講義　終